Curso Básico de Astrologia

MARION D. MARCH
JOAN McEVERS

Curso Básico de Astrologia

VOLUME I

Princípios Fundamentais

Os Signos – Os Planetas – As Casas – Os Aspectos

Tradução
Carmem Youssef

Prefácio de
Verbenna Yin

Editora
Pensamento
SÃO PAULO

Título do original: *The Only Way to Learn Astrology – Vol. 1 – Basic Principles.*
Copyright © 2008 ACS Publications, Starcrafts LLC1976.
Copyright da edição brasileira © 1988, 2022 Editora Pensamento-Cultrix Ltda.
2ª edição 2022.
Primeira edição por Marion D. March, Joan McEvers e Robert Jansky
Copyright © 1976 Astro-Analytics Publications.
Copyright © 1981 Edição revista ACS Publications.
Segunda edição por Marion D. March e Joan McEvers
Copyright © 1997 ACS Publications

Todos os direitos reservados. Nenhuma parte deste livro pode ser reproduzida ou usada de qualquer forma ou por qualquer meio, eletrônico ou mecânico, inclusive fotocópias, gravações ou sistema de armazenamento em banco de dados, sem permissão por escrito, exceto nos casos de trechos curtos citados em resenhas críticas ou artigos de revista.

A Editora Pensamento não se responsabiliza por eventuais mudanças ocorridas nos endereços convencionais ou eletrônicos citados neste livro.

Editor: Adilson Silva Ramachandra
Gerente editorial: Roseli de S. Ferraz
Preparação de originais: Maria Fernanda F. da Rosa Neves
Gerente de produção editorial: Indiara Faria Kayo
Editoração Eletrônica: Join Bureau
Revisão: Adriane Gozzo

Dados Internacionais de Catalogação na Publicação (CIP)
(Câmara Brasileira do Livro, SP, Brasil)

March, Marion D.
  Curso básico de astrologia: volume I: princípios fundamentais: os signos, os planetas, as casas, os aspectos / Marion D. March, Joan Mcevers; tradução Carmem Youssef. – 2. ed. – São Paulo, SP: Editora Pensamento, 2022.

  Título original: The Only Way to Learn Astrology: vol. 1: Basic Principles.
  ISBN 978-85-315-2195-9

  1. Astrologia – Manuais I. Mcevers, Joan. II. Título.

22-109428   CDD-135.47

Índices para catálogo sistemático:
1. Astrologia: Ciências ocultas 135.47
Eliete Marques da Silva – Bibliotecária – CRB-8/9380

Direitos de tradução para a língua portuguesa adquiridos com exclusividade pela
EDITORA PENSAMENTO-CULTRIX LTDA., que se reserva a
propriedade literária desta tradução.
Rua Dr. Mário Vicente, 368 – 04270-000 – São Paulo – SP – Fone: (11) 2066-9000
http://www.editorapensamento.com.br
E-mail: atendimento@editorapensamento.com.br
Foi feito o depósito legal.

Dedicamos este livro, com muita gratidão,
a nossos alunos, cujo encorajamento e
estímulo transformaram-no em realidade, e,
com muito amor, a nossos maridos,
Dean McEvers e Nico March.

Agradecimentos

Agradecemos à nossa editora ACS por nos dar a chance de reescrever e atualizar o primeiro volume da nossa trilogia de *Curso Básico de Astrologia*. Mais de 25 anos se passaram desde que começamos nossa abordagem de ensino amplamente reconhecida e bem-sucedida. Durante esse anos, simplificamos e refinamos algumas de nossas técnicas. Obrigada à ACS, em particular a Maria Kay Simms e Maritha Pottenger. Podemos agora compartilhar essas mudanças com você. Um agradecimento especial a Jeani Lewis, uma capricorniana com olhos de águia que garantiu que os quase dois mil exemplos que usamos estavam baseados em dados corretos, limpos, sem erros ortográficos e não utilizados muitas vezes.

– Dezembro de 1996

Nota do editor: *Embora tenhamos o prazer de oferecer esta nova edição do Volume 1 da popular e agora clássica trilogia* Curso Básico de Astrologia *com nova capa e outras alterações de formatação, os leitores devem estar cientes de que o texto, como nossa reprodução dos Agradecimentos permanece o mesmo da segunda edição revisada do* Curso Básico de Astrologia, Volume 1, *conforme publicado pela ACS Publications em 1997.*

Sumário

Prefácio à Edição Brasileira, de Verbenna Yin 15
Dados do horóscopo 19
Introdução: Barbara H. Watters 23
Prefácio 25

Parte I

Módulo 1: Introdução 31
    O que é Astrologia? 31
    O que é um horóscopo? 33
    A Roda Natural ou Plana 35
    Os elementos 37
    As qualidades 38
    Regências 40
    As casas 40
    Resumo 42

Módulo 2: Os Signos 43
    Introdução 43
    Os signos do zodíaco 44

Regência planetária dupla dos signos 50
Questionários 51

Módulo 3: Os Planetas 53
Introdução 53
Os nodos lunares 60
Dignidades 61
Questionário 63

Módulo 4: As Casas 65
O significado das casas 65
Casas derivadas 71
Relação das casas com os elementos e qualidade 72
A natureza das casas por elemento 72
Divisão das casas por qualidade 73
Os meridianos 74
Questionário 77
Breve comentário antes de prosseguirmos 78

Módulo 5: Como Ler, Interpretar ou Analisar um Mapa Astrológico 79
Introdução 79
O uso das palavras-chave na interpretação 80
Interpretação de um mapa astrológico modelo 82
Questionário 89

Módulo 6: Os Aspectos 91
Introdução 91
Os aspectos maiores 94
Regras gerais e roteiro para aspectação 101
Compreensão do significado básico dos aspectos 103

Módulo 7: Aspectação 111
    Aspectação no mapa astrológico 111
    Resumo dos módulos 6 e 7.. 116

Parte II

Introdução... 121

Módulo 8: O Sol.. 123
    Alguns comentários gerais sobre este módulo................. 123
    Apanhado geral do mapa natal de Wolfgang
        Amadeus Mozart... 123
    Bibliografia 128
    Interpretação do mapa natal de Mozart 128
    O Sol nos signos.. 130
    O Sol nas casas 136
    Aspectos do Sol... 142

Módulo 9: A Lua 163
    Alguns comentários gerais sobre este módulo................. 163
    A Lua nos signos... 164
    A Lua nas casas... 181
    Aspectos da Lua 187

Módulo 10: Mercúrio 209
    Alguns comentários gerais sobre este módulo................. 209
    Mercúrio nos signos... 210
    Mercúrio nas casas... 218
    Aspectos de Mercúrio... 225

Módulo 11: Vênus ... 243
Algumas Sugestões ... 243
Vênus nos signos ... 244
Vênus nas casas ... 251
Aspectos de Vênus ... 258

Módulo 12: Marte ... 277
Alguns comentários gerais sobre este módulo ... 277
Marte nos signos ... 278
Marte nas casas ... 285
Aspectos de Marte ... 291

Módulo 13: Júpiter ... 307
Comentários Importantes sobre este módulo ... 307
Júpiter nos signos ... 308
Júpiter nas casas ... 315
Aspectos de Júpiter ... 322

Módulo 14: Saturno ... 333
Comentários importantes sobre este módulo ... 333
Saturno nos signos ... 334
Saturno nas casas ... 343
Aspectos de Saturno ... 351

PARTE III

Os transcendentais ... 365
Jane Fonda: Uma breve biografia ... 367
Bibliografia ... 373

Módulo 15: Urano 375
    Alguns comentários gerais sobre este módulo 375
    Urano nos signos 377
    Urano nas casas 384
    Aspectos de Urano 392

Módulo 16: Netuno 403
    Mais comentários importantes sobre este módulo 403
    Algumas observações gerais sobre Netuno 404
    Netuno nos signos 405
    Netuno nas casas 414
    Aspectos de Netuno 422

Módulo 17: Plutão 425
    Algumas observações gerais a respeito de Plutão 425
    Plutão nos signos 428
    Plutão nas casas 434
    Aspectos de Plutão 442
    Resumo 443

Apêndice

Roda Natural ou Plana 445
Módulo 2: Questionários 1 e 2 446
Respostas do Questionário 2 447
Módulo 3: Questionário 447
Módulo 4: Questionário 448
Módulo 5: Questionário 449
Módulo 8: O Sol 452
Módulo 9: A Lua 455

Módulo 10: Mercúrio 457
Módulo 11: Vênus 458
Módulo 12: Marte 460
Módulo 13: Júpiter 461
Módulo 14: Saturno 462
Módulo 15: Urano 462
Interpretação do mapa natal de Jane Fonda 464
Módulo 16: Netuno 465
Módulo 17: Plutão 467

Leitura recomendada 473

Prefácio à Edição Brasileira

A Astrologia é um conhecimento fascinante, presente em diversas culturas desde tempos imemoriais. Encontramos registros históricos do conhecimento e uso da Astrologia no Antigo Egito, na Mesopotâmia, na China e na Mesoamérica pré-colombiana, além de hoje reconhecermos descobertas importantes, como a Máquina de Antikythera, criada no século I a.C. na Grécia romana para fazer cálculos astrológicos precisos, e o Calendário Astrológico Chinês, instituído pelo imperador Huang Ti em 2637 a.C., além de diversos estudos astrológicos descobertos nos *Vedas*, os livros sagrados da região da Índia atual, escritos aproximadamente em 1500 a.C.

Aqui no Ocidente, a Astrologia foi consolidada como conhecimento a partir dos gregos, com o célebre *Tetrabiblos*, de Ptolomeu, no século II d.C., e já no período pós-Renascentista, com a obra *Astrologia Cristã*, de William Lilly, no século XVII. Essas obras são a referência do que chamamos Astrologia Tradicional, e é justamente essa a abordagem que encontraremos neste *Curso Básico de Astrologia*, que já se tornou um clássico entre os estudantes de Astrologia em diversos países. Partindo de uma apresentação simples e didática, as autoras Marion D. March e Joan McEvers vão oferecendo, gradualmente, as bases desse conhecimento, ilustrando o significado dos signos do zodíaco e dos planetas em palavras-chave que facilitam a compreensão e a memorização dos conceitos. Ao longo do livro, passam do alicerce à construção, solidificando os conceitos em noções mais detalhadas e profundas, conforme vão delineando o efeito das posições celestes de acordo com os traços formados entre os planetas, suas posições nas casas astrológicas e respectivas aspectações.

O grande trunfo desta obra é, sem dúvida, o exercício criativo proposto ao longo dos capítulos, pois, ao oferecer os conceitos em palavras-chave e a aplicação prática destes em mapas de pessoas reais (pessoas públicas cujas características ajudam a fixar melhor o conhecimento), as autoras também favorecem um ambiente de aprendizagem mais lúdico e dinâmico ao convidar o estudante de Astrologia a praticar, por conta própria, uma elaboração criativa dos conceitos astrológicos em exercícios, estímulo que prende o interesse e nos faz querer continuar pelos capítulos seguintes.

Além disso, o texto "conversa" com o leitor em uma agradável interação, que vai tecendo um diálogo fora do tempo cronológico, algo muito original, que talvez se possa atribuir a uma característica comum das autoras: ambas são aquarianas. Deve vir daí o talento para propor uma aprendizagem objetiva, rápida e eficiente, como a deste livro, já que Aquário é o signo do elemento Ar que mais corresponde à transmissão do conhecimento em larga escala. É mérito das autoras, também, terem elaborado uma obra que consegue transmitir o conhecimento astrológico a qualquer pessoa, mesmo leigas e sem contato anterior com a linguagem dos astros, o que contribuiu para que este trabalho fosse reconhecido internacionalmente pela importância na democratização do acesso a esse conhecimento.

Contudo, é importante mencionar que este volume – o primeiro de um total de três – foi originalmente escrito em 1976 e chegou a passar por uma revisão das autoras em 2001, tendo seu conteúdo original ampliado, porém as definições de alguns posicionamentos celestes foram destacadas nesta edição e receberam notas explicativas, deixando o texto ainda mais claro. Trata-se de posicionamentos específicos dos planetas Netuno e Plutão, que até a data da revisão não tinham ainda uma observação fiel da totalidade de suas órbitas.

Também julgamos pertinente lembrar que Netuno foi descoberto em 1846 e cumpre órbita de cerca de 165 anos, de modo que a observação ativa das influências desse planeta ao longo dos signos ainda não estava completa quando as autoras concluíram as revisões, o que resultou nas ressalvas quanto à posição de Netuno em Capricórnio.

De modo semelhante, isso se passa com a análise de Plutão nos signos. Esse planeta só foi descoberto em 1930 e possui órbita bastante irregular, tendo sido possível observar ativamente seus movimentos desde o signo de Câncer até Sagitário. Porém, ainda é incerta a definição do tempo que levará para atravessar cada um dos demais signos e cumprir a totalidade de sua órbita, de forma que não seria correto fazer estimativas temporais ou tecer associações com fatos históricos em retrospecto, dada a incerteza das informações.

Apontamos essas ressalvas para que o leitor, estudante da Astrologia, também possa se inteirar de como esse conhecimento é dinâmico e acompanha, sobremaneira, o desenvolvimento do pensamento humano. Sabemos que os planetas são descobertos em situações globais que se associam ao seu significado, revelando a profunda conexão entre os valores constelados na representação planetária e os movimentos históricos e sociais de uma época. É interessante considerar que Netuno foi descoberto no mesmo período em que vicejava a hipótese da existência do inconsciente, explorada por Goethe, Schopenhauer e Dostoiévski, e que Plutão foi identificado entre as duas grandes Guerras Mundiais e logo após a Grande Depressão causada pela quebra da Bolsa de Nova York, o que levou esse planeta a ser associado a grandes transformações sociais. E, conforme o pensamento de uma época se expande, novas descobertas astronômicas (e astrológicas) também se dão, contribuindo para ampliar a consciência de todos.

Nesta obra clássica, e de referência, sobre os estudos da Astrologia, fica o reconhecimento à honestidade intelectual das autoras, que não pretenderam incrementar o conteúdo com meras suposições, tendo, sim, a prontidão de passar adiante os conhecimentos já disponíveis. Quando acessamos seus respectivos mapas astrológicos, confirmamos a importância do signo de Aquário e de seu regente ao longo da vida delas: ambas contribuíram significativamente para a divulgação do conhecimento da Astrologia, organizando conferências internacionais e partilhando artigos em revistas e periódicos dedicados à área. McEvers faleceu aos 84 anos, quando Urano fechou seu retorno, e D. March, aos 78 anos, quando este mesmo planeta alcançou seu Sol de nascimento. Certamente, não falharam em dar vida às significações aquarianas, comprovando, com exemplos pessoais, o valor do conhecimento astrológico.

Que este livro possa continuar sendo uma inspiração, permitindo a todos que acessarem esse saber magnífico assumir também seu lugar na continuidade da Astrologia como um conhecimento valioso, libertário e transformador.

Verbenna Yin
Verão de 2022

Dados do Horóscopo

Queremos ter certeza de que vocês, alunos e leitores, entendam desde o início a enorme importância da precisão dos dados de nascimento para o cálculo astrológico. Imagine quão chateado você ficaria se, depois de muito tempo estudando um mapa, percebesse que seu melhor amigo lhe forneceu uma hora de nascimento errada. Imagine quão pior se sentiria quando, atendendo a um cliente, já como astrólogo experiente, notasse que recebeu informações equivocadas e, portanto, teria de recomeçar do princípio. Já imaginou que o fato de não verificar a autenticidade dos dados de nascimento fornecidos a você pode causar danos à sua reputação e à autenticidade da Astrologia? Então, sempre que perguntar a data, o horário e o local de nascimento de alguém, certifique-se de que os dados são confiáveis. A melhor maneira de fazê-lo é estabelecer a precisão da fonte dos dados. Para isso, apresentamos um sistema de classificação elaborado pela astróloga e pesquisadora Lois Rodden:

AA = dados precisos de registros cívicos (certidão de nascimento, hospital, batismo).

A = exato, conforme citado pela pessoa, parente, amigo íntimo ou associado.

B = biografia ou autobiografia.
C = CUIDADO, sem fonte. Dados não documentados, uma citação ambígua ou uma fonte que não provou ser confiável.
DD = dados sujos; duas ou mais citações infundadas.

Todos os nossos mapas são calculados usando o Zodíaco Tropical e o Sistema de Koch.

DADOS para MAPAS NATAIS apresentados no VOLUME I:

ROOSEVELT, Franklin Delano, 30 de janeiro de 1882 – 20h45 LMT*
Hyde Park, NY, 41N47 73W56
Fonte AA: Diário do Pai.

MOZART, Wolfgang Amadeus, 27 de janeiro de 1756 – 20h00 LMT*
Salzburgo, Áustria, 47N48 13E03
Fonte B: Carta do Pai, conforme citada no Prudhomme's
Uma biografia de Mozart.

FONDA, Jane, 21 de dezembro de 1937 – 9h14 EST
Nova York, NY, 40N46 73W59
Fonte AA: Lois Rodden tem certidão de nascimento.

Todos os dados de nascimento de personalidades conhecidas usados como exemplos para o posicionamento da casa e aspectos deste livro têm classificação "AA", "A" ou "B". Somente alguns exemplos para os signos do zodíaco, quando apenas a data e não a hora é importante, podemos ter usado classificação "C".

Um grande OBRIGADA a Edwin Steinbrecher, que tão gentilmente nos deu permissão para usar seu enorme banco de dados de 28 mil personalidades notáveis para verificar dados de nascimento e proporcionar classificações precisas. São pessoas como Ed e Lois Rodden, que dedicaram tanto tempo, esforço e recursos para pesquisar dados de nascimento, que enriquecem o campo da Astrologia e nos orgulham de ser astrólogas.

Introdução

A Astrologia é tão profunda e diversificada que ensiná-la torna-se uma arte complexa. Muitos professores esmorecem diante das dificuldades e terminam por repetir tradições e métodos estereotipados que chegaram até nós vindos de diferentes épocas e distantes.

Não é o caso de Marion March e Joan McEvers. Este livro é resultado de vários anos de prática e pesquisa de Astrologia, dando especial atenção às necessidades do principiante, nem um pouco semelhantes às do iniciante de um estudo mais convencional e menos controverso. Cada módulo, cuidadosamente elaborado, termina com um questionário para garantir que o aluno realmente compreenda os conteúdos abordados. (Outros livros tendem a tratar do assunto de maneira rápida e superficial.)

Uma característica excepcional do método March-McEvers é que o aluno só é ensinado a calcular um mapa após aprender os fundamentos da interpretação. Como as autoras explicam, é comum o aluno levantar o mapa de todas as pessoas que conhece e não ser nem um pouco modesto na interpretação mesmo antes de aprender os significados dos signos, dos planetas e dos aspectos. E é fato que o principiante tem a tendência a fracassar nessa empreitada, muitas vezes com lamentáveis consequências psicológicas.

Não há assunto que exija mais tolerância e paciência de quem lida com ele que a Astrologia. Este livro é um passo à frente, porque se empenha em desenvolver essas difíceis virtudes desde o início.

Barbara H. Watters
Washington, D. C.
Julho de 1976

Prefácio

Escrevemos este livro porque acreditamos que o método de ensino que desenvolvemos é simples, lógico e o melhor possível. Ensinamos centenas de alunos, dos quais mais de 40% ou se tornaram astrólogos profissionais ou continuaram conosco nos cursos intermediário e avançado. Porém, mais importante que essa porcentagem invulgarmente baixa de evasão, é o fato de todos os que ficaram conosco serem excelentes astrólogos. Não podemos nem dizer que isso acontece porque somos ótimas professoras. Nosso grupo, sob o patrocínio de Aquarius Workshops, Inc., tem muitos outros professores que usam esse mesmo método, e seus resultados são tão bons quanto os nossos.

O que realmente nos convenceu a escrever este livro foi a insistência de grande número de alunos que vieram de outras escolas e/ou de outros métodos para que transformássemos o curso em livro, de modo que fosse aproveitado por outras pessoas.

Agora você sabe por quê. Antes de lhe mostrar como, aqui vão alguns fatos e sugestões importantes. A Astrologia, como qualquer outro campo, demanda tempo e prática. Pode ser comparada ao aprendizado de uma nova língua. Só a prática proporciona o domínio.

Para cada módulo deste livro (e realmente são "módulos", não capítulos), você deve gastar pelo menos duas horas com revisão e exercícios. Quanto mais você treinar, mais rapidamente a Astrologia vai mergulhar no seu inconsciente. No final, você deverá estar totalmente familiarizado com todas as palavras e os símbolos novos. Terá aprendido os signos do zodíaco, os planetas, as casas e as relações que todos eles têm entre si. Na primeira parte, fornecemos palavras-chave para ajudá-lo a lembrar as características básicas atribuídas a cada signo, planeta e casa. Na segunda parte, entramos em mais detalhes.

É normal, no começo, se sentir esmagado pela grande quantidade de conteúdo novo, mas não desanime. Muita gente sentiu a mesma coisa. No livro, repetimos, repetimos e repetimos outra vez, até que tudo se torne cristalino. Como este livro foi adaptado do nosso material de aulas, já temos conhecimento das perguntas que os alunos novos vão fazer, das áreas mais difíceis e dos obstáculos, e aprendemos a lidar com eles.

Cada um aprende de maneira diferente. Entretanto, sabemos que, se empregarmos mais de uma abordagem, o processo de aprendizado será mais rápido. A leitura é apenas parte do aprendizado; assim, é muito importante fazer os exercícios, que vai envolver a escrita, uma outra abordagem.

Faça um esforço para ler o livro do início ao fim, em vez de pular módulos para obter informações sem ter ainda uma base adequada. A ordem dos módulos está baseada em uma sequência definida, que acreditamos levar a uma compreensão mais fácil e apropriada da Astrologia básica.

Esperamos que você goste deste livro; mais que isso, esperamos que a Astrologia abra novos horizontes de entendimento e amplie e enriqueça sua vida como um todo.

Cada uma de nós está ativamente envolvida com a Astrologia há muitos anos, durante os quais tivemos alguns professores maravilhosos a quem devemos muito. Para mencionar apenas alguns: Ruth Hale Oliver, Kiyo, Irma Norman e Zipporah Dobyns. Parte dos pensamentos e da filosofia deles, obviamente, foi incorporada neste livro. A cada um deles, nossos mais profundos agradecimentos.

Dezembro de 1996,
Joan McEvers
Couer d'Alene, Idaho

Marion D. March
Encino, Califórnia

PARTE I

Módulo 1: Introdução

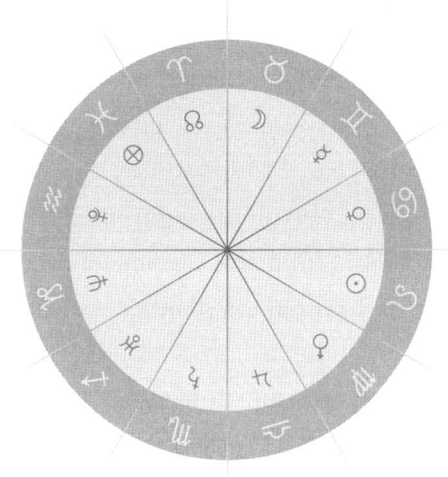

O que é Astrologia?

Astrologia é a ciência que investiga a correlação entre corpos celestes e objetos animados e inanimados. A Astrologia figura entre os primeiros registros do aprendizado humano. É a mãe da astronomia; durante muitos anos, ambas foram uma só ciência. Hoje, a astronomia é uma ciência de distâncias, magnitudes, massas, movimentos, velocidades, localizações, e assim por diante, baseada em observações feitas com instrumentos como o telescópio. A astronomia pode, assim, ser denominada uma ciência "objetiva", enquanto a Astrologia deve compreendida como uma ciência "subjetiva". Portanto, o levantamento do horóscopo é, na verdade, um processo astronômico; a análise ou interpretação é um processo astrológico.

A Astrologia também lida com os ângulos entre os planetas e a observação de seus efeitos sobre a humanidade. Os signos são uma forma de dividir o céu; as casas também, embora sejam baseadas no local de nascimento. O signo pode ser considerado o campo de ação; a casa é o lugar onde ocorre a ação; e o planeta é o poder ou força motivadora da ação.

A Astrologia nos ensina que existe harmonia e simetria no Universo, e que todos somos parte do todo. Por isso, você deve tentar entender a Astrologia como uma filosofia que ajuda a explicar a vida, e não como uma arte ou ciência preditiva. A função da Astrologia não é atribuir culpa aos planetas pelo que nos acontece, mas, ao contrário, desvendar a natureza humana a partir do posicionamento dos planetas. Quando nos enxergamos com clareza, podemos descobrir novas qualidades em nós, e, assim, nossa vida pode se tornar mais plena, produtiva e cheia de propósito.

Originalmente, a Astrologia era dividida em quatro áreas:

- *Natural* ou *física:* o estudo da ação dos planetas sobre as marés, o clima, a atmosfera e as estações.
- *Mundana* ou *judicial:* a Astrologia das nações, de sua economia e de seus ciclos políticos.
- *Natal* ou *de natividade:* a Astrologia dos indivíduos, o estudo de mapas de nascimento.
- *Horária:* o estudo de determinada questão, que ocorre em determinado lugar e em determinado momento.

Neste livro, vamos tratar da ***Astrologia natal***.

Há dois tipos de Astrologia praticados no Ocidente. Uma é chamada Astrologia *tropical;* a outra, *sideral*. A Astrologia tropical fornece a posição de um planeta por signo. A Astrologia sideral fornece a posição por constelação. Para entender a diferença entre as duas, é preciso entender a diferença entre signos e constelações. Ambos têm os mesmos nomes, o que pode causar considerável confusão entre os principiantes. Há aproximadamente dois mil anos, quando no equinócio vernal, o primeiro dia da primavera no Hemisfério Norte, o Sol estava na constelação de Áries, não havia diferença. Os signos e as constelações coincidiam. Agora, por causa da precessão dos equinócios, a lenta rotação da Terra sobre seu eixo, o Sol entra no equinócio vernal no signo de Áries, porém na constelação de Peixes.

Os signos são divisões do espaço de um círculo chamado *eclítica*. A eclítica é o caminho aparente no céu pelo qual os planetas seguem. Nesse círculo de 360 graus, há doze signos, cada um ocupando um segmento de exatamente 30 graus. 30 × 12 = 360. Áries é o nome dado ao primeiro setor de 30 graus de espaço, começando no equinócio vernal (no Hemisfério Norte).

Assim, os signos são calculados a partir do que os astrólogos chamam de **ingresso em** *Áries,* ou o ponto onde o Sol chega a 0 grau de Áries. Esse ponto está agora localizado na constelação de Peixes. Mencionamos isso neste momento, logo no começo, porque você vai encontrar pessoas familiarizadas com a astronomia ou com a Astrologia sideral que poderão tentar abalar sua confiança insistindo que, se pensa que seu Sol, por exemplo, está em Áries, na realidade você nasceu com o Sol na constelação de Peixes. Os dois estão certos, e, portanto, não há necessidade de discutir. A Astrologia sideral e a Astrologia tropical baseiam-se em princípios diferentes, e ambas são válidas. Neste livro, vamos ensinar Astrologia tropical.

O que é um horóscopo?

A palavra *horóscopo* significa "mapa das horas". É um mapa ou diagrama dos céus levantado em uma época e lugar específicos no planeta Terra. O mapa natal, também chamado, em textos antigos, de mapa radical ou mapa de natividade, tem a finalidade de determinar o potencial e as características de um indivíduo. Para elaborar um mapa natal preciso, é essencial conhecer o horário e a latitude e longitude exatas do lugar de nascimento. É recomendável lembrar, desde o início, de não levantar um mapa natal a menos que os dados possam ser verificados em registros oficiais. O testemunho de uma mãe dizendo que o filho nasceu a tal hora talvez seja incorreto, levando a tempo e esforço perdidos, e até a tornar duvidosa a validade da Astrologia, pois mapa e pessoa parecem não combinar.

Calcular um mapa de nascimento é relativamente fácil para qualquer pessoa que saiba somar, subtrair e multiplicar. Hoje, com a evolução da tecnologia da computação, muitas pessoas confiam nos mapas elaborados por programas de computador, e isso é muito útil. No entanto, você deve se lembrar de que esse tipo de mapa é tão preciso quanto os dados inseridos no programa. Se a hora, a longitude ou a latitude estiverem incorretas, o mapa não será válido. Entretanto, a leitura ou análise do horóscopo requer discernimento e capacidade de deduzir o que tem probabilidade de acontecer em determinadas condições astrológicas. A complexidade da Astrologia demanda considerável aprendizado, tempo, prática e, sobretudo, reflexão e aplicação sérias.

Neste livro, vamos ensinar os significados dos signos, dos planetas, das casas e dos aspectos. Depois de conhecer os elementos básicos da Astrologia e aprender a linguagem astrológica, você estará pronto para calcular um horóscopo. Lembre-se de que você está, de fato, aprendendo um novo tipo de linguagem simbólica e que só poderá falar o "astrologuês" fluentemente por meio da prática continuada.

A Astrologia vai capacitá-lo a olhar com mais discernimento os fatos que ocorrem em sua vida e na vida dos outros. Isso porque você será capaz de reconhecer e compreender as forças em funcionamento, aprendendo como estas correspondem ao que está acontecendo no céu. Entretanto, lembre-se sempre de que o livre-arbítrio e suas ações determinarão até que ponto você faz uso dos talentos e potenciais com os quais nasceu. A escolha é sua.

A Roda Natural ou Plana

Na página 38 você vai encontrar o que os astrólogos chamam **Roda Natural** ou **Plana**. Para começar a se familiarizar com o cálculo do mapa natal, você vai aprender a reconhecer o lugar de cada um dos doze signos na Roda Natural ou na Plana. Você pode escrever no livro ou, se preferir, desenhar sua própria Roda.

Comece desenhando o símbolo de Áries na posição correta, no ponto mais oriental do mapa. Esse ponto é a linha divisória entre a décima segunda e a primeira casas. Essa linha chama-se *cúspide* da primeira casa e recebe um nome muito especial: *Ascendente* ou *signo em elevação*. Desenhe o símbolo de Áries perto do ponto onde a cúspide se encontra com o círculo.

Figura 1: O alfabeto astrológico. Observe os glifos (símbolos) astrológicos básicos. É importante memorizá-los e se familiarizar com eles.

Os Planetas		Os Signos	
☽	Lua	♈	Áries
☿	Mercúrio	♉	Touro
♀	Vênus	♊	Gêmeos
☉	Sol	♋	Câncer
♂	Marte	♌	Leão
♃	Júpiter	♍	Virgem
♄	Saturno	♎	Libra
♅	Urano	♏	Escorpião
♆	Netuno	♐	Sagitário
♇ ou ⚳	Plutão	♑	Capricórnio
⊕	Terra	♒	Aquário
☊	Nodo norte	♓	Peixes
☋	Nodo sul		

Figura 2: Roda Natural ou Plana. Esta é a Roda das doze casas do zodíaco mostrando as direções (leste, oeste, norte e sul) e as linhas do meridiano e do horizonte. À medida que avança no Módulo 1, preencha a figura de acordo com as informações dadas sobre o posicionamento dos signos nas casas naturais do mapa. Você também pode desenhar seu próprio mapa. Para isso, desenhe um círculo e divida-o em doze partes, numerando as casas conforme o modelo abaixo. Comece localizando o "Ascendente", e assim por diante, como fizemos aqui.

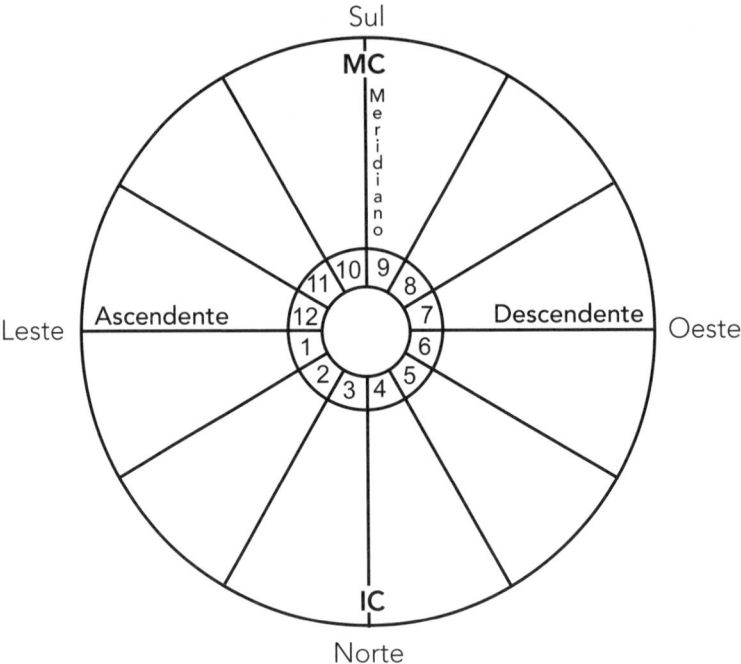

Em seguida, desça em sentido anti-horário para a cúspide da segunda casa, a linha que divide a primeira e a segunda casas. No ponto em que essa cúspide se encontra com o círculo, desenhe o símbolo de Touro.

Novamente, continue em sentido anti-horário para a cúspide da terceira casa e desenhe o símbolo de Gêmeos no lugar adequado.

Continue até ter inserido o símbolo de cada signo (conforme a a tabela da página 35) nas posições corretas na Roda Natural. Você deve terminar com o signo de Peixes, na cúspide da décima segunda casa. Confira seu trabalho comparando-o com o mapa disponível no Apêndice (veja p. 445).

Os elementos

Podemos dividir os doze signos do zodíaco em grupos com determinadas características em comum. Uma forma de divisão é por temperamento, denominada por *elemento* ou *triplicidade*:

- *Signos de fogo:* Áries, Leão e Sagitário. São signos ígneos, ardentes, entusiásticos, espontâneos, autossuficientes e românticos. Malempregados, podem ser autoritários e demasiadamente vigorosos.
- *Signos de terra:* Touro, Virgem e Capricórnio. São signos práticos, realistas, prudentes, conservadores e sensuais, ligados às sensações físicas. Gostam de conforto material e têm bons poderes de recuperação. Malempregados, podem ser insensíveis e excessivamente materialistas.
- *Signos de ar:* Gêmeos, Libra e Aquário. São signos que se comunicam bem; tendem a ser intelectuais e são capazes de lidar com o raciocínio abstrato. São lógicos, de mente aberta, objetivos, idealistas e sem preconceitos. Malempregados, podem ser frios e sem senso prático.
- *Signos de água:* Câncer, Escorpião e Peixes. São signos emotivos, acolhedores, receptivos, intuitivos, responsivos, sensíveis e profundos. Tendem a variar de humor e são facilmente influenciados pelo ambiente. Lembrem-se de que a água é encontrada em três formas: líquida, sólida (gelo) e gasosa (vapor). Câncer é a forma líquida; Escorpião é a forma sólida; Peixes é a forma gasosa. Malempregados, esses signos podem ser autoindulgentes, autopiedosos e indecisos.

Agora, volte à Roda Plana e escreva os elementos nos signos apropriados. Para isso, é preciso primeiro entender que o signo na cúspide de cada casa é o que tem precedência naquela casa. Escreva a palavra "fogo" nas três casas relacionadas aos signos de fogo: na primeira (Áries), na quinta (Leão) e na nona (Sagitário). Siga da mesma forma com os outros três elementos, até que cada casa contenha o nome de um elemento. Por exemplo: a sexta casa deve conter a palavra "terra"; a décima primeira, a palavra "ar" etc. Confira seu trabalho com o mapa no Apêndice (p. 445).

As qualidades

Também podemos dividir os doze signos do zodíaco em três grupos de quatro signos cada; os signos de cada grupo têm certas *qualidades* em comum. Cada grupo tem um modo diferente de operar na vida. Essas qualidades, ou *quadruplicidades*, são:

- *Signos cardeais ou cardinais:* Áries, Câncer, Libra e Capricórnio. Representam os quatro pontos cardeais da bússola: leste, oeste, norte e sul. Áries é leste; Libra é oeste; Câncer é norte; Capricórnio é sul. Esses signos são chamados cardeais porque regem a mudança das estações: Áries, primavera; Câncer, verão; Libra, outono; Capricórnio, inverno.* Os signos cardeais têm iniciativa, são ativos, ardentes, ambiciosos, entusiásticos e independentes. Possuem mente rápida e insaciável. Negativamente, podem ser ansiosos,

---

* No Hemisfério Norte. No Hemisfério Sul, Libra abre a primavera; Áries, o outono; Capricórnio, o verão; Câncer, o inverno. (N. da P.)

imprudentes e dominadores, além de não concluírem os diversos projetos que iniciam.

- *Signos fixos:* Touro, Leão, Escorpião e Aquário. Correspondem ao mês intermediário de cada estação. Enquanto os signos cardeais iniciam as estações, os fixos estão firmemente estabelecidos no meio de cada estação. São determinados, com alto poder de concentração, estáveis, resolutos, econômicos e majestosos. Possuem mente penetrante e memória excelente. Alcançam resultados devagar, porém de forma segura. No lado negativo, podem ser teimosos, egoístas e demasiadamente presos à sua maneira particular de encarar a vida.

- *Signos mutáveis* (também chamados *signos comuns*): Gêmeos, Virgem, Sagitário e Peixes. Correspondem ao último mês de cada estação, fase em que se completa o trabalho da estação e, ao mesmo tempo, planeja-se para a estação seguinte. Os signos mutáveis são versáteis, adaptáveis, variáveis, delicados, simpáticos e intuitivos. Possuem mente engenhosa e flexível. Negativamente, podem ser ardilosos, inconstantes e indignos de confiança.

Retome a Roda Plana e escreva a qualidade de cada um dos doze signos. Comece escrevendo a palavra *cardeal* em cada casa relacionada a um signo cardeal, ou seja, na primeira (Áries), na quarta (Câncer), na sétima (Libra) e na décima (Capricórnio). Siga escrevendo as palavras *fixo* e *mutável* nas casas apropriadas. Ao final, confira seu trabalho com a Roda Plana completa do Apêndice.

Regências

Cada signo do zodíaco tem um *planeta regente*, cujo temperamento se harmoniza com o signo que rege. As regências dos signos são:

	Signo		Regente
♈	Áries	♂	Marte
♉	Touro	♀	Vênus
♊	Gêmeos	☿	Mercúrio
♋	Câncer	☽	Lua
♌	Leão	☉	Sol
♍	Virgem	☿	Mercúrio
♎	Libra	♀	Vênus
♏	Escorpião	♇	Plutão
♐	Sagitário	♃	Júpiter
♑	Capricórnio	♄	Saturno
♒	Aquário	♅	Urano
♓	Peixes	♆	Netuno

Desenhe na Roda Plana o símbolo do planeta que rege cada casa. Por exemplo, desenhe o símbolo de Marte na primeira casa (Áries), o símbolo de Vênus na segunda (Touro), e assim por diante, até que haja um símbolo planetário em cada uma das doze casas.

As casas

Assim como os signos, as casas também podem ser classificadas em três grupos de quatro, analogamente às qualidades dos signos. Cada grupo de casas tem características semelhantes, que vamos estudar em detalhe mais adiante, neste livro. As casas são agrupadas em:

- *Angulares:* primeira, quarta, sétima e décima.
- *Sucedentes:* segunda, quinta, oitava e décima primeira.
- *Cadentes:* terceira, sexta, nona e décima segunda.

Na Roda Plana, coloque a palavra *angular* na primeira, na quarta, na sétima e na décima casas; a palavra *sucedente* na segunda, na quinta, na oitava e na décima primeira casas; e a palavra *cadente* na terceira, na sexta, na nona e na décima segunda casas.

Cada casa astrológica tem um significado, que será explicado, por completo, no Módulo 4. Para ajudá-lo a começar a compreender o significado de cada uma das casas, vamos dar, por enquanto, uma palavra-chave a cada uma delas, para ser inserida na Roda Plana. Observe que casas opostas têm palavras-chave opostas.

Casa 1: eu (o nativo do mapa)
Casa 7: você (o outro)

Casa 2: meu (o que me pertence)
Casa 8: deles (o que pertence aos outros)

Casa 3: aqui (meu ambiente imediato)
Casa 9: lá (lugares mais distantes)

Casa 4: privado (minha vida particular)
Casa 10: público (minha vida pública)

Casa 5: amar (o amor que dou)
Casa 11: ser amado (o amor que recebo)

Casa 6: saúde física (condição corporal)
Casa 12: saúde mental (condição mental ou espiritual)

Na Roda Plana, escreva as palavras-chave nas casas correspondentes. Note que todas as funções e energias da natureza seguem o princípio positivo/negativo. A Astrologia não é exceção. Os signos do zodíaco são divididos em positivos e negativos ou, em termos astrológicos, *ativos* e *passivos*, também chamados *masculinos* e *femininos*. Todos os signos ímpares (de fogo e de ar) são considerados ativos. Todos os signos pares (de água e de terra) são considerados passivos. Por favor, escreva as palavras *ativo* e *passivo* nas casas adequadas na Roda Plana.

Resumo

Você completou a Roda Plana e conheceu alguns dos elementos básicos de um horóscopo. Cada profissão tem suas ferramentas: o carpinteiro trabalha com a serra e o martelo; o observador, com o telescópio; o astrólogo, com o horóscopo, um mapa das horas. Para se tornar competente, é preciso aprender a manejar bem as ferramentas da profissão. Neste módulo, você deu o primeiro passo no aprendizado do uso do horóscopo. Nos próximos, vamos aprofundar o estudo de cada um desses elementos básicos para continuar aprendendo o ofício astrológico.

Antes de passar para o Módulo 2, memorize os símbolos da página 35. Escreva cada símbolo até eles se tornarem naturais – até saber automaticamente o que significa cada um. Aí, você terá dominado o alfabeto básico da Astrologia.

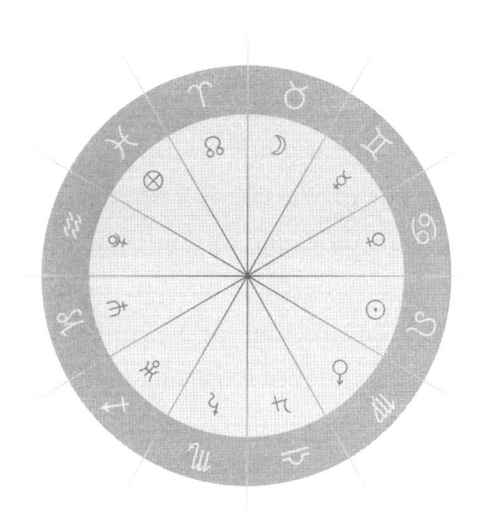

Módulo 2:
Os Signos

Introdução

No Módulo 1, você aprendeu que há doze signos no zodíaco, e que cada um deles tem um planeta regente, ou seja, que o rege (ou governa). Também aprendeu que há diferentes formas de agrupar os signos. Reforçamos que cada signo é um campo de ação no qual os planetas atuam. Cada signo apresenta ampla gama de possibilidades, cabendo ao indivíduo optar por manifestar aquilo que é indicado pelo signo de maneira positiva ou benéfica, por um lado, ou de maneira negativa ou limitada, pelo outro.

Neste módulo, vamos focar nossa atenção apenas nos signos. A maneira como cada planeta atua em determinado signo será discutida nos próximos módulos. O que aprender aqui pode ser aplicado a qualquer planeta localizado em qualquer signo. Por exemplo: você vai descobrir que Áries é arrojado e dinâmico. A Lua fala das emoções. Então, quando a Lua está em Áries, podemos esperar que o nativo expresse suas emoções de forma arrojada e dinâmica. Se Mercúrio está em Áries, podemos esperar que o indivíduo raciocine e pense de forma arrojada e dinâmica, pois Mércurio fala sobre nossa mente racional. Entretanto, é necessário aprender primeiro os modos básicos de expressão de cada um dos signos.

À medida que aprender as qualidades básicas de cada signo e descobrir onde cada um dos planetas está localizado em seu mapa natal, você vai começar a expressar as energias planetárias de acordo com as qualidades e os traços positivos daquele signo.

Os signos do zodíaco

♈ ÁRIES (carneiro)

qualidade	cardeal	glifo	chifres de carneiro
elemento	fogo		
princípio	ativo	signo natural da	primeira casa
regente	Marte ♂	signo oposto	Libra ♎
anatomia	cabeça, rosto, cérebro, dentes superiores		
frase-chave	eu sou	palavra-chave	atividade
características positivas	pioneiro ativo competitivo impulsivo animado corajoso independente dinâmico vive no presente rápido	características negativas	dominador irascível violento intolerante apressado arrogante "eu primeiro" rude impersistente

♉ TOURO

qualidade	fixo	glifo	cabeça e chifres do touro
elemento	terra		
princípio	passivo	signo natural da	segunda casa
regente	Vênus ♀	signo oposto	Escorpião ♏
anatomia	garganta, pescoço, orelhas, cordas vocais, tireoide, língua, boca, amígdalas, dentes inferiores		
frase-chave	eu tenho	palavra-chave	estabilidade
características positivas	paciente	características negativas	autoindulgente
	conservador		teimoso
	doméstico		lento
	sensual		propenso a discutir
	escrupuloso		irascível
	estável		possessivo
	digno de confiança		guloso
	prático		materialista
	artístico		
	leal		

♊ GÊMEOS

qualidade	mutável	glifo	algarismo romano II
elemento	ar		
princípio	ativo	signo natural da	terceira casa
regente	Mercúrio ☿	signo oposto	Sagitário ♐
anatomia	pulmões, clavícula, mãos, braços, ombros, sistema nervoso		
frase-chave	eu penso	palavra-chave	versatilidade
características positivas	agradável	características negativas	inconstante
	sociável		ingrato
	curioso		irresponsável
	adaptável		inquieto
	expressivo		fofoqueiro
	perspicaz		falastrão
	literário		
	inventivo		
	habilidoso		
	inteligente		

♋ CÂNCER (caranguejo)

qualidade	cardeal	glifo	garras do caranguejo
elemento	água		
princípio	passivo	signo natural da	quarta casa
regente	Lua ☽	signo oposto	Capricórnio ♑
anatomia	peito, estômago, lóbulos superiores do fígado		
frase-chave	eu sinto	palavra-chave	devoção
características positivas	tenaz intuitivo maternal doméstico sensível acolhedor altruísta simpático emotivo patriótico boa memória tradicional	características negativas	melindroso magoa-se com facilidade negativo manipulador cauteloso demais preguiçoso egoísta autopiedoso

♌ LEÃO

qualidade	fixo	glifo	cauda do leão
elemento	fogo		
princípio	ativo	signo natural da	quinta casa
regente	Sol ☉	signo oposto	Aquário ♒
anatomia	coração, flancos, parte superior das costas		
frase-chave	eu vou	palavra-chave	magnetismo
características positivas	dramático idealista orgulhoso ambicioso criativo majestoso romântico generoso autoconfiante otimista	características negativas	vaidoso preocupado com seu status arrogante tem medo do ridículo cruel jactancioso pretensioso autocrático

♍ VIRGEM

qualidade	mutável	glifo	grafia da palavra virgem em grego
elemento	terra		
princípio	passivo	signo natural da	sexta casa
regente	Mercúrio ☿	signo oposto	Peixes ♓
anatomia	intestinos, fígado, pâncreas, vesícula, plexo inferior, intestino superior		
frase-chave	eu analiso	palavra-chave	praticidade
características positivas	diligente estudioso científico metódico discriminativo pesquisador de fatos exigente asseado humano perfeccionista	características negativas	crítico mesquinho melancólico egocêntrico tem medo da doença e da pobreza difícil de agradar pedante cético

♎ LIBRA (balança)

qualidade	cardeal	glifo	balança
elemento	ar		
princípio	ativo	signo natural da	sétima casa
regente	Vênus ♀	signo oposto	Áries ♈
anatomia	rins, apêndice, parte inferior das costas, glândulas suprarrenais		
frase-chave	eu equilibro	palavra-chave	harmonia
características positivas	cooperativo persuasivo amistoso pacífico refinado imparcial artístico diplomata sociável	características negativas	inconstante apático intrigante a paz a qualquer preço rabugento indeciso desanima facilmente

♏ ESCORPIÃO

qualidade	fixo	glifo	cauda e ferrão do escorpião
elemento	água		
princípio	passivo	signo natural da	oitava casa
regente	Plutão ♀	signo oposto	Touro ♂
anatomia	órgãos genitais, reto, órgãos de reprodução, bexiga		
frase-chave	eu desejo	palavra-chave	intensidade
características positivas	motivado penetrante realizador cheio de expedientes determinado científico investigativo explorador passional consciente	características negativas	vingativo temperamental reticente arrogante violento sarcástico desconfiado ciumento intolerante

♐ SAGITÁRIO (arqueiro)

qualidade	mutável	glifo	a flecha do arqueiro
elemento	fogo		
princípio	ativo	signo natural da	nona casa
regente	Júpiter ♃	signo oposto	Gêmeos ♊
anatomia	quadris, coxas, parte superior das pernas		
frase-chave	eu compreendo	palavra-chave	visualização
características positivas	honesto filosófico amante da liberdade tolerante atlético generoso otimista justo religioso estudioso entusiástico	características negativas	inclinado a discussões exagerado tagarela procrastinador autoindulgente brusco impaciente jogador intrometido irascível

♑ CAPRICÓRNIO (cabra-peixe)

qualidade	cardeal	glifo	chifre e cauda da cabra
elemento	terra		
princípio	passivo	signo natural da	décima casa
regente	Saturno ♄	signo oposto	Câncer ♋
anatomia	joelhos e parte inferior das pernas		
frase-chave	eu uso	palavra-chave	ambição
características positivas	cauteloso responsável escrupuloso convencional profissional perfeccionista tradicional prático trabalhador econômico sério	características negativas	egoísta dominador rancoroso fatalista racional teimoso sorumbático inibido busca status

♒ AQUÁRIO (aguadeiro)

qualidade	fixo	glifo	ondas de água ou eletricidade
elemento	ar		
princípio	ativo	signo natural da	décima primeira casa
regente	Urano ♅	signo oposto	Leão ♌
anatomia	tornozelos		
frase-chave	eu sei	palavra-chave	imaginação
características positivas	independente inventivo tolerante individualista progressista artístico científico lógico humano intelectual altruísta	características negativas	imprevisível temperamental aborrece-se com detalhes frio opiniões demasiadamente fixas tímido excêntrico radical impessoal rebelde

49

	♓ PEIXES		
qualidade	mutável	glifo	dois peixes interligados
elemento	água		
princípio	passivo	signo natural da	décima segunda casa
regente	Netuno ♆	signo oposto	Virgem ♍
anatomia	pés		
frase-chave	eu creio	palavra-chave	compreensão
características positivas	compassivo caridoso simpático emocional sacrifica-se intuitivo introspectivo musical artístico	características negativas	procrastinador muito tagarela melancólico pessimista emocionalmente inibido tímido sem praticidade indolente muitas vezes se sente incompreendido

Regência planetária dupla dos signos

Lendo a descrição anterior, provavelmente você notou que Touro e Libra são regidos por Vênus, e Gêmeos e Virgem, por Mercúrio. Originalmente, quando apenas o Sol, a Lua e cinco planetas – Mercúrio, Vênus, Marte, Júpiter e Saturno – eram conhecidos, cada planeta regia dois signos. Embora o Sol e a Lua, sejam tecnicamente *luminares,* comumente nos referimos a eles como planetas.

O Sol regia apenas Leão, e a Lua apenas Câncer. Entretanto, Marte governava tanto Áries como Escorpião; Júpiter regia tanto Sagitário como Peixes; e Saturno governava tanto Capricórnio como Aquário.

À medida que os planetas exteriores (Urano, Netuno e Plutão) foram sendo descobertos, atribuiu-se a eles a regência, respectivamente, de Aquário, Peixes e Escorpião, depois de cuidadosas observações e estudos. Entretanto, até hoje, Júpiter é considerado corregente de Peixes; Saturno, corregente de Aquário; e Marte, corregente de Escorpião.

Questionário 1

Para testar sua compreensão básica sobre os signos – que você estudou neste módulo –, segue um pequeno questionário. Relacione o nome da pessoa famosa da coluna da esquerda aos signos e planetas na coluna da direita que melhor se ajuste àquela personalidade. O gabarito do questionário está no Apêndice, na página 446.

1. William Shakespeare (escritor)   A. ☉ ♉ ♀ ♋
2. Florence Nightingale (enfermeira)   B. ☉ ♉ ♀ ♓
3. Roberto Peary (explorador)   C. ☉ ♉ ♀ ♉
4. Leonardo da Vinci (artista)   D. ☉ ♉ ♀ ♈

Questionário 2

Responda este questionário para se assegurar de que absorveu o conteúdo dos módulos 1 e 2. Considere as afirmações a seguir e marque **V** (verdadeiro) ou **F** (falso). Confira as respostas no Apêndice na página 446.

1. Áries: eu penso
2. Câncer: regido por Vênus
3. Virgem: rege os intestinos
4. Escorpião: intensidade
5. Peixes: décimo primeiro signo
6. Touro: eu creio
7. Aquário: eu sei
8. Leão: eu sou
9. Câncer: rege os joelhos

10. Capricórnio: eu uso
11. Libra: rege os rins
12. Virgem: eu analiso
13. Gêmeos: regido por Mercúrio
14. Sagitário: o arqueiro
15. Peixes: compreensão
16. Áries: atividade
17. Aquário: harmonia
18. Touro: regido por Júpiter
19. Capricórnio: ambição
20. Gêmeos: eu compreendo
21. Libra: eu sinto
22. Câncer: quarto signo
23. Áries: rege os pés
24. Capricórnio: imaginação
25. Aquário: versatilidade
26. Leão: rege o coração
27. Escorpião: sétimo signo
28. Touro: eu tenho
29. Sagitário: eu equilibro
30. Peixes: regido por Saturno
31. Áries: regido por Plutão
32. Escorpião: eu desejo
33. Virgem: rege as coxas
34. Libra: oposto de Touro
35. Capricórnio: prático

Após conferir as respostas, veja se consegue transformar as afirmativas falsas em verdadeiras.

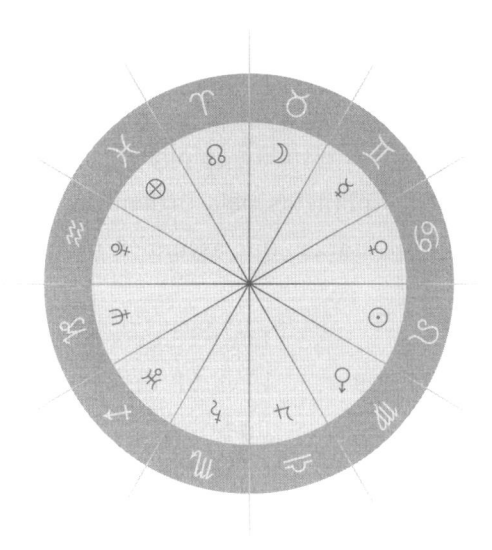

Módulo 3
Os Planetas

Introdução

Neste módulo, vamos estudar os planetas. O Sol (☉) e a Lua (☽) são corretamente denominados luminares, mas, com propósito didático, a maioria dos astrólogos se refere a eles como planetas, em conjunto com Mercúrio (☿), Vênus (♀), Marte (♂), Júpiter (♃), Saturno (♄), Urano (♅), Netuno (♆) e Plutão (♇). Esses planetas estão presentes em todos os horóscopos e têm influência na vida de todas as pessoas.

Muitos alunos perguntam: "A descoberta de novos planetas corrompe os princípios da Astrologia?". A resposta é: não. Desde os tempos antigos, os astrólogos sabiam que havia mais planetas influenciando nossa vida na Terra do que tinham conhecimento. Os metais transuranianos não corromperam a química quando foram descobertos. Do mesmo modo, a Astrologia não foi corrompida pela descoberta de Urano, em 1781 – coincidindo com a Revolução Industrial e o uso da eletricidade –, nem pela descoberta de Netuno, em 1846 – anunciando o período da metafísica e do nascimento da psicanálise –, nem pela descoberta de Plutão, em 1930 – exatamente antes do início da era atômica, com a ascensão das ditaduras e o renascimento do submundo do crime.

Vamos estudar os planetas já descobertos até agora.* Considerando os planetas pela ordem de velocidade, e não necessariamente pela importância que assumem no horóscopo, temos:

Lua	Leva 28 dias para completar um ciclo.
Mercúrio	Leva 88 dias para completar uma órbita em torno do Sol.
Vênus	Leva 224 dias e meio para uma órbita em torno do Sol.
Marte	Leva 22 meses (quase dois anos) para completar um ciclo do zodíaco.
Júpiter	Leva cerca de 12 anos para um ciclo (mais ou menos um signo por ano).
Saturno	Leva de 28 a 30 anos para um ciclo.
Urano	Leva 84 anos para um ciclo.
Netuno	Leva 165 anos para um ciclo.
Plutão	Leva 248 anos para um ciclo (estimativa).

Ao considerar a viagem desses planetas através dos doze signos do zodíaco, lembre-se, por favor, de que estamos nos referindo ao movimento dos planetas ao redor do Sol, calculado em tempo terrestre, com exceção da Lua, que orbita em torno da Terra. Como mencionamos antes, a Lua não é um planeta.

Cada planeta está fortalecido quando transita pelo signo que rege; este é o signo de sua *dignidade*. Cada planeta também tem um signo, além daquele que rege, onde se expressa harmoniosamente; este é o

---

* Em 2006, uma mudança na definição da União Astronômica Internacional sobre o que é planeta fez que Plutão mudasse de categoria para planeta-anão. No entanto, para a Astrologia moderna, Plutão é considerado planeta. (N. da P.)

signo de sua *exaltação*. Quando um planeta está no signo oposto àquele que rege, está no signo de seu *detrimento* ou *exílio*. Quando um planeta está no signo oposto à sua exaltação, está no signo de sua *queda*. Cada uma dessas posições vai ser arrolada no estudo de cada planeta. Você também vai encontrar uma explicação mais detalhada das dignidades e uma tabela apresentando a dignidade, a exaltação, o detrimento e a queda de cada planeta, na página 62.

☽ LUA

rege	Câncer ♋	anatomia	peitos, estômago, digestão, olho esquerdo do homem, olho direito da mulher
exaltação	Touro ♉		
detrimento	Capricórnio ♑		
queda	Escorpião ♐		
glifo	Lua no quarto crescente		
representa	necessidade de nutrição, família		
palavra-chave	emoções		

A influência da Lua no mapa é muito importante porque ela está mais próxima da Terra, movendo-se mais rapidamente pelo zodíaco qualquer outro planeta. A Lua representa o princípio feminino e as mulheres em geral: mães, tias, avós, esposas, filhas, netas. Fala dos instintos, do humor, das marés, das fases, da receptividade, das flutuações, dos sentimentos, dos hábitos arraigados, das ações reflexas. A Lua oscila e muda. Governa os interesses pessoais, os desejos, as necessidades, o magnetismo, o crescimento e a fertilidade, a necessidade de contato, a impressionabilidade e a consciência. Rege os líquidos, as mercadorias, a navegação, a fabricação de bebidas, a enfermagem, os comerciantes e o público em geral. *O posicionamento da Lua no mapa astrológico mostra onde você está sujeito a altos e baixos emocionais.*

☿ MERCÚRIO

rege	Gêmeos ♊, Virgem ♍
exaltação	Aquário ♒
detrimento	Sagitário ♐, Peixes ♓
queda	Leão ♌
glifo	capacete alado do deus Mercúrio
representa	necessidade intelectual, via de expressão
palavra-chave	capacidade de raciocínio

anatomia: sistema nervoso, cérebro, visão, mãos e braços

Mercúrio nunca fica mais que 28° distante do Sol. É considerado um planeta neutro. Rege a razão, a capacidade de comunicação, o intelecto, a percepção, a destreza, a racionalização, a transmissão, as palavras, as opiniões e as percepções sensoriais. Sua ação é rápida, incerta, inconstante. Lida com viagens (principalmente curtas), irmãos e irmãs, crianças, serviços de escritório, fala, escrita, contabilidade, secretárias, atividades com os vizinhos, cartas e serviço postal, meios de transporte, comércio, capacidade emocional e técnica. *O posicionamento de Mercúrio no mapa astrológico mostra onde e como você se comunica melhor.*

♀ VÊNUS

rege	Touro ♉, Libra ♎
exaltação	Peixes ♓
detrimento	Escorpião ♏, Áries ♈
queda	Virgem ♍
glifo	espelho da vaidade da deusa Vênus
representa	necessidade de socialização, valores
palavra-chave	afeição

anatomia: pescoço, queixo, bochechas, órgãos sensoriais da pele

Vênus nunca fica mais de 46° distante do Sol. É o planeta do amor; antigamente, era chamado **pequeno benéfico**. Rege a arte, a cultura, a estética, os bens, os parceiros, a beleza, o charme, o bom gosto, o sentimentalismo, os doces e o açúcar, a cor, a harmonia, a poesia, as pinturas, as joias, o canto, o drama e a música. A ação de Vênus é suave e harmoniosa. Governa os contatos emocionais, a ternura, o caráter moral, o casamento e as uniões de todos os tipos, assim como a sociabilidade, o temperamento, os luxos, o prazer e a apreciação. Vênus é o planeta do amor e da sensualidade. *O posicionamento de Vênus no mapa astrológico mostra do que você realmente gosta.*

☉ SOL

rege	Leão ♌	anatomia	o coração, a parte superior das costas, olho direito do homem e olho esquerdo da mulher
exaltação	Áries ♈		
detrimento	Aquário ♒		
queda	Libra ♎		
glifo	o escudo de Hélio (Sol) ou o círculo da totalidade (o ponto representa o eu interior)		
representa	necessidade de brilhar, personalidade, ego		
palavra-chave	o ser interior		

O Sol orienta a principal expressão do indivíduo, indicando a capacidade de liderança e sucesso. Representa o princípio masculino, o pai, o marido e os homens em geral. O Sol rege a saúde, os princípios vitais, a autoridade e os chefes, os altos postos, a nobreza, a alta administração, o progresso, a dignidade, a energia, o senso de identidade e a amplitude de experiência. Sua ação é fortificadora e vitalizadora. *O posicionamento do Sol no mapa astrológico indica a vida e o coração do mapa natal; onde você deseja brilhar.*

♂ MARTE

rege	Áries ♈	anatomia	órgãos externos de reprodução, cabeça e rosto
corregente de	Escorpião ♏		
exaltação	Capricórnio ♑		
detrimento	Libra ♎, Touro ♉		
queda	Câncer ♋		
glifo	escudo e lança de Marte, o deus da guerra		
representa	ação, impulso agressivo, iniciativa		
palavra-chave	energia		

Marte testemunha a natureza instintiva, o desejo e as energias sexuais. Mostra ambição, força, poder, construção, trabalho, luta, competição e morte. Governa a cirurgia e as operações, as armas, a guerra, os acidentes, as inflamações, os cortes e ferimentos, as queimaduras, a violência, as ferramentas, o ferro e o aço. Antigamente, era conhecido como **pequeno maléfico**. A ação de Marte é súbita, assertiva e disruptiva. Marte pode ser usado destrutiva e raivosamente, de forma combativa, ou com coragem e força. *O posicionamento de Marte no mapa astrológico mostra onde você despende maior energia.*

♃ JÚPITER

rege	Sagitário ♐	anatomia	fígado, coxas
corregente de	Peixes ♓		(regidas pelos
exaltação	Câncer ♋		quadris)
detrimento	Gêmeos ♊		
queda	Capricórnio ♑		
glifo	primeira letra da palavra grega para o nome do deus Zeus		
representa	benevolência e proteção		
palavra-chave	expansão		

Júpiter testemunha a riqueza, o momento de lazer, os grandes negócios, a mente superior, o otimismo, a expansão, o crescimento, a moralidade, a prosperidade e a indulgência. Fala também sobre a educação superior, o raciocínio filosófico, as aspirações, os esportes, a boa sorte, as viagens longas, a caça e o amor pelos animais. Júpiter é o juiz, o jurista e o protetor. Antigamente, era conhecido como o **grande benéfico**. A ação de Júpiter é ordenada e promove a saúde e o crescimento. *O posicionamento de Júpiter no mapa astrológico indica onde você, muitas vezes, tem sorte e como gosta de passar o tempo livre.*

♄ SATURNO

rege	Capricórnio ♑	anatomia	a pele, o sistema
corregente de	Aquário ♒		ósseo (incluindo os
exaltação	Libra ♎		dentes), joelhos,
detrimento	Câncer ♋		orelha esquerda e
queda	Áries ♈		órgãos de audição
glifo	foice de Cronos, deus do tempo		
representa	impulso de segurança e estabilidade		
palavra-chave	o mestre		

Saturno governa a forma, a disciplina, a responsabilidade, a organização, a ambição, as limitações, as tristezas e os atrasos. Rege as leis e as teorias científicas, as pessoas velhas, a profundidade, a paciência, o senso do tempo, a tradição, o convencionalismo, a ortodoxia e o uso produtivo do tempo. Orienta os princípios da verdade, da contração, da solidificação, da sabedoria e do amadurecimento. Sua ação é lenta e contínua. Saturno é o capataz do horóscopo. Antigamente, era conhecido como **o grande maléfico**. *O posicionamento de Saturno no mapa astrológico indica onde você se sente menos seguro e tende a supercompensar.*

⛢ URANO

rege	Aquário ♒
exaltação	Escorpião ♏
detrimento	Leão ♌
queda	Touro ♉
glifo	modificação da letra H, em homenagem a seu descobridor, Herschel, em 1781
representa	impulso de liberdade
palavra-chave	libertário

anatomia   sistema nervoso

Urano rege as invenções, a originalidade, a ciência, a eletricidade, a magia, o oculto, a luz, a Astrologia, a psicologia, os raios X, os aviões e a compreensão das leis da natureza. É futurista, humanitário, intelectual, excêntrico, boêmio, egoísta e utópico. Também governa a vontade de criar, a mudança repentina, a revolução, os ditadores, o individualismo, a engenhosidade, as rebeliões e a autonomia. Sua ação é imprevisível, inesperada e, com frequência, violenta. É um destruidor de tradições. Neutro e assexuado, é considerado, por muitos astrólogos, a oitava superior de Mercúrio e o primeiro dos planetas transcendentais. Recentes pesquisas também associam Urano aos desastres naturais, sobretudo aos terremotos. *O posicionamento de Urano no mapa astrológico indica onde você tende a fazer o que é fora do comum.*

♆ NETUNO

rege	Peixes ♓
exaltação	ainda não estabelecida
detrimento	Virgem ♍
queda	ainda não estabelecida
glifo	tridente de Poseidon, o deus do mar
representa	espiritualidade ou escapismo
palavra-chave	intuição

anatomia   glândula pineal, pés

Netuno rege os assuntos marítimos, os líquidos, a música, o cinema, o teatro e a televisão, o encantamento, os sonhos, a ilusão, a desilusão, a espiritualidade, os ideais, a mística, os pressentimentos e as coisas que tomamos profundamente como certas na vida sem questionar. Rege o nevoeiro, o petróleo, o mistério, os anestésicos, a lisonja, os intangíveis, as fragrâncias, a segunda visão, o amor pela poesia, a cor e a dança. Governa as drogas e seu uso, o alcoolismo, a hipocondria, o sonambulismo, os transes, a hipnose, a imaterialidade e as anomalias. A ação de Netuno é sutil, gradual e, às vezes, traiçoeira. É a oitava superior de Vênus e o segundo dos planetas transcendentais. *O posicionamento de Netuno no mapa astrológico indica onde você tende a se iludir e/ou iludir os outros; mostra também onde você procura um ideal.*

♇ ♀ PLUTÃO

rege	Escorpião ♏	anatomia	os sistemas excretor e reprodutivo
exaltação	ainda não estabelecida		
detrimento	Touro ♉		
queda	ainda não estabelecida		
glifo	um é tirado das letras PL por causa de seu descobridor, Percival Lowell, em 1930; o outro representa a cruz da matéria abaixo da lua crescente, pairando acima o círculo do infinito		
representa	impulso destruidor ou reformador, fusão		
palavra-chave	transformação		

Tradicionalmente, Plutão rege o mundo subterrâneo e o que não pode ser visto (incluindo os mundos desconhecidos dentro de você, seu ser submerso ou inconsciente). Também representa todos os processos de cópia, como a impressão e a reprodução fotográfica. Governa as massas, o desperdício, a subversão, o poder atômico e o crime. Rege as fobias e as obsessões, o crescimento lento, a transmutação, os começos e os fins, a morte e o renascimento, o isolamento, a coerção, o desaparecimento, o sequestro, o anonimato, as bactérias e os vírus. Representa a geração, a regeneração e a degeneração. Expõe o que se desenvolveu em segredo ou sob disfarce. Governa os encanamentos, as ditaduras, as causas populares e aquilo que é exclusivo. A ação de Plutão é lenta, planejada e inevitável. É o último dos planetas transcendentais e considerado a oitava superior de Marte. *O posicionamento de Plutão no mapa astrológico mostra onde você vai encontrar dificuldades; é onde vai ter de resolver problemas complexos por si mesmo e sem ajuda.*

Os nodos lunares

Os nodos lunares não são corpos celestes; são pontos na longitude celeste onde a Lua cruza a eclíptica (ou caminho do Sol). O nodo norte tem posicionamento indicado nas efemérides, e o nodo sul é sempre seu oposto direto, com o mesmo número de graus e minutos, porém no signo oposto. Exemplo: se o nodo norte está a 10° 50' de Áries, o nodo sul está a 10° 50' de Libra. Como os nodos sempre trabalham juntos, é importante estabelecer um equilíbrio.

☊ NODO NORTE (ou cabeça do dragão)

A localização por signo e casa do nodo norte em seu mapa indica onde você deve se esforçar para se realizar.

☋ NODO SUL (ou cauda do dragão)

O signo e a casa do nodo sul em seu mapa indica onde você se sente "em casa" e tende a manter o *status quo*. A lição dos nodos é lidar com ambos, igualmente.

Dignidades

Concebido originalmente nos tempos antigos, quando o patriarcado dominava, o conceito de dignidade parece hoje se aplicar melhor aos homens, já que as mulheres parecem lidar com planetas em detrimento e queda melhor que eles. A Lua em Câncer em um mapa masculino, por exemplo, expressa-se como acolhimento e cuidado; a Lua em Capricórnio em um mapa feminino reforça a feminilidade prática.

Dignidade: quando está no signo que rege, o planeta está ***dignificado***, e seu poder de atuação é intensificado. Quando um planeta está dignificado, tem-se controle das circunstâncias.

Detrimento: quando está no signo oposto ao que rege, o planeta está no seu ***detrimento*** ou ***exílio***. Nesse estado cósmico, o planeta não se apresenta com força total, e a ação adquire mais a coloração do signo que do planeta. Quando um planeta está em seu exílio, você é um visitante e deve se ajustar às regras e aos regulamentos alheios.

Exaltação: além do signo que rege, todo planeta se expressa harmoniosamente em outro signo, chamado de signo de sua *exaltação*. As forças complementares são aumentadas, e as virtudes, ampliadas. Quando um planeta está exaltado, ele se sente à vontade, como na casa de um amigo.

Queda: quando está no signo oposto ao de sua exaltação, o planeta está em *queda*. Há dificuldade de expressar sua verdadeira natureza. Quando um planeta está em queda, é como se estivesse ficando na casa de um desconhecido e não se sentisse realmente à vontade ali.

Dignidade por casa: ocorre quando o planeta está na casa da Roda Natural que rege e, portanto, pode funcionar bem.

Figura 3: Tabela de Dignidades.

Planeta	Dignidade	Detrimento	Exaltação	Queda	por Casa
☽ Lua	♋	♑	♉	♏	4ª
☿ Mercúrio	♊ ♍	♐ ♓	♒	♌	3ª e 6ª
♀ Vênus	♉ ♎	♏ ♈	♓	♍	2ª e 7ª
☉ Sol	♌	♒	♈	♎	5ª
♂ Marte	♈ (♏)	♎ (♉)	♑	♋	1ª
♃ Júpiter	♐ (♓)	♊ (♍)	♋	♑	9ª
♄ Saturno	♑ (♒)	♋ (♌)	♎	♈	10ª
♅ Urano	♒	♌	♏	♉	11ª
♆ Netuno	♓	♍			12ª
♇ Plutão	♏	♉			8ª

Questionário

Este teste é uma revisão do conteúdo tratado neste módulo. Veja quantos itens consegue acertar. As respostas estão no Apêndice, na página 447-448.

1) Usando os glifos (símbolos), liste os planetas por ordem de velocidade através do zodíaco, do mais veloz para o menos veloz.

2) Qual é o signo da(o):
   a. exaltação da Lua
   b. exaltação de Júpiter
   c. detrimento de Saturno

3) Qual planeta corresponde a cada descrição?
   a. representa o impulso intelectual
   b. representa o impulso de poder
   c. está em queda em Capricórnio
   d. está em detrimento (exílio) em Capricórnio
   e. rege as coxas e os quadris
   f. rege os nervos motores
   g. está em detrimento em Câncer
   h. governa as drogas
   i. é conhecido como *o libertário*
   j. rege a pele
   k. rege a moralidade
   l. está em queda em Escorpião
   m. está exaltado em Áries
   n. mostra onde você precisa resolver seus problemas sem ajuda e sozinho
   o. representa a necessidade de socialização

p. rege o público, o povo
q. rege as grandes massas
r. planeta das ações sutis
s. planeta das ações imprevisíveis
t. planeta que rege Leão
u. planeta que rege Sagitário
v. foi descoberto em 1930
w. rege o coração
x. rege o sistema nervoso

4) Quais são os três planetas transcendentais.

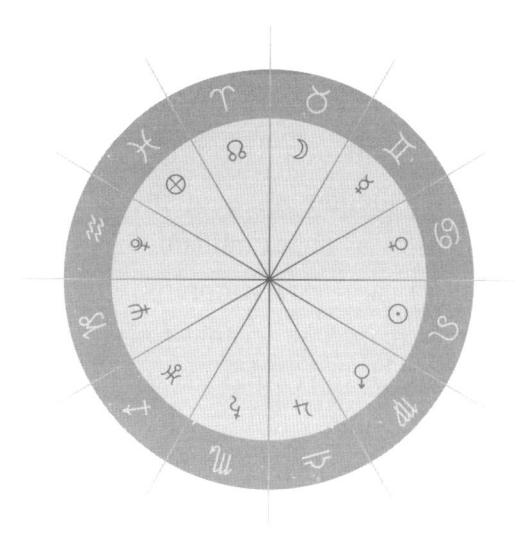

Módulo 4:
As Casas

O significado das casas

Sabemos que os signos astrológicos são divisões fixas do céu. Já as casas não são regulares, sendo divididas de acordo com o lugar e a hora de nascimento do indivíduo. A rotação da Terra faz que os signos e os planetas passem por todas as doze casas a cada dia. O signo que ocupa o horizonte leste no momento exato do nascimento é chamado *Ascendente* ou *signo em elevação*.

Cada casa representa um campo básico de atividade. Quando são ocupadas por planetas, os significados das casas são modificados. Como há doze casas e apenas dez planetas, não é possível ter planetas em todas as casas. Mas é importante entender, desde já, que não ter planetas em uma casa não significa que não haja atividade naquela área. Mesmo vazia, cada casa tem um planeta regente, indicado pelo signo de sua cúspide.

Casas estão relacionadas a condições, enquanto signos falam de traços de caráter. Se fôssemos comparar a Astrologia ao teatro, diríamos: os planetas são os atores, os signos são os personagens, e as casas são o palco e os cenários. Mercúrio é sempre Mercúrio, mas quando está em Gêmeos desempenha papel diferente de quando está em Libra; quando Mercúrio está na primeira casa, o cenário é diferente de quando está na quinta.

As casas nunca mudam de posição. O Ascendente (ou cúspide da primeira casa) está sempre no ponto leste do horizonte, onde o Sol, aparentemente, se levanta todas as manhãs. De maneira análoga, o **Descendente** (ou cúspide da sétima casa) está sempre no ponto oeste do horizonte, onde o Sol se põe. O *Meio do Céu*, a que nos referimos comumente como **MC** (cúspide da décima casa), está sempre no alto ou ponto sul do horóscopo. O ponto oposto, o *IC* (cúspide da quarta casa), está sempre no ponto mais baixo da Roda ou ponto norte. A referência à cúspide da décima casa como MC deriva da denominação latina, *medium coeli*, que significa meio do céu. A referência à cúspide da quarta casa como IC vem do latim *imum coeli*, que significa fundo do céu.

Conforme vimos no Módulo 1, quando você completou a Roda Plana, cada casa tem analogia com um signo do zodíaco, um planeta regente, e é classificada em angular, sucedente ou cadente.

Considerando que cada casa representa uma área de nossa vida, vamos agora voltar nossa atenção a uma explicação detalhada das casas.

CASA 1		angular	
signo natural	Áries ♈	regente natural	Marte ♂
palavra-chave	identidade	uma casa de	vida

A cúspide da casa 1 é o Ascendente ou signo em elevação. É um dos pontos mais importantes do mapa natal e marca exatamente o grau e o signo que estavam no horizonte leste no momento do nascimento. A rotação da Terra faz que um grau do zodíaco ascenda no horizonte leste aproximadamente a cada quatro minutos; por essa razão, pode-se perceber como é importante ter a hora correta de nascimento.

A casa 1, e especialmente o Ascendente, mostra a personalidade, o temperamento, as tendências naturais, a individualidade e a forma de expressão. Mostra como as pessoas o veem, e como você quer que os outros o vejam. É a forma como você "embala" e "vende" a si mesmo. Representa seu corpo físico, sua saúde e os primeiros anos de sua infância. Mostra sua abordagem da vida, sua perspectiva mundana, sua aparência e seu jeito, e o começo de todos os seus projetos.

CASA 2		sucedente	
signo natural	Touro ♉	regente natural	Vênus ♀
palavra-chave	valores	uma casa de	bens materiais

A casa 2 fala de tudo o que sustenta o nativo, como bens materiais (exceto imóveis) e investimentos, capacidade de ganhar dinheiro e qualquer lucro ou perda pelos próprios esforços. Mostra também os talentos e recursos interiores que sustentam sua personalidade, além de sua necessidade de realização, senso de dignidade própria e valores. Como muitas pessoas acreditam que a liberdade é, em grande parte, uma questão de dinheiro, esta é a casa da liberdade pessoal. Também é a casa das dívidas materiais.

CASA 3		cadente	
signo natural	Gêmeos ♊	regente natural	Mercúrio ☿
palavra-chave	conhecimento	uma casa de	relacionamentos e trocas imediatas

A casa 3 fala de seus entornos, sua vizinhança, dos ambientes em que você transita, seus irmãos e irmãs, e todas as formas de comunicação, como a fala, a escrita e o canto. Também fala sobre os meios de transporte e as pequenas viagens. Mostra a adaptabilidade de sua mente ao aprendizado e à aceitação de novas ideias, sua capacidade de se relacionar com seu ambiente e aquilo em que você é naturalmente hábil. Indica a parte consciente e objetiva de sua mente e seus primeiros anos de educação básica.

CASA 4		angular	
signo natural	Câncer ♋	regente natural	Lua ☽
palavra-chave	segurança	uma casa de	conclusões

A casa 4 refere-se ao seu lar e aos seus pais; à família de onde você vem (suas raízes) e ao lar que vai formar. Mostra sua herança, sua hereditariedade, sua ancestralidade, suas raízes psicológicas e sua vida privada. Fala também de propriedades, como casas ou outros bens imóveis, e de tudo o que é ou está isolado. É uma casa de conclusões: os últimos anos da vida, a finalização de todos os assuntos, a fama póstuma e o lugar de enterro. Mostra o genitor que teve maior influência sobre você na infância, seu ser subjetivo e os alicerces sobre os quais você constrói sua personalidade. Na infância, essa casa representa os pais, mas, à medida que amadurecemos como indivíduos, mostra o pai, a mãe ou outro parente responsável por nossa nutrição e cuidado.

CASA 5	sucedente
signo natural Leão ♌	regente natural Sol ☉
palavra-chave criatividade	uma casa de vida

Casa dos filhos, dos romances, dos casos amorosos, dos prazeres, das diversões, das férias e feriados, dos jogos, das especulações, dos *hobbies* e dos passatempos. Indica também sua atitude emocional e o amor que você dá. Mostra suas criações, sua originalidade e seus canais criativos. Indica, ainda, a capacidade dramática, literária ou artística. A quinta casa refere-se às publicações, à política, às artes, às questões sociais, à gravidez e à educação dos filhos.

CASA 6	cadente
signo natural Virgem ♍	regente natural Mercúrio ☿
palavra-chave dever	uma casa de bens materiais

Casa do trabalho, da saúde e dos hábitos. Fala sobre emprego, empregados, servidores, inquilinos, animais de estimação e dependentes. A casa 6 indica o serviço prestado aos outros, os assuntos de rotina, suas roupas e como você as usa, a higiene, o interesse em alimentação e dieta, a doença e as condições que influem na sua saúde. Nessa casa, trabalho e saúde estão unidos.

CASA 7	angular
signo natural Libra ♎	regente natural Vênus ♀
palavra-chave cooperação	uma casa de relacionamentos e parcerias

A casa 7 mostra as parcerias afetivas e comerciais, o casamento, o divórcio, os contratos, os processos, as negociações, os acordos e qualquer relação com o outro e a resposta deste. Fala sobre seus inimigos declarados, sua cooperação ou falta dela com os outros. Indica aquilo que mais falta ao nativo, já que está em oposição à casa 1, que fala sobre a personalidade. Essa casa mostra suas atitudes em relação ao casamento: seu parceiro, o tipo e a qualidade do casamento e quantos casamentos você pode contrair. Também mostra seus avós e quaisquer pessoas que atuem como seus agentes ou em seu nome.

CASA 8		sucedente	
signo natural	Escorpião ♏	regente natural	Plutão ♀
palavra-chave	regeneração	uma casa de	conclusões

A casa 8 fala sobre o apoio que você recebe dos outros, tanto financeiro quanto moral, espiritual ou físico. Envolve as heranças, as custódias, os testamentos, os impostos, os assuntos de seguro, assim como os segredos, o sexo, a regeneração espiritual e física, o renascimento psicológico, a degeneração e a morte. Essa casa também representa as questões ocultas, o sono, a pesquisa profunda, a investigação e os bens ocultos. Também inclui o capital dos sócios e as pensões. É a casa da cirurgia e, com a casa 6, mostra tipos de doença.

CASA 9		cadente	
signo natural	Sagitário ♐	regente natural	Júpiter ♃
palavra-chave	ideais	uma casa de	vida

A casa 9 representa a mente superior e a espiritualidade. Fala sobre religião, lei, ciência, ideais, educação superior, filosofia, psicologia, estudo mental profundo, sonhos e visões. Envolve as viagens longas, os estrangeiros, o trato com os estrangeiros, o comércio, os grandes negócios, importações e exportações. Versa também sobre igrejas e templos religiosos, líderes espirituais, sogros, netos, a intuição, a ética e a opinião pública em geral. Indica as lições que aprendemos com a vida.

CASA 10		angular	
signo natural	Capricórnio ♑	regente natural	Saturno ♄
palavra-chave	honra	uma casa de	bens materiais

A casa 10 mostra sua profissão, reputação e posição na comunidade. Indica o *status*, a fama, a ambição, as atividades sociais e de negócios, o chefe, o governo ou qualquer outra autoridade acima de você. Fala sobre suas realizações, sobre como o mundo o vê e o avalia e sobre a influência que você exerce no seu círculo social. Nessa casa, vemos a Igreja como instituição, e o outro genitor que não o representado pela casa 4. Como vimos, durante a infância e o início da juventude, ambos os pais são vivenciados na casa 4. Porém, quando somos capazes de distingui-los, não mais vivenciando pai e mãe como unidade, aquele que representa a autoridade passa a ser representado pela décima casa. Se você foi criado por apenas um parente, ele é representado pela quarta e décima casas.

CASA 11		sucedente	
signo natural	Aquário ♒	regente natural	Urano ♅
palavra-chave	consciência social	uma casa de	relacionamentos e grupos

A casa 11 fala sobre sua capacidade de ter amigos, sobre sua atitude em relação aos amigos e conhecidos e sobre todos os relacionamentos em coletividade. Indica o que você mais deseja na vida, seus objetivos, o amor que recebe, assim como o dinheiro obtido com a profissão. Essa casa fala sobre os filhos adotivos, os enteados e as circunstâncias sobre as quais você tem pouco controle. É a casa dos interesses humanitários, da maneira como você vê os outros, das pequenas e grandes organizações, dos clubes e grupos aos quais pertence.

CASA 12		cadente	
signo natural	Peixes ♓	regente natural	Netuno ♆
palavra-chave	inconsciente	uma casa de	conclusões

A casa 12 indica suas forças e fraquezas desconhecidas ou ocultas. Mostra tristeza, sofrimento, limitações, obstáculos, segredos, isolamento, frustração e atividades de bastidores. Fala também sobre lugares de confinamento, prisões, hospitais, instituições mentais etc. e restrições, inibições, exílio, inimigos secretos, perigos ocultos, autodestruição e casos clandestinos. Mostra tudo aquilo que escondemos dos outros. É a casa da pesquisa, dos fundamentos, da sustentação subjetiva, da consciência interior, da mente inconsciente, dos débitos espirituais a serem pagos (karma), mas também da caridade, da simpatia e do bem-estar público. Muitas vezes, é chamada de lata de lixo do horóscopo porque é nela que se escondem os problemas muito dolorosos para encarar ou as dificuldades que recusamos a admitir. Mas pode ser também uma área criativa do mapa e reflete, muitas vezes, a aptidão para a arte, a música, a dança, a escrita e o teatro.

Casas derivadas

Assim como a casa 5 mostra os filhos, a casa 9 (a quinta casa a partir da casa 5) mostra os filhos dos seus filhos, isto é, os netos. Ao contar as casas dessa maneira, não deixe de contar a casa em questão. Por exemplo: a casa 5 torna-se a casa 1 quando você começa a contar: assim, a casa 6 é a 2 da 5; a casa 7 é a 3; a casa 8, a 4; e a casa 9 torna-se a casa 5. A casa 9 está a cinco casas da casa 5.

A casa 4, como casa de conclusões, mostra as condições no fim da vida. Assim, a casa 8 mostra as condições do fim da vida dos seus filhos, porque está a quatro casas da casa 5, a casa dos seus filhos. Conte: quinta, sexta, sétima, oitava.

Figura 4: Roda de casas. Esse mapa fornece os significados básicos de cada casa.

A casa 2 fala do dinheiro; é a segunda a partir da primeira casa (você). Assim, a casa 8 fala do dinheiro do seu parceiro, pois é a casa 2 da sétima casa (seu parceiro).

Esses são apenas alguns exemplos dos princípios básicos envolvidos no giro da Roda para obter informações adicionais de cada casa. Esse sistema é apenas para informação nesse ponto do seu estudo.

Relação das casas com os elementos e qualidade
A natureza das casas por elemento

Como você viu no Módulo 1, os signos podem ser agrupados de acordo com seu elemento. Como cada signo tem posição natural por casa, podemos agrupar as casas da mesma forma, de acordo com o elemento de cada uma.

Fogo: as casas da vida ou casas pessoais. As pessoas que têm muitos planetas nessas casas são inspiradas e dinâmicas. Têm muita energia e entusiasmo, sabem motivar e têm convicções religiosas.

Casa 1: corpo.
Casa 5: alma.
Casa 9: espírito, mente.

Terra: as casas de bens materiais ou casas das posses. As pessoas que têm muitos planetas nessas casas são estáveis e, em geral, são o sustentáculo da comunidade e da família. Sua perspectiva e suas aptidões vocacionais são concretas e práticas.

Casa 2: bens, posses, finanças.
Casa 6: ocupação, trabalho.
Casa 10: reconhecimento público, ambiente.

Ar: as casas de relacionamentos ou casas dos parentes. As pessoas com muitos planetas nessas casas são as que "precisam de gente". Todas essas colocações por casa descrevem o indivíduo em relação aos outros membros da comunidade.

Casa 3:   parentes e vizinhos, aqueles que não selecionamos, consanguíneos.
Casa 7:   relacionamentos íntimos, parceiros, aqueles que escolhemos para relacionamentos diretos, cônjuge.
Casa 11: relacionamentos sociais e mentais, aqueles que selecionamos por causa de interesses comuns, por simpatia.

Água: as casas de conclusões ou casas terminais. As pessoas que têm muitos planetas nessas casas são sensíveis e sentimentais; são os terapeutas e as figuras religiosas. Essas casas descrevem a alma mais íntima e a forma como provavelmente deixaremos a Terra. Não *quando*, apenas *como*.

Casa 4:   o fim do corpo físico.
Casa 8:   liberação da alma, morte.
Casa 12: morte filosófica; os resultados do curso da vida que escolhemos seguir.

Divisão das casas por qualidade

Como você aprendeu no Módulo 1, há outras formas de agrupar os signos. E, assim como nos signos, as doze casas podem ser divididas em três grupos de quatro, cada uma correspondendo às qualidades cardinal, fixa e mutável. Elas são chamadas casas **angulares**, **sucedentes** e **cadentes**.

Casas angulares (correspondem aos signos cardeais): casas 1, 7, 4 e 10. Esses ângulos correspondem ao leste (Ascendente), oeste (Descendente), norte (*Imum Coeli* ou IC) e sul (Meio do Céu ou MC). Esses são os ângulos, os eixos, do mapa. Planetas em casas angulares têm grande potencial de ação dinâmica, e sua influência é intensificada. Em outras palavras, as casas angulares têm qualidades cardeais. Alguns livros se referem aos planetas em casas angulares como acidentalmente dignificados.

Casas sucedentes (correspondem aos signos fixos): casas 2, 5, 8 e 11. São chamadas sucedentes porque seguem ou sucedem as casas angulares. Não são tão poderosas, mas, assim como os signos fixos, concedem estabilidade e propósito. São também as casas financeiras.

Casas cadentes (correspondem aos signos mutáveis): casas 3, 6, 9, 12. Essas casas não têm tanta oportunidade de ação como as angulares, nem conferem grande estabilidade como as casas fixas, mas são adaptáveis e se dão bem com as outras. Geralmente, são mencionadas como casas mentais. Na figura 4, na página 71, apresentamos os significados básicos de cada casa em forma de roda.

Os meridianos

Agora que você aprendeu o significado básico de cada casa, vamos tratar dos *meridianos*. Os meridianos são outra parte da Roda Plana e um importante fator na leitura do horóscopo.

O eixo horizontal do mapa é chamado *Equador* ou *horizonte*, e o eixo vertical, *meridiano*. Usando essas duas divisões (figuras 5 e 6), separamos o horóscopo em metades. O eixo horizontal refere-se à consciência; o eixo vertical, ao poder.

Na figura 5, notamos que o Equador divide o mapa em dia e noite. Isso porque o horizonte divide o mapa de acordo com o eixo nascer/pôr do sol. Os *planetas diurnos* são aqueles que se localizam acima do horizonte; os *planetas noturnos* são os que estão abaixo do horizonte.

De modo geral, a metade diurna (ou clara) do horóscopo representa a extroversão e a objetividade, enquanto a parte noturna (ou escura) representa a subjetividade e o instinto. Se você tem muitos planetas acima do horizonte, vai ser bastante objetivo e querer se elevar no ambiente social. O público e sua carreira serão importantes para você. Se tem muitos planetas abaixo do horizonte, principalmente se o Sol e a Lua estiverem na parte noturna do mapa, você vai ser mais subjetivo e poderá trabalhar nos bastidores.

Figura 5: O Equador ou horizonte divide o horóscopo em hemisfério sul (dia) e norte (noite).

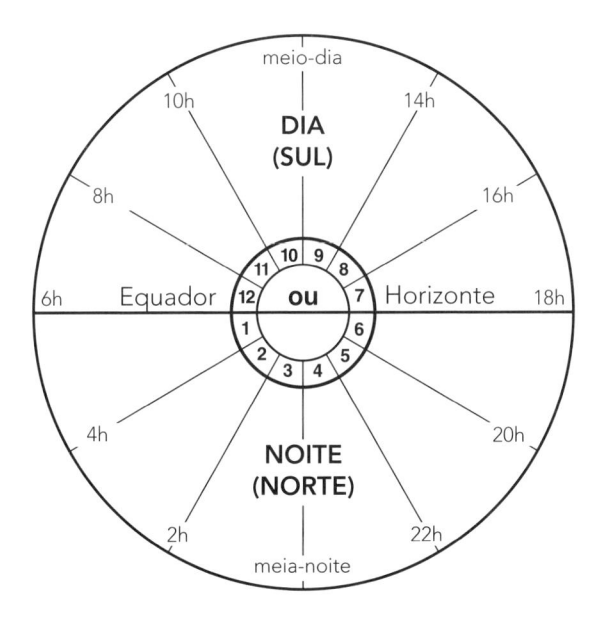

Na figura 6, o eixo do meridiano divide o mapa em uma metade oriental e outra ocidental. Essas duas partes se formam quando dividimos o mapa de acordo com o eixo meio-dia/meia-noite. Esse meridiano divide os planetas em *planetas nascentes* e *planetas poentes*. Os *planetas nascentes* são os que se localizam na metade oriental do mapa, cobrindo o período da meia-noite ao meio-dia. Os *planetas poentes* são os que estão na metade ocidental do mapa, cobrindo o período do meio-dia à meia-noite. Se há muitos planetas nascentes no seu mapa natal, você tem forte livre-arbítrio e está no comando da sua vida. Se há muitos planetas poentes no seu mapa, você é mais flexível e mais envolvido com o destino dos outros.

Figura 6: O meridiano divide o horóscopo em hemisfério oriental (ascendente) e hemisfério ocidental (descendente).

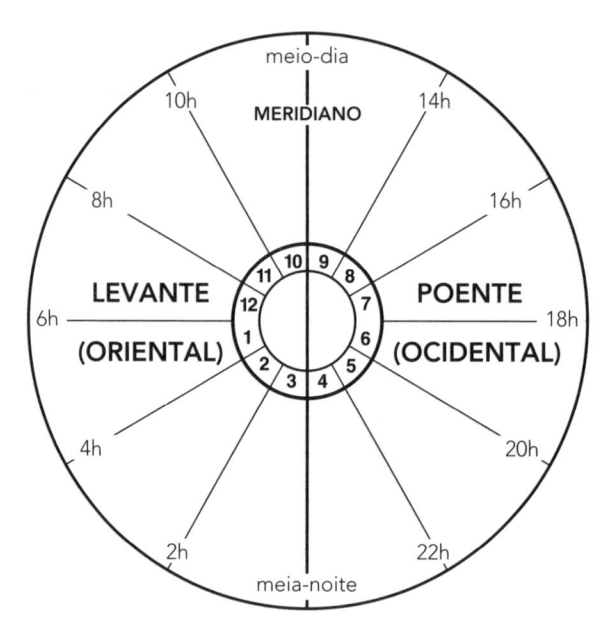

Você também vai notar nas figuras 5 e 6 que mostramos as horas do dia. Cada casa representa um segmento de duas horas a cada 24 horas do dia. Isso é importante quando você quer desenhar um mapa; assim, é possível verificar a correção dos seus cálculos. Por exemplo: se você sabe que alguém nasceu às duas horas da manhã, sabe que o Sol estará localizado entre as casas 2 e 3.

Questionário

Responda às perguntas a seguir. As respostas corretas estão no Apêndice, na página 448-449.

1. Usando símbolos, liste os três signos de fogo.
2. Usando símbolos, liste os três signos de terra.
3. Usando símbolos, liste os três signos de ar.
4. Usando símbolos, liste os três signos de água.
5. Quais são as casas angulares?
6. Quais são as casas sucedentes?
7. Quais são as casas cadentes?
8. Usando símbolos, liste os signos cardeais.
9. Usando símbolos, liste os signos fixos.
10. Usando símbolos, liste os signos mutáveis.
11. Qual signo é o oposto de Touro?
12. Qual é a casa da criação?
13. Qual signo é regido por Saturno?
14. Qual é o signo de água fixo?
15. Que signo tem um corregente? Que planeta é esse?
16. Quais são os dois signos que têm sub-regentes? Quais são esses planetas?
17. Que signo se opõe a Sagitário?
18. Qual é o signo de ar cardeal?
19. Qual é a casa do isolamento?
20. Quais são as casas da vida?
21. Quais são as casas de bens materiais?
22. Que cúspide de casa representa o norte?
23. Que cúspide de casa é o Ascendente?
24. Quais são os dois signos regidos por Mercúrio?
25. Qual é o outro planeta que rege dois signos? Que signos são esses?

Breve comentário antes de prosseguirmos

No fim do Módulo 4, invariavelmente os alunos querem aprender os cálculos matemáticos para levantar um mapa astrológico. Não podemos culpá-los por essa ansiedade; esse é um assunto fascinante, e, naturalmente, todos desejam ver os mapas dos amigos e parentes. Mas o conhecimento que você adquiriu até aqui é só o começo. É interessante e esclarecedor; mas, como todo conhecimento pela metade, pode ser perigoso. Até aprender mais sobre a Astrologia, fatalmente você vai interpretar e avaliar mal os mapas, podendo praticar uma injustiça consigo mesmo ou com os outros. Por essas razões, não ensinamos os cálculos neste livro. Queremos formar astrólogos que saibam ler um horóscopo antes de aprender sua montagem.

Assim como uma criança tem que aprender o alfabeto antes de formar palavras, em seguida frases, parágrafos e, por fim, histórias, o estudante de Astrologia deve aprender o alfabeto astrológico... as palavras são adicionadas com aspectos, e é aqui que você começa a formar sentenças astrológicas.

Módulo 5:
Como Ler, Interpretar ou Analisar um Mapa Astrológico

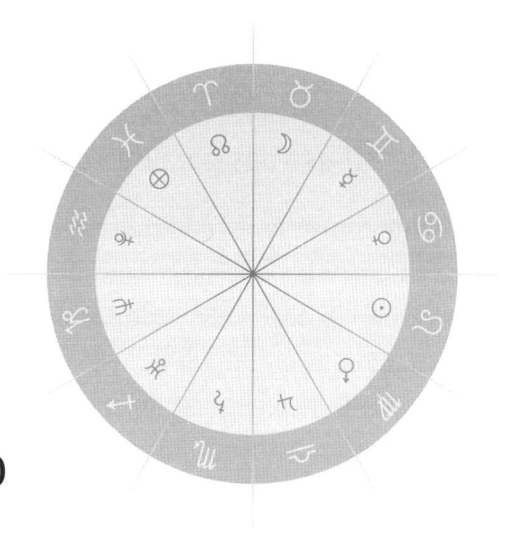

Introdução

Nos módulos 1 a 4, você aprendeu os princípios mais básicos da Astrologia: os signos do zodíaco, os planetas, as casas e a forma de agrupar todos eles por semelhanças. Se entender esses princípios e se familiarizar com as palavras-chave, terá pouca dificuldade de aprender outras técnicas e refinamentos adicionais que fazem parte da leitura, interpretação ou análise de um horóscopo. A lógica, o bom senso e o conhecimento da natureza humana vão ajudá-lo nesta tarefa se você tiver aprendido o significado desses princípios básicos.

Os símbolos dos planetas, dos signos e das casas são as letras básicas do alfabeto astrológico. Os significados dos signos, dos planetas e das casas são as palavras astrológicas. Agora, vamos aprender a juntá-las para formar frases astrológicas simples. Para aprender qualquer língua, existem certas regras para formar frases, e é preciso que você aprenda também algumas regras para formar frases astrológicas.

O uso das palavras-chave na interpretação

Conforme vimos no Módulo 2, a Roda Plana astrológica começa com Áries na cúspide da casa 1, seguido por Touro na cúspide da casa 2, e assim por diante. Desse modo, o Sol na primeira casa sempre vai refletir algumas qualidades e traços de Áries, a despeito do signo em que esteja efetivamente colocado. É importante que você se lembre dessa regra.

Para ilustrar, vejamos um exemplo: Sol em Câncer na casa 1. Uma palavra-chave para o Sol é *ser interior*. Algumas palavras-chave para Câncer: *devotado, maternal, doméstico, sensível*. Entre as palavras-chave para a primeira casa, temos: *identidade, personalidade, autoexpressão*. E, finalmente, palavras-chave para Áries, o signo natural da casa 1: *dinâmico* e *ativo*. Podemos juntar essas palavras-chave para formar uma frase astrológica:

O *ser interior sensível e maternal é expresso de*
      Sol   Câncer   casa 1
forma ativa e dinâmica.
      Áries

Vejamos outro exemplo: Lua em Gêmeos na casa 5. Palavras-chave importantes para a Lua são *emoções* e *instintos*; para Gêmeos, temos *versátil* e *comunicativo*; palavras-chave para a casa 5 incluem *criatividade* e *amor*; palavras-chave para Leão, signo natural da quinta casa: *criativo* e *generoso*. Neste mapa, a Lua rege a casa 6 (Câncer na cúspide), a dos hábitos e do trabalho. Do ponto de vista astrológico, podemos dizer:

Emocionalmente versátil, você dá amor generosamente,
    Lua   Gêmeos   casa 5   Câncer
é cuidadoso e diligente.
    casa 6

ou:

Você é instintivo e criativo em suas comunicações.
    Lua   casa 5   Gêmeos

Agora, vamos ampliar a análise: Vênus em Capricórnio na casa 9 (cujo signo natural é Sagitário). Capricórnio é *responsável* e *cauteloso*; Sagitário é *tolerante* e *otimista*; Vênus representa os *afetos* e o *caráter moral*; e a casa 9 representa a *filosofia* e as *aspirações*. Assim, podemos deduzir que as aspirações e a abordagem filosófica desse indivíduo teriam uma característica responsável (Capricórnio), mas o otimismo natural de Sagitário afrouxaria a costumeira cautela da natureza de Capricórnio.

Uma vez que compreenda por que a posição por casa de um planeta modifica a natureza do signo no qual esse planeta está colocado será capaz também de entender por que um planeta funciona de modo diferente, dependendo do tipo de casa em que está. Por exemplo: uma pessoa com Sol em Touro (signo fixo) em uma casa cadente será mais adaptável e menos teimosa que uma pessoa com Sol em Touro em uma casa sucedente. As casas cadentes correspondem aos signos mutáveis, e as sucedentes, aos signos fixos. Se um indivíduo tiver esse mesmo Sol em Touro, mas em uma casa angular (análoga aos signos cardeais), poderá ser teimoso, menos paciente e estável, porém ter maior iniciativa.

Você deve se lembrar de que no Módulo 4 estabelecemos uma analogia entre os planetas e o elenco de uma peça de teatro. O elenco não muda; o Sol, por exemplo, é sempre a personalidade interior, o coração do horóscopo e o doador da vida. Os signos são os personagens que esse elenco representa e também não mudam; Touro é sempre Touro e conserva o caráter básico desse signo. Entretanto, as casas são os cenários onde o elenco encarna seus personagens e podem ocasionar, e, na realidade, ocasionam, muitas diferenças: do extrovertido *eu* da casa 1 ao possessivo *meu* da casa 2, ao *nós* da casa 7, e assim por diante, ao longo da roda.

Com isso em mente, vamos nos dedicar à interpretação de um mapa astrológico, usando as palavras-chave que aprendemos até agora.

Interpretação de um mapa astrológico modelo

A figura 7 é o mapa natal de Franklin Delano Roosevelt, nascido em 30 de janeiro de 1882, às 20h45, em Hyde Park, Nova York, nos Estados Unidos.

Primeiro, vamos olhar a configuração geral do mapa. É importante olhar o mapa como um todo antes de começar a análise. Observe que Roosevelt tem sete planetas acima do horizonte e três abaixo. (Veja os números nos círculos no centro do mapa.) Podemos concluir que o nativo tem muitas qualidades extrovertidas e objetivas. Há também três planetas a leste e sete a oeste do meridiano, o que sugere uma vida intimamente associada ao destino dos outros.

Ao examinar o quadro abaixo do mapa astrológico, note que distribuímos os planetas, o Ascendente e o Meio do Céu de acordo com as classificações que aprendemos. Veja que Roosevelt tem um planeta cardeal, sete planetas fixos e dois mutáveis. Com tantos planetas em signos fixos, podemos dizer que o nativo é determinado, de conduta firme, estável e decidido. Tem mente penetrante e excelente memória. Como tanto o Ascendente como o Meio do Céu estão em signos mutáveis, acrescenta-se um pouco de adaptabilidade e flexibilidade ao seu caráter básico (Módulo 1).

Não há nenhum planeta em signo de fogo; cinco planetas e o Ascendente estão em signos de terra; quatro planetas e o Meio do Céu, em signos de ar, e um planeta em signo de água. Ele é prático, confiável e simples, já que predominam planetas em signos de terra. Entretanto, com quatro planetas e o Meio do Céu em ar, podemos acrescentar grande intelectualidade, capacidade de pensamento abstrato, lógica, abertura mental, boa capacidade de comunicação e de distanciamento, quando necessário. Com um único planeta no elemento água, poderíamos concluir que há certa falta de sensibilidade ou de receptividade; entretanto, esse planeta é a Lua, que não só está dignificada em Câncer como também na casa 10, estando astrologicamente *elevada* no ponto mais alto no mapa. Desse modo, a Lua vai funcionar com muita força.

A falta de planetas no elemento fogo poderia preocupar um pouco, mas notamos a presença de três planetas nas casas pessoais (ou casas de vida: 1, 5 e 9) análogas ao elemento fogo (veja Módulo 4). Há três planetas nas casas de bens materiais (2, 6 e 10), nenhum nas casas de relacionamentos (3, 7 e 11), e quatro nas casas de conclusões (4, 8 e 12). As casas de conclusões são análogas ao elemento água, o que confere ao nativo maior sensibilidade que em um primeiro olhar.

Há, ainda, dois planetas em casas angulares (1, 4, 7 e 10), cinco em casas sucedentes (2, 5, 8, 11) e três em casas cadentes (3, 6, 9, 12), mais uma vez demonstrando os traços básicos de *firmeza de propósitos* e de *capacidade financeira* (Módulo 4).

A Lua, como vimos, domiciliada (ou dignificada) em Câncer, é muito visível (casa 10). Mercúrio também está exaltado em Aquário, expressando-se harmoniosamente e com as virtudes ampliadas. O Sol está exilado em Aquário, o que enfraquece suas qualidades, mas de modo nenhum faz que funcione de forma negativa, sobretudo porque o Sol está na casa 5, análoga a Leão, regida pelo Sol. Quando qualquer planeta está em exilado ou em queda em um mapa não quer dizer que não funcione bem no mapa, mas que o modo de atuar não é tão visível quanto seria, especialmente se estivesse domiciliado ou exaltado. No caso de Roosevelt, suas qualidades lunares são mais visíveis que as solares, porque a Lua está domiciliada e elevada.

Com esse rápido apanhado geral do mapa, já temos uma boa compreensão de alguns dos principais traços do caráter de Roosevelt. Agora, vamos a um exame mais profundo. O primeiro planeta a ser examinado é o Sol, já que é a principal expressão do indivíduo, o *ser* e a *personalidade interior*. É o *coração do mapa*. Encontramos seu Sol em Aquário, casa 5. Com esse posicionamento, é possível descrever o nativo como *independente, progressista, individualista, intelectual, humano*, porém um pouco frio e impessoal (não há fogo no mapa), de *opiniões um tanto fixas, lógico e comunicativo*.

Se você procurar as palavras-chave para Aquário no Módulo 1, verá que fizemos uma seleção. Por que não usamos a palavra-chave extravagante? Com cinco planetas e o Ascendente em signos de terra, eliminamos essa característica. É preciso que você aplique esse mesmo raciocínio e avaliação na seleção das palavras-chave para usar na interpretação do seu mapa astrológico. Também não escolhemos a palavra-chave rebelde. Com cinco planetas em terra, o nativo é prático demais para ser excêntrico ou rebelde; provavelmente usaria essas energias para se tornar progressista e humano. Seu Sol rege a casa 12, o que adiciona certa qualidade pisciana à sua autoexpressão, dotando-o de muita força interior; há também a possibilidade de casos de amor clandestinos.

Aquário é regido por Urano. Portanto, dizemos que o Sol em Aquário é regido por Urano. No caso de Roosevelt, Urano está

Figura 7: Mapa natal de Franklin Delano Roosevelt.
Nascido a 30 de janeiro de 1882, às 20h45, hora local em Hyde Park, Nova York. Longitude 73° W 55' latitude 41° N 48'.
Fonte: Diário do Pai. AA

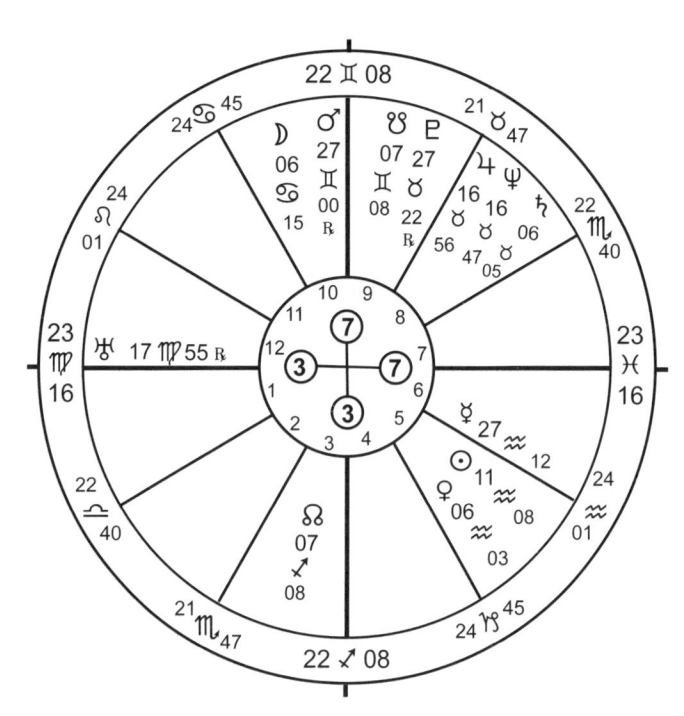

O Aspectário: Proporciona um apanhado geral do mapa. Listamos os planetas, o Ascendente (A) e o Meio do Céu (M) por qualidade, elemento, e assim por diante. Por exemplo, ao lado da palavra "mutável", listamos Marte, Urano, Meio do Céu e Ascendente, que estão em signos mutáveis neste mapa. No final da lista, os planetas são classificados por casa: casas de vida (V), de bens materiais (B), de relacionamentos (R) e de conclusões (C). Para mais detalhes, veja a página 82.

cardeal: ☽			
fixo: ♄ ♆ ♃ ♇ ♀ ☉ ☿			
mutável: ♂ ♅ M A			
fogo: nenhum			
terra: ♄ ♆ ♃ ♇ ♅ A			
ar: ♂ ♀ ☉ ☿ M			
água: ☽			
angular: ♂ ☽			
sucedente: ♀ ☉ ♄ ♆ ♃			
cadente: ☿ ♇ ♅			
dignidade: ☽			
exaltação: ☿			
detrimento: ☉ ♇			
queda:			
V. 3	B. 3	R. 0	C. 4

em Virgem na casa 12 (Módulo 3). A regência de Urano em Virgem acrescenta *espírito prático* (terra, Virgem) ao mental Aquário (ar). Como está na décima segunda casa, vai acrescentar *força oculta* e, muitas vezes, operar em nível inconsciente e intuitivo (Módulo 4).

Vamos escolher algumas palavras que combinem com o posicionamento do Sol na casa 5. Como Leão é o signo análogo a essa casa, é preciso acrescentar alguns matizes de Leão a esse posicionamento. Vamos acrescentar *orgulho, dignidade, autoconfiança* e *vocação para o drama* (Módulo 2). Pessoas com Sol na quinta casa gostam de *diversão, prazeres, romance, casos amorosos e crianças*. Entre as palavras-chave para a casa 5 (Módulo 4), observamos que está *política*; isso, certamente, se aplica a Roosevelt. Mas por que não *capacidade dramática* ou *teatro*? Não vamos selecionar essas palavras porque não há suficiente Leão, ou drama, no mapa. De Leão, existe apenas o posicionamento do Sol na quinta casa; observamos que há praticidade em vez de fogo. Esse mesmo raciocínio se aplicaria à palavra-chave *belas-artes*.

Uma vez que Leão está na cúspide da casa 12, o Sol rege essa área do mapa. Entre as palavras-chave da casa 12 estão força interior e fraqueza. Roosevelt foi capaz de transformar seus problemas em força interior. A casa 12 fala sobre o que escondemos dos outros, e Roosevelt era perito em ocultar suas deficiências físicas do público. Essa casa também indica "casos clandestinos", o que se aplica, igualmente, ao nativo.

Enquanto você analisa um mapa astrológico e o examina em detalhes, nunca perca de vista o quadro geral. Tente manter tudo em perspectiva à medida que faz sua avaliação.

Depois do Sol, o próximo planeta a ser considerado é a Lua. Sabemos que ela representa *emoções, instintos, humor, necessidades* e *desejos* (Módulo 3). Já salientamos que a Lua de Roosevelt é forte, por estar domiciliada em Câncer. Algumas palavras-chave que podemos usar são *simpático, tenaz, patriótico, de boa memória, um pouco egoísta* e *um tanto melindroso*. Com o Sol no progressista Aquário e a Lua regendo a casa 11 (análoga a Aquário), o nativo tende a não ser *cauteloso demais*; com sua capacidade de desligamento, não será *demasiado sensível*, e, com as necessidades e emoções elevadas na casa 10, não será *maternal* ou *doméstico*. (Veja Módulo 2.)

Quando a Lua está em Câncer, ela é seu próprio regente, de modo que não precisamos acrescentar outras palavras. Entretanto, como na casa 10, precisamos acrescentar nuances de Capricórnio (signo análogo à casa 10). Podemos usar a palavra-chave *responsabilidade*, já que há tanta terra nesse mapa. A posição lunar também faz que Roosevelt *busque status*, e poderíamos mesmo dizer que a *cabeça governa o coração (racionalidade)* (Módulo 2).

Como a Lua representa os desejos e as necessidades emocionais, estas seriam palavras adequadas ao seu posicionamento na casa 10 (Módulo 4): *desejo de honra, reputação* e *fama*. O ego é muito desenvolvido. Essa posição é excelente para o serviço governamental. A casa 10 também indica como o mundo vê o nativo; FDR representaria uma imagem paternal. A casa 10 também representa um dos genitores. Como a Lua significa mãe ou esposa no mapa de um homem, podemos concluir que a casa 10 representava sua mãe, e que ele a via como muito *maternal, protetora* e *amorosa* em relação a ele – em outras palavras, o sentimento de Câncer.

Vamos olhar agora o próximo fator mais revelador, o Ascendente. O Ascendente descreve a *personalidade exterior*; como as pessoas veem o nativo e qual é sua aparência física. O Ascendente de FDR é Virgem. Com esse Ascendente, as pessoas tendem a vê-lo como *diligente, estudioso, metódico, humano* e *um pouco crítico* (Módulo 2). O planeta regente de Virgem é Mercúrio, que está em Aquário. Com esse posicionamento, o Ascendente em Virgem adquire características mais *humanas* e menos *mesquinhas*, mais *científicas* e menos *céticas* que normalmente é um Virgem ascendendo. As pessoas tendem a confiar em uma pessoa que projete essas qualidades; sentem que é possível contar com ela. Com Mercúrio posicionado na casa 6 (a do trabalho e do serviço), podemos dizer que ele tem *capacidade natural e desejo de trabalhar com os outros e de servi-los*.

Mercúrio é um planeta muito importante para o entendimento da natureza humana. Representa *a capacidade de raciocínio, a forma de expressão, o intelecto e a percepção básica* (Módulo 3). O Mercúrio de Roosevelt está exaltado no signo de Aquário, na casa 6. Urano, regente de Aquário, está em Virgem na casa 12. Assim, sua capacidade de raciocínio mostra *independência, originalidade, lógica, intelectualidade,* e assim por diante (Módulo 2). Mercúrio rege seu Ascendente (Virgem) e o Meio do Céu (Gêmeos); portanto, as pessoas o viam como intelectual e comunicativo (AC). O mundo o viu (MC) como trabalhador (casa 6) com alta capacidade de expressar (Gêmeos) seus conceitos humanitários (Aquário).

Com Urano, regente de Mercúrio, em Virgem, acrescentamos a abordagem *lógica* e *prática*. Como a casa 6 é análoga a Virgem (regida por Mercúrio), Mercúrio está bem colocado aqui (dignidade acidental), assumindo considerável matiz virginiano. A casa 6 é a de *trabalho, dever, saúde, hábitos e serviço* (Módulo 4). Desse modo, podemos ver por que parte tão grande do *pensamento* e da *forma de expressão* de FDR foi direcionada para o trabalho e o serviço ao seu povo. Também mostra por que a saúde se tornou fator importante em sua vida. Mercúrio representa o *sistema nervoso*, e ele foi atingido pela poliomielite, que é basicamente uma desordem nervosa.

Questionário

A essa altura, você já deve ter uma ideia de como interpretar e analisar um mapa astrológico. Para verificar seus conhecimentos, tente analisar os planetas Vênus, Marte, Júpiter e Saturno usando as mesmas técnicas que utilizamos anteriormente. Ao completar sua análise, consulte o Apêndice (página 445) para ver seu grau de sucesso.

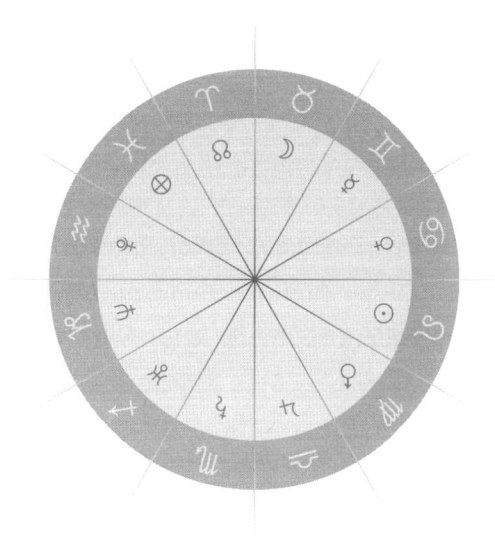

Módulo 6:
Os Aspectos

Introdução

Para entender e ler um horóscopo, há apenas mais um elemento básico a ser aprendido: os *aspectos*. Quando os planetas estão posicionados a determinado número de graus um do outro, diz-se que estão em ou que fazem *aspecto*. Os aspectos são de grande importância na interpretação da personalidade e na leitura de acontecimentos. Os diferentes aspectos estão relacionados na página 94. Existem aspectos "menores" que podem desempenhar um papel no refinamento da interpretação. Eles não foram incluídos neste livro porque sentimos que são desnecessários nesta fase de aprendizagem.

Retomando a analogia anterior – os planetas são os atores, os signos são os personagens que os atores encarnam, e as casas são os cenários nos quais a ação se desenrola –, os aspectos nos mostram *como* os atores encarnam seus personagens.

Diz-se que alguns aspectos são fluentes ou harmônicos (trígonos e sextis), e outros, desafiadores ou desarmônicos (quadratura e oposição). As conjunções podem ser fluidas ou desafiadoras, dependendo da natureza dos planetas envolvidos. Os aspectos fluentes ou harmônicos são *pacificadores, abrandadores* ou *favoráveis*. Os aspectos desafiadores ou desarmônicos são considerados *tensos, estimulantes* ou mesmo *irritantes*. Mas lembre-se: nenhum aspecto é bom ou mau. Muitos trígonos e sextis fluentes podem levar a uma vida monótona e enfadonha. Algumas quadraturas, oposições ou conjunções desafiadoras podem estimular e motivar o nativo e dar-lhe profundidade de caráter; um pouco de tensão faz a vida mais interessante. Por outro lado, muitas quadraturas e oposições, com poucos trígonos ou sextis fluentes, podem tornar a pessoa frustrada, com sensação de que "nada dá certo para ela". A Astrologia não faz exceção à regra de que é preciso um pouco de tudo para criar um ser humano completo.

Se você examinar a Tabela de Aspectos Maiores na página 94, a coluna denominada **orbe** nos fornece a diferença no número de graus do ângulo exato considerada para cada aspecto. Entretanto, a influência é mais forte quando o aspecto é mais próximo ou mesmo exato (também chamado *partil*) e mais fraca à medida que o orbe se amplia. Outro aspecto considerado "maior" pelos autores é o quincunce, que implica a necessidade de ajuste ou reorganização. Esteja ciente de que não há consenso entre os astrólogos, que usam orbes diferentes. Alguns nunca passarão de 6°, enquanto outros permitirão até 14°. Os orbes aqui fornecidos são os que achamos que funcionam de forma mais consistente.

Observe também que temos um símbolo (glifo) para cada aspecto. É importante memorizar cada um deles, pois você vai usá-los com frequência daqui por diante.

Para obter uma visão rápida da ação óbvia do aspecto, você poderá indicar os aspectos exatos (com orbe de 1°) com uma caneta mais forte ao completar o aspectário (veja as páginas 112 e 451 do Apêndice).

Quando pensar em quadraturas e oposições, lembre-se da divisão por qualidades aprendidas no Módulo 1. Essas divisões formam o padrão básico das quadraturas e oposições. Por exemplo: os signos cardeais são Áries, Câncer, Libra e Capricórnio. O signo de Áries sempre faz quadratura com Câncer e Capricórnio; Câncer sempre faz quadratura com Áries e Libra; Libra sempre faz quadratura com Câncer e Capricórnio; e Capricórnio sempre faz quadratura com Áries e Libra. Do mesmo modo, Áries e Libra sempre estão em oposição entre si, assim como Câncer e Capricórnio. Esse mesmo princípio se aplica aos signos fixos e mutáveis. É claro que os planetas nesses signos precisam estar dentro do orbe permitido para formar aspectos (veja o diagrama na página 106). Por exemplo: a Lua a 10° de Áries faz quadratura com Marte a 15° de Capricórnio.

☽ 10° ♈ □ ♂ 15° ♑

Esse exemplo tem orbe de 5°, de 10° a 15°. Se a Lua estivesse a 10° de Áries e Marte a 23° de Capricórnio, o orbe de 13° seria muito amplo para formar um aspecto. O mesmo princípio se aplica aos trígonos, mas estes se baseiam na divisão por elemento (veja o Módulo 1). Cada signo de fogo faz trígono com os outros signos de fogo; cada signo de terra faz trígono com os outros signos de terra; cada signo de ar faz trígono com os outros signos de ar; e cada signo de água faz trígono com os outros signos de água (veja o diagrama na página 106). Por exemplo: Júpiter a 14° de Leão faz trígono com Saturno a 18° de Sagitário.

♃ 14° ♌ △ ♄ 18° ♐

Aqui temos orbe de 4°. Entretanto, com Júpiter a 14° de Leão e Saturno a 25° de Sagitário, o orbe seria de 11°, muito amplo para formar um aspecto. Isso dá uma ideia geral do que são os aspectos. Agora, vamos discutir os seis aspectos maiores com mais detalhes.

Figura 8: Tabela de aspectos maiores.

Aspectos maiores			
Aspecto	Ângulo	Orbe	Palavra-chave
☌ Conjunção	0°	7°	Ênfase
⚹ Sextil	60° 2 signos	5°	Oportunidade
☐ Quadratura	90° 3 signos	7°	Desafio
△ Trígono	120° 4 signos	7°	Fluxo
☍ Oposição	180° 6 signos	7°	Consciência
⚻ Quincunce (Inconjunção)	150° 5 signos	5°	Ajuste

Os aspectos maiores

☌ **CONJUNÇÃO**
ângulo 0°
indica ênfase
foco
intensificação
concentração
atividade nova

Conjunção se dá quando dois ou mais planetas estão localizados dentro de um orbe de 7°. Em geral, os planetas fazem conjunção em um mesmo signo, mas, algumas vezes, estão em signos adjacentes. Por exemplo: Vênus a 28° de Áries em conjunção com Marte a 3° de Touro. Nesse caso, o orbe é de 5°.

♀ 28° ♈ ☌ ♂ 3° ♉

O princípio característico de uma conjunção é dar mais ênfase a um signo, já que dois ou mais planetas estão envolvidos e trabalhando em conjunto. A ação da conjunção é direta, afetando o nativo em nível externo, óbvio. As conjunções são consideradas favoráveis ou desfavoráveis, dependendo da natureza dos planetas específicos envolvidos. Quando você compreende que planetas em conjunção são apenas um foco de atividade, percebe que não há nada necessariamente bom ou mau a respeito deles. Por exemplo: Júpiter é o crescimento expansivo; já a função de Saturno é ordenadora, limitadora e cristalizadora. O fato de a conjunção desses planetas ser ou não favorável depende do que está sendo expandido e do que está sendo limitado ou restringido. A expansão de um tumor é desfavorável; a restrição do mesmo tumor é favorável. O crescimento ou a expansão da carreira é favorável, mas a limitação ou restrição da carreira é desfavorável. Um grupo de três ou mais planetas em conjunção é chamado **stellium**. O *stellium* cria a própria ação, enfatizando mais fortemente o signo e a casa em que ocorre.

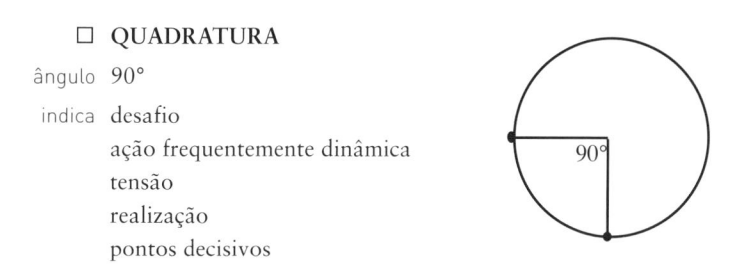

□ QUADRATURA

ângulo 90°

indica desafio
ação frequentemente dinâmica
tensão
realização
pontos decisivos

A quadratura envolve dois planetas que têm entre si uma distância de 90°, ou de três signos. O orbe que concedemos a quadratura é de 7°. O potencial de qualquer mapa astrológico está nas quadraturas. Se você não as compreender, elas poderão ser obstáculos; mas, se as manejar com sabedoria, poderão ser como degraus de uma escalada.

Ação e decisão constituem a essência de qualquer quadratura. É importante observar se a quadratura é cardeal, fixa ou mutável. Nas quadraturas cardeais, a ação é rápida; nas quadraturas fixas, a ação é lenta e deliberada; e nas quadraturas mutáveis a ação é variável, dependendo, em grande medida, das influências dos outros. Isso está de acordo com os atributos aprendidos no Módulo 1.

Uma *quadratura T* ou *cruz T* envolve três planetas, dois dos quais estão em oposição.

Antes de continuar, gostaríamos de fazer uma rápida observação sobre como interpretar um conjunto de aspectos, tal como a quadratura T do exemplo seguinte. Ao interpretar um conjunto de aspectos, leia sempre cada aspecto em relação ao primeiro planeta relacionado, nesse caso o Sol. Assim, vamos ler esse aspecto:

☉ 15° ♒ □ ♃ 19° ♏ ☍ ♆ 16° ♌

O Sol a 15° de Aquário faz quadratura com Júpiter a 19° de Escorpião; (o Sol) está em oposição a Netuno a 16° de Leão, formando uma cruz T. No diagrama abaixo, você pode ver de onde vem esse nome, pois a configuração se assemelha a um T.

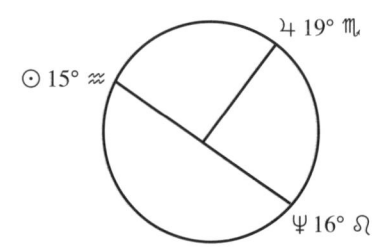

Uma *grande cruz* ou *grande quadratura* envolve quatro planetas, com dois pares em oposição. Mais uma vez, o nome se torna óbvio ao olhar a configuração abaixo. Observe que os quatro signos envolvidos em determinada qualidade estão representados. Por exemplo: Marte a 20° de Touro está em quadratura com Netuno a 21° de Leão, em quadratura com o Sol a 20° de Aquário e em oposição a Júpiter a 18° de Escorpião.

♂ 20° ♉ □ ♆ 21° ♌ □ ☉ 20° ♒ ☍ ♃ 18° ♏

Aqui, o Sol se opõe a Netuno e está em quadratura tanto com Júpiter quanto com Marte, com Júpiter e Marte em oposição mútua. Esta é uma *grande cruz* em signos fixos. A configuração do horóscopo teria essa aparência:

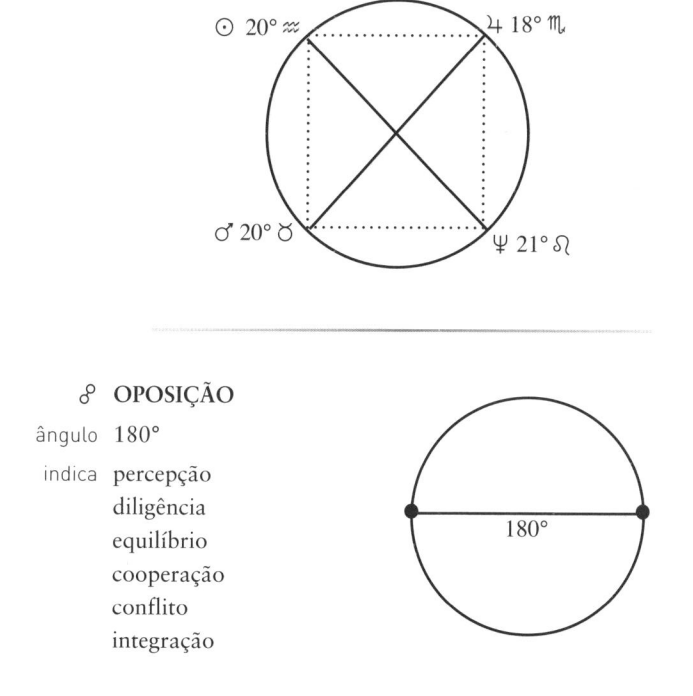

☍ **OPOSIÇÃO**
ângulo 180°
indica percepção
diligência
equilíbrio
cooperação
conflito
integração

A oposição envolve dois planetas a uma distância de 180°, ou de seis signos. O orbe que concedemos é de 7°. Esse é o aspecto mais amplo possível. Seu valor potencial é desenvolver a perspectiva e a consciência. As oposições mostram fatores opostos em funcionamento, um complementando o outro, uma vez conciliados. Oposições apresentam desafios, assim como as quadraturas, mas de tipo diferente. A oposição envolve o reconhecimento de uma carência em si mesmo e o uso da polaridade dos dois signos para preencher essa carência. É quando o desequilíbrio pode se tornar equilíbrio. A integração das forças opostas geralmente é alcançada por meio da consciência e da compreensão. Por exemplo: Mercúrio a 16° de Gêmeos em oposição a Marte a 11° de Sagitário:

☿ 16° ♊ ☍ ♂ 11° ♐

Nesse exemplo, vemos que a mente (Mercúrio) é *rápida, inteligente, literária, expressiva* e *curiosa* (Gêmeos), porém carece de *idealismo, tolerância* e *abordagem filosófica* (Sagitário). Além disso, as energias (Marte) se dirigem para áreas que envolvem *filosofia* ou *educação superior*, e as coisas são feitas com *entusiasmo* e *otimismo* (Sagitário). Entretanto, a *intelectualidade* e a *capacidade de expressão de forma inteligente, perspicaz ou literária* estão faltando (Gêmeos). Assim, quando essa pessoa aprende a usar a polaridade Gêmeos/Sagitário, criando equilíbrio entre os polos opostos por meio da crescente consciência, esse aspecto se torna construtivo e útil.

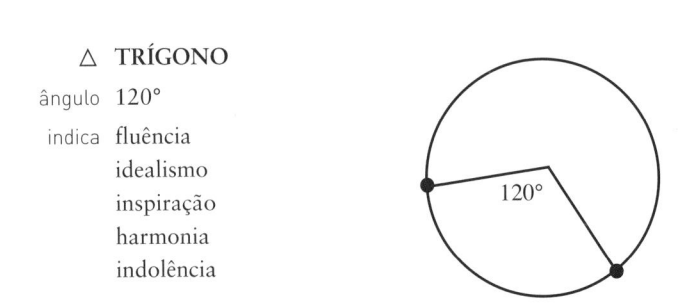

△ TRÍGONO
ângulo 120°
indica fluência
idealismo
inspiração
harmonia
indolência

O trígono envolve dois planetas com distância de 120° entre si, ou de quatro signos. O orbe que concedemos é de 7°. Os trígonos geralmente são favoráveis, permitindo fácil interação entre dois planetas. Porém, por não existir pressão ou tensão, pode não haver motivação para usar os planetas de maneira vantajosa e consciente. Os trígonos nem sempre são positivos; podem favorecer a tendência a escolher a linha de menor resistência ou até causar indolência. Os trígonos seguem o fluxo natural; indicam criatividade, talento, capacidade de expressão e prazeres. O trígono pode ser comparado à diversão de esquiar montanha abaixo, enquanto a quadratura pode ser comparada ao esforço de escalar a montanha. Observe a sensação de realização quando se atinge o topo da montanha e, olhando para trás, vê-se o que se conquistou. Por outro lado, o trígono mostra a alegria de viver e o amor à vida. Os dois aspectos fazem parte da vida.

Um **grande trígono** envolve três planetas a mais ou menos 120° um do outro (orbe de 7°), com os três planetas no mesmo elemento. Por exemplo, Lua a 12° de Sagitário em trígono com Mercúrio a 10° de Áries e com Netuno a 16° de Leão. Mercúrio e Netuno também fazem trígono entre si; assim, os três planetas formam um grande trígono.

☽ 12° ♐ △ ☿ 10° ♈ △ ♆ 16° ♌

Como vemos, os três signos de fogo estão representados, formando um *grande trígono de fogo.*

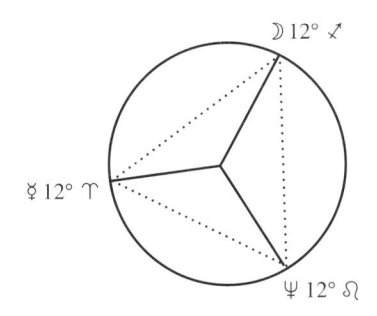

⚻ **QUINCUNCE**
(também chamado de inconjunção)
ângulo 150°
indica ajustamento
reorganização
falta de perspectiva
pressão
o aspecto do "eu devia ter"

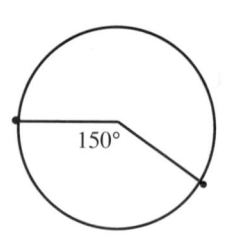

O quincunce envolve dois planetas com distância de 150° entre si, ou de cinco signos. O orbe permitido é de 5°. Nesse aspecto, os signos envolvidos não têm nenhuma relação um com o outro. Não são da mesma qualidade nem do mesmo elemento, nem são ambos ativos ou passivos. Sem nada em comum, é muito mais difícil integrar essas forças, e esse aspecto requer muitos ajustes. Nessa época de maior consciência psicológica, percebemos o impacto desse aspecto outrora "menor". Devido ao ângulo ímpar (150°), não apresenta o foco da conjunção, o impulso da quadratura, o alcance da oposição, o fluxo do trígono ou a oportunidade do sextil, resultando em sentimento de ansiedade: a síndrome do "eu devia ter". O quincunce exige mudança de atitude e nos padrões de hábitos, além de necessidade de se ajustar às condições indicadas pelos planetas e pelas casas em questão. Muitas vezes, a saúde e/ou as finanças estão envolvidas de alguma forma.

✶ **SEXTIL**
ângulo 60°
indica oportunidade
atração
afabilidade

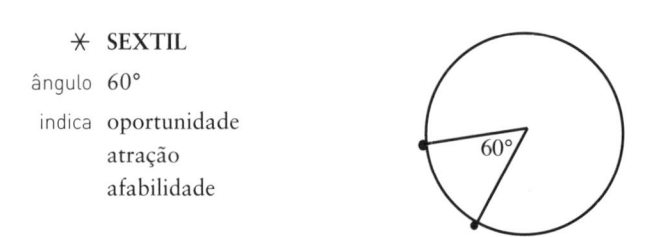

O sextil envolve dois planetas com distância de 60° entre si, ou de dois signos. O orbe permitido é de 5°. Os signos ativos ou positivos formam um sextil entre si, assim como os signos passivos ou negativos. Ou seja, signos de fogo e de ar formam sextil entre si, igualmente como os de terra e de água. Com essa compatibilidade, o sextil cria uma facilidade na compreensão, na coleta de informações e na expressão. Os planetas cooperam um com o outro.

Como sempre, é fundamental considerar os planetas envolvidos, assim como os signos e as casas. Por exemplo: Lua em sextil com Marte. Aqui, estamos combinando as emoções (Lua) com o impulso e a energia física (Marte). Se as casas 5 e 7 estiverem incluídas, estarão envolvidos casos amorosos e parcerias. Se o sextil for entre Aquário e Áries, então estaremos lidando com intelecto e independência (Aquário), mais individualismo e impulsividade (Áries). Vamos supor que a Lua esteja na casa 5 e Marte na 7:

☽ 14° ♒ ✶ ♂ 17° ♈

O sextil indica que o que o nativo procura nos casos amorosos ou no romance (casa 5) é semelhante ao que busca em um parceiro (casa 7). O sextil ajuda a combinar e a integrar essas duas forças planetárias.

Regras gerais e roteiro para aspectação

Lembre-se dessas regras gerais ao analisar os aspectos de um mapa astrológico.

1. Cada signo contém trinta graus, de 0° a 29°.
2. Os aspectos são sempre calculados contando signos, não casas; de outro modo, você poderia passar por cima de um signo interceptado em uma casa. Só porque um signo não

está na cúspide não significa que não está lá. Ele está, e tem trinta graus exatamente como qualquer outro. Se a cúspide da casa 1 abre em Câncer e a cúspide da segunda em Virgem, o signo de Leão está interceptado na casa 1. As casas não contêm, necessariamente, trinta graus.

3. Verifique os aspectos fora de signo: estes ocorrem quando um planeta está no começo ou no fim de um signo. Por exemplo: Júpiter a 4° de Leão em quadratura com Saturno a 28° de Áries.

♃ 4° ♌ □ ♄ 28° ♈

Essa é uma quadratura fora de signo, mas está no orbe permitido, portanto ainda é uma quadratura.

4. Um aspecto *aplicativo* é mais forte que um *separativo*. Por exemplo, Aplicativo: Lua a 10° de Touro em trígono com Mercúrio a 16° de Virgem.

☽ 10° ♉ △ ☿ 16° ♍

Separativo: Lua a 16° de Touro em trígono com Marte a 10° de Virgem.

☽ 16° ♉ △ ♂ 10° ♍

No aspecto aplicativo, a Lua está caminhando em direção a Mercúrio, e assim dizemos que está se aplicando a ele; no aspecto separativo, a Lua já passou de Mercúrio, e assim dizemos que está se separando dele. O planeta mais rápido é sempre relacionado primeiro, quer esteja se aplicando ou se separando. A velocidade relativa dos planetas está exposta no

Módulo 3. O planeta aspectante (o mais rápido) é o agente, e o aspectado (o mais lento) é o recebedor da ação.

5. Os aspectos descrevem uma interação potencial entre os planetas. Mostram tendências, capacidades e incapacidades, e não propriamente realizações. Em outras palavras, o mapa astrológico mostra seu potencial, mas o livre-arbítrio determina quanto ou quão pouco você vai fazer com ele.
6. Como Mercúrio nunca está a mais de 28° de distância do Sol, o único aspecto que pode formar com o Sol é a conjunção. Como Vênus nunca está a mais de 46° de distância do Sol, os únicos aspectos que podem formar com o Sol são a conjunção, o semissextil e a semiquadratura. Como vamos apenas estudar os aspectos maiores, por enquanto você só precisa examinar as conjunções entre Vênus e o Sol.

Compreensão do significado básico dos aspectos

Aspectos são a integração de um planeta com outro; podemos comparar essa integração com a roda de cores. Assim como o azul interage com o amarelo para formar o verde, os planetas se combinam para formar certas características, ou seja, a Lua fazendo aspecto com Saturno combina emotividade com disciplina. Assim como a combinação de azul e amarelo resulta em vários tons de verde (limão, jade, floresta, água-marinha, azul-petróleo), os vários aspectos da Lua/Saturno criam diferentes padrões de comportamento.

1. Lua em conjunção com Saturno: foco (conjunção) instintivo (Lua) em segurança e tradição (Saturno).
2. Lua em sextil com Saturno: oportunidade (sextil) de crescer (Lua) por meio de comportamento responsável (Saturno).

3. Lua em quadratura com Saturno: nativo é desafiado (quadratura) por sentimentos (Lua) de falta (Saturno) de aprovação dos pais (Lua/Saturno).
4. Lua em trígono com Saturno: sugere fluxo estruturado (Saturno) em harmonia (trígono) para expressão de sentimentos (Lua).
5. Lua em quincunce com Saturno: necessidade (Lua) de ajustar-se (quincunce) em áreas de supercompensação (Saturno).
6. Lua em oposição a Saturno: desejo (Lua) de alcançar (oposição) reconhecimento e realização (Saturno).

Ilustramos, mais uma vez, a lógica da Astrologia. O significado básico de cada signo, de cada planeta e de cada casa nunca muda; as palavras-chave continuam as mesmas. Conforme o tempo passa e seu conhecimento aumenta, adicione as próprias palavras com base em sua compreensão da natureza de cada signo, planeta e casa.

Essa mesma lógica e compreensão básica vale quando você estuda os aspectos. Você já sabe que na Astrologia sempre temos em mente a Roda Plana ou Natural (veja Módulo 1). Quando analisamos o mapa natal de Roosevelt (Módulo 5), acrescentamos um matiz de Capricórnio à sua Lua em Câncer na décima casa, porque na Roda Plana Capricórnio é o signo análogo à casa 10. A conjunção é um aspecto de 0°. Retomando a Roda Plana, sempre começamos com a primeira casa, análoga a Áries e ao seu regente planetário, Marte. Assim, todas as conjunções e *stelliums* têm ressonância com a primeira casa/Áries/Marte (o *impulso*, a *atividade* e a *intensidade*), não importa onde a conjunção efetivamente caia no horóscopo. Isso se soma à ênfase que ocorre com naturalidade quando dois ou mais planetas estão posicionados juntos no mapa (veja os módulos 2, 3 e 4).

A quadratura é um aspecto de 90°. Imagine um ângulo de 90° e considere a Roda Plana. Esse ângulo, mais uma vez, começa com

Áries, e 90° de um lado nos leva a Câncer/Lua e à quarta casa. Na outra direção, 90° nos leva a Capricórnio/Saturno e à décima casa. Estamos falando de ressonância angular e cardeal. O cardeal sempre implica *ação dinâmica* e *intensidade* (Módulo 4); assim, a quadratura sempre significa *ação, desafio, estímulo* e *tensão*.

A oposição é um aspecto de 180° e faz exatamente o que diz a palavra: um planeta se opõe a outro. Em oposição a Áries/Marte e à casa 1, encontramos Libra/Vênus e a casa 7. É uma posição angular e cardeal, e seus desafios e sua dinâmica são semelhantes aos da quadratura. Nesse caso, porém, Áries, *orientado para o eu*, está buscando Libra, *orientado para o nós*. Áries precisa aprender cooperação e equilíbrio. Quando Áries transforma a consciência de si em consciência dos outros, o conflito dessa oposição se torna cooperação. Todas as oposições refletem o conflito Áries/Libra, a despeito da verdadeira posição do aspecto.

O trígono é um aspecto de 120°. Envolve Áries/Marte e a primeira casa e Leão/Sol e a quinta casa, ou Sagitário/Júpiter e a nona casa. Como Áries, Leão e Sagitário são os três signos de fogo, este é um aspecto harmonioso, criativo (Leão/Sol) e, às vezes, mesmo indulgente (Sagitário/Júpiter). Todos os trígonos refletem esse padrão básico que vemos na Roda Plana, não importa em que elemento ocorram.

O quincunce é um aspecto de 150°. Envolve Áries/Marte e a primeira casa e Virgem/Mercúrio e a sexta casa, ou Escorpião/Plutão e a oitava casa. Áries *rápido, impulsivo*, precisa lidar com Virgem *exato, estudioso* e *pé no chão* em assuntos relacionados a *dever, trabalho, saúde* ou *hábitos* (casa 6). Algum tipo de ajuste é necessário para alinhar essas atitudes diferentes. Com quincunce na casa 8, Áries/Marte/casa 1 precisa lidar com Escorpião *penetrante, determinado* e *demasiado sensível* em assuntos relacionados aos *recursos dos outros* ou a áreas de *pesquisa* e *regeneração*. Os dois exemplos mostram duas naturezas muito divergentes. São necessários uma perspectiva clara e algum tipo de reorganização antes que esses signos possam funcionar bem em conjunto. Você pode ver que o quincunce é um aspecto difícil que pode produzir tensão e indecisão porque é sempre um aspecto entre energias divergentes.

O sextil é um aspecto de 60°. Envolve Áries/Marte e a primeira casa e Gêmeos/Mercúrio e a terceira casa, ou Aquário/Urano e a décima primeira casa. Nos dois casos, estamos lidando com uma combinação de fogo com ar, elementos compatíveis. Nesse caso, Áries extrovertido se junta a Gêmeos *comunicativo* e *intelectual* e à casa 3, ou a Aquário *humano, intelectual, progressista* e *amistoso* e à casa 11. Todos os sextis ocorrem entre elementos compatíveis (fogo e ar, ou terra e água) e são sempre combinações que funcionam de maneira benéfica, expressando-se facilmente.

Figura 9: Os Aspectos.

TRÍGONOS (120°)

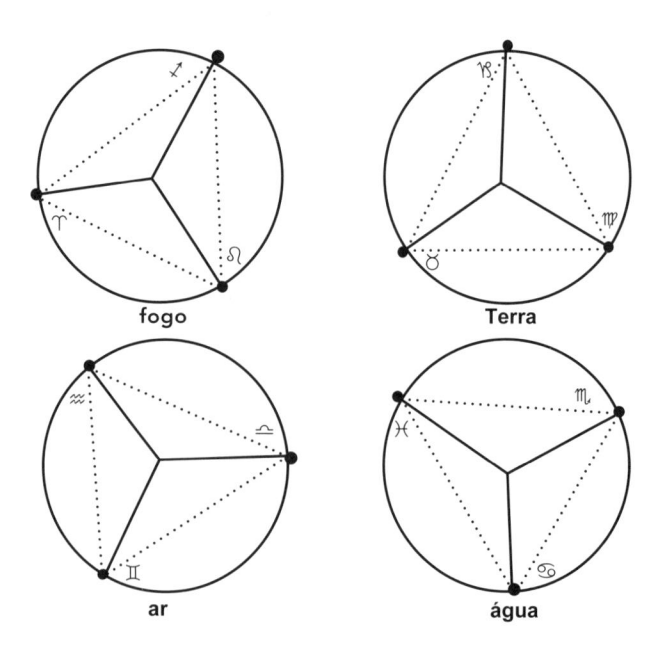

QUADRATURAS (90°) e OPOSIÇÕES (180°)

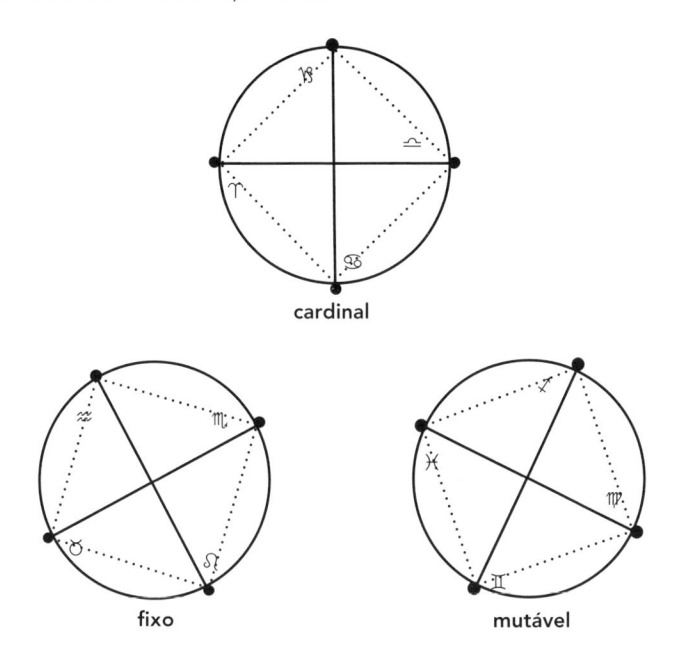

cardinal

fixo

mutável

SEXTIS (60°)

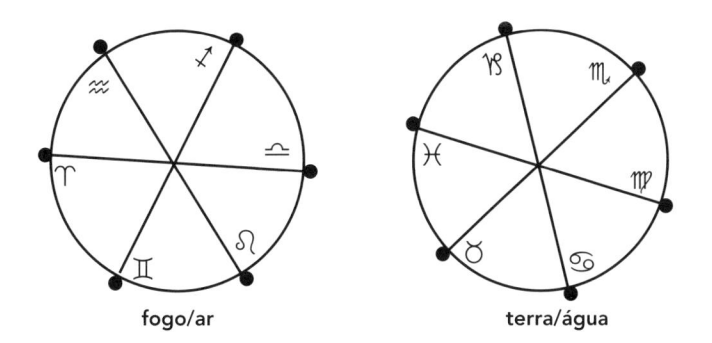

fogo/ar

terra/água

QUINCUNCES (150°)

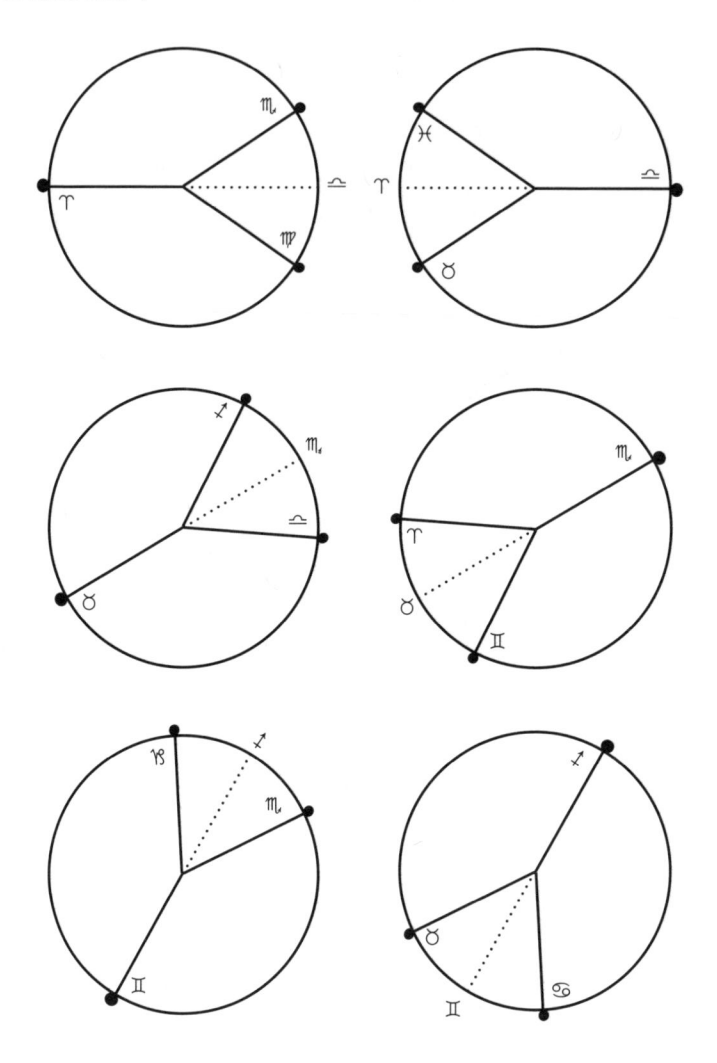

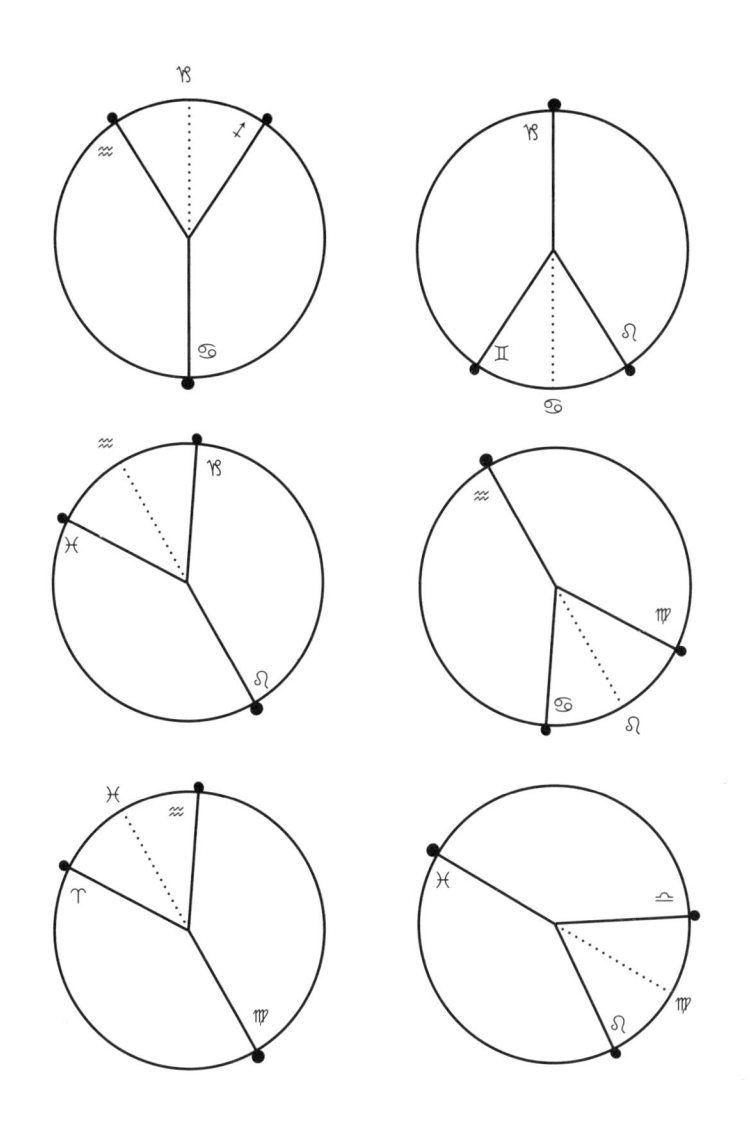

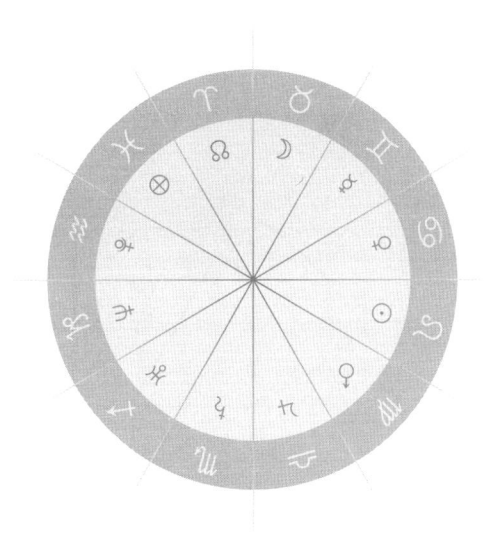

Módulo 7:
Aspectação

Aspectação no mapa astrológico

Agora que explicamos o que são os aspectos e a posição relativa de cada um deles, vamos ensiná-lo a encontrar esses aspectos usando o mapa natal de Franklin D. Roosevelt (veja o mapa com o aspectário na página 112).

No aspectário abaixo do mapa, escreva a longitude de cada planeta na coluna de mesmo nome para cada um dos planetas. OK! OK! Sabemos que você provavelmente tem um computador ou celular que cria mapas com todos os aspectos de que precisa. No entanto, quando lê o mapa gerado por um *software*, você emprega apenas um sentido (visão). Quando calcula os aspectos, ou ao menos copia o mapa gerado pelo *software* em seu caderno de estudos, você está usando outro sentido (tato) e, portanto, tem melhor compreensão da Astrologia. **Você estabelece contato pessoal entre você e o mapa astrológico.**

LUA A longitude da Lua é 06° ♋ 15'. Escreva isso ao lado do símbolo da Lua (☽). O orbe que concedemos para a Lua é de 7° para a conjunção, a quadratura, a oposição e o trígono. Se somarmos 7° ao posicionamento da Lua, obteremos 13° 4 15'; se subtrairmos 7°, obteremos 29° 3 15'. Qualquer planeta cuja longitude esteja entre esses

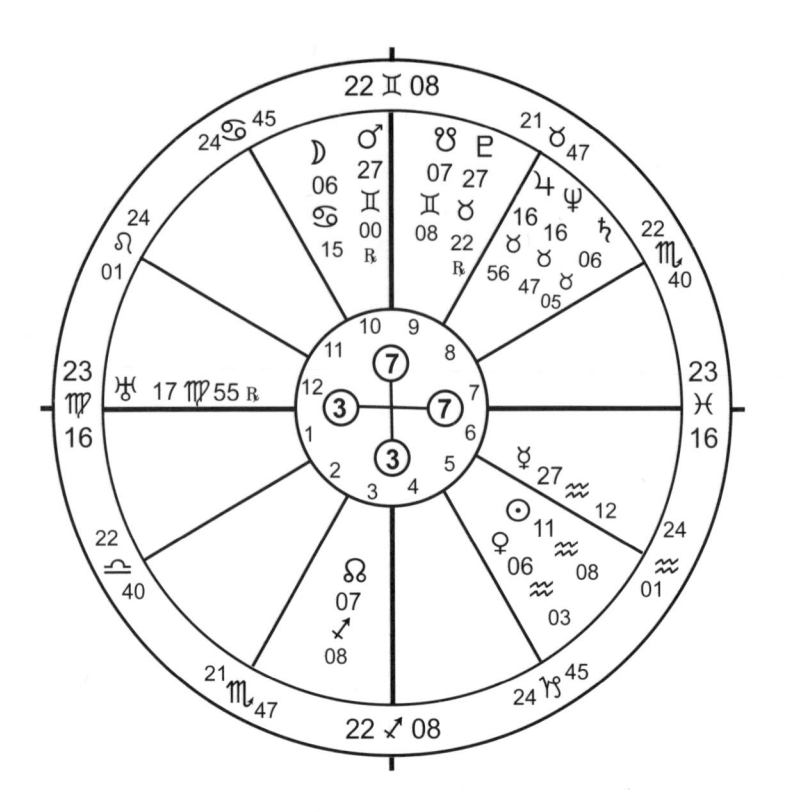

Figura 10: Mapa natal de Franklin Delano Roosevelt.

Complete o aspectário. O aspectário preenchido pode ser encontrado no Apêndice, na página 451.

cardeal:			
fixo:			
mutável:			
fogo:			
terra:			
ar:			
água:			
angular:			
sucedente:			
cadente:			
dignidade:			
exaltação:			
detrimento:			
queda:			
V:	B:	R:	EC:

números estará em aspecto com a Lua. (Se houver dificuldade para visualizar isso, veja o mapa preenchido no Apêndice, na página 451.)

- Mercúrio tem longitude de 27° ♒ 12'; está fora do orbe da Lua por 2°.
- Vênus está a 06° ♒ 03', em aspecto exato com a Lua. Vamos determinar que tipo de aspecto é esse? Vênus está em Aquário, signo fixo, de ar, ativo; a Lua está em Câncer, signo cardeal, de água, passivo. Vênus em Aquário e Lua em Câncer estão em signos que não compartilham a mesma qualidade, portanto os planetas não estão em conjunção, quadratura ou oposição. Também não estão em signos do mesmo elemento, portanto não estão em trígono. Ainda, não estão em sextil (veja página 107). Entretanto, se você observar que os signos são diferentes e estão a 150° de distância, verá que formam um quincunce (ou inconjunção). O símbolo do quincunce é (⚻). Escreva-o no quadrado de intersecção entre Lua e Vênus no aspectário, conforme exemplo:

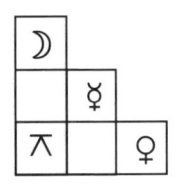

☽	
	☿
⚻	♀

O Sol está a 11° ♒ 08', formando o mesmo aspecto com a Lua.

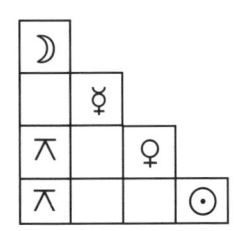

☽		
	☿	
⚻	♀	
⚻		☉

- Marte está a 27° ♊ 00'. Nosso orbe de 7° coloca Marte a 2° além do concedido para conjunção com a Lua.
- Júpiter está a 16° ♉ 56'; 3° além do orbe permitido.
- Saturno está a 6° ♉ 05' e forma aspecto exato com a Lua. Não se trata de quadratura nem oposição, porque Touro e Câncer não são da mesma qualidade. Não estão em trígono, porque Touro e Câncer não são do mesmo elemento. Entretanto, ambos estão em signos passivos e a 60° de distância; portanto, a Lua e Saturno fazem sextil entre si. Escreva o símbolo do sextil (✶) no aspectário.
- Urano está localizado a 17° ♍ 55'. Não cai no orbe que concedemos. O mesmo com Netuno a 13° ♉ 47' e Plutão a 27° ♉ 22'.

MERCÚRIO Vamos aspectar agora Mercúrio a 27° ♒ 12'. Somando 7° a essa posição, chegamos a 4° ♓ 12'; subtraindo 7°, a 20° ♒ 12'.

- Vênus a 6° ♒ 03' está fora do orbe permitido.
- O Sol a 11° ♒ 08' também está fora.
- Marte a 27° ♊ 00' faz aspecto exato com Mercúrio. Como Aquário e Gêmeos são signos de ar, vemos que Mercúrio e Marte estão em trígono (△) um com o outro.
- Os planetas Júpiter, Saturno, Urano e Netuno estão fora do orbe. Mas Plutão, a 27° ♉ 22', faz uma quadratura (□) exata, porque Touro e Aquário são signos da mesma qualidade; ambos são fixos e estão a 90° um do outro. Certifique-se de que colocou os símbolos corretos nos quadrados do aspectário.

VÊNUS Prosseguimos aspectando o planeta Vênus, localizado a 6° ♒ 03'. Somando e subtraindo 7° dessa posição, obtemos 13° ♒ 03' e 29° ♓ 03', respectivamente.

- O Sol a 11° ♒ 08' está no orbe, e Vênus e o Sol estão no mesmo signo; assim, os dois planetas estão em conjunção (☌).
- Marte está muito longe do orbe que consideramos, assim como Júpiter. Já Saturno, a 6° ♉ 05', faz aspecto exato, uma quadratura (□); Touro faz quadratura com Aquário. Ambos são signos fixos.
- Urano não forma aspecto, assim como Plutão; entretanto, Netuno a 13° ♉ 47' está no orbe e faz quadratura (□) com Vênus.

SOL Está localizado a 11° ♒ 08'; o orbe permitido vai de 4° ♒ 08' a 18° ♒ 08'. Júpiter (16° ♉ 56'), Saturno (6° ♉ 05') e Netuno (13° ♉ 47'), os três no signo de Touro, fazem quadratura com o Sol. Não há aspecto do Sol com Marte, Urano ou Plutão.

MARTE Localizado a 27° ♊ 00', não forma outros aspectos além dos encontrados.

JÚPITER A 16° ♉ 56' forma trígono (△) com Urano (17° ♍ 55') e conjunção (☌) com Netuno (13° ♉ 47').

SATURNO A 6° ♉ 05' forma conjunção (☌) com Netuno a 13° ♉ 47', embora o orbe seja mais amplo.

PLANETAS EXTERIORES Urano, a 17° ♍ 55', forma trígono (△) com Netuno a 13° ♉ 47'. Netuno não forma aspecto com Plutão.

Este é um método simples de encontrar os aspectos. Se necessário, consulte as páginas 94 e 106 para se familiarizar com os vários aspectos. Se você aprendeu o conteúdo dos módulos 1, 2 e 3, a aspectação deverá ser bastante fácil.

Agora que você já descobriu como traçar os aspectos entre os planetas, vá para a página 117 e treine com outro mapa: o do compositor Wolfgang Amadeus Mozart.

Depois de preencher todo o aspectário, confira suas respostas no Apêndice, na página 453.

Resumo dos módulos 6 e 7

Nesses dois módulos, mostramos os ângulos planetários no mapa astrológico e sua importância para uma leitura completa. No Módulo 6, explicamos os diferentes aspectos e seus significados; no Módulo 7, ensinamos a encontrar esses aspectos em um mapa astrológico.

É provável que você leve algum tempo para levantar os aspectos de um horóscopo; entretanto, com a prática, esse procedimento se tornará mais rápido e fácil. Sugerimos que pratique a aspectação com outros mapas, até estar completamente familiarizado.

Depois dos planetas, das casas e dos signos, os aspectos são o último elemento astrológico básico que você precisa aprender. Vai descobrir, à medida que prosseguimos, que tudo o mais se baseia nesses "blocos de construção". Se lançar bem seus alicerces, o domínio dos módulos restantes deverá ser relativamente fácil.

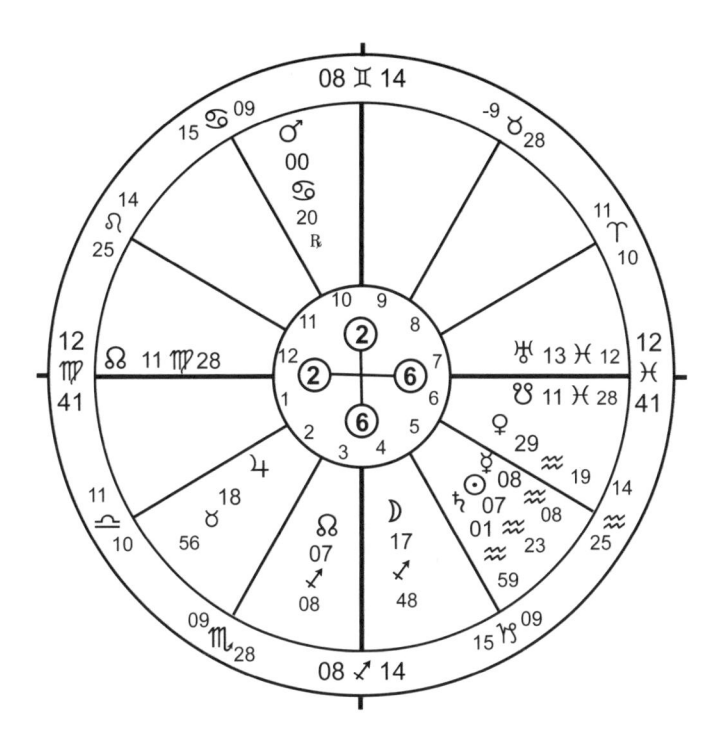

Figura 11: Mapa natal de Wofgang Amadeus Mozart.
Nascido a 27 de janeiro de 1956, às 20h00, LMT
Salzburgo, Áustria 47° N 48' 13° E 02'
Fonte: Biografia B.
Complete o aspectário. O aspectário
preenchido pode ser encontrado no
Apêndice, na página 453.

longitude								
	☽							
		☿						
			♀					
				☉				
					♂			
						♃		
							♄	
							♄	
								♆
									♇

cardeal:			
fixo:			
mutável:			
fogo:			
terra:			
ar:			
água:			
angular:			
sucedente:			
cadente:			
dignidade:			
exaltação:			
detrimento:			
queda:			
V:	B:	R:	EC:

Parte II

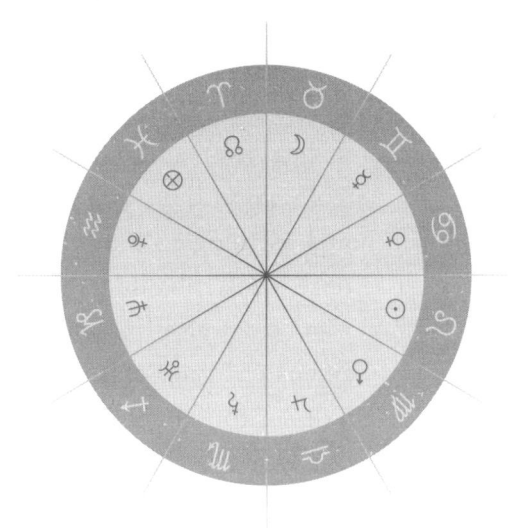

Introdução

Até agora, você aprendeu a base da Astrologia, o alicerce do que vamos construir daqui em diante. Se estiver familiarizado com os signos, os planetas, as casas e os aspectos, será fácil expandir seu conhecimento. Na Parte II deste livro, vamos ampliar essas premissas básicas. Como você deve ter notado na análise geral do mapa de Roosevelt, umas poucas palavras-chave podem nos ajudar bastante. Mas isso é só o começo. Queremos que você aprenda a penetrar mais profundamente na leitura astrológica e seja capaz de investigar os traços, as características e os potenciais de qualquer mapa. As palavras-chave da Parte I são seu primeiro ponto de referência, agora que você já tem noções gerais da Astrologia. O próximo passo é aprender a usar sua própria lógica, seu pensamento e sua intuição. A experiência nos tem mostrado que é necessário mais que apenas palavras-chave para compreender as muitas variações possíveis de um horóscopo. Você vai precisar de explicações detalhadas, de mais exemplos reais e do próprio raciocínio para descrever as possibilidades presentes em um mapa. Esse será seu segundo ponto de referência.

O que fizer com ele vai determinar a diferença entre você se tornar um excelente astrólogo ou apenas um astrólogo de livro de receitas. Se usar nossas frases e exemplos como faria com uma receita (isto é, pegue uma colher de Lua em Áries, acrescente três pitadas de

Saturno na terceira casa), então você realmente não entendeu os princípios da Astrologia. O que vamos tentar ensinar a você é: 1) interpretar um mapa astrológico sem perder de vista seu quadro geral; e 2) pensar sempre na escolha de palavras e frases e selecioná-las.

Vamos a um exemplo típico. Uma das sentenças que descrevem a Lua em Gêmeos é: "Em geral, você é incapaz de ter sentimentos constantes ou de ser totalmente leal". Em certa ocasião, uma de nossas alunas com Lua em Gêmeos ficou muito zangada ao ler isso. Explicou ao restante da turma que ela era muito leal. Esse é o tipo de exemplo que os professores adoram, porque nos dá a oportunidade de explicar como a Astrologia funciona. A aluna em questão tinha a Lua em Gêmeos regida por Mercúrio em Câncer. Tinha também Sol, Vênus e Plutão em Câncer. Os quatro planetas estavam em conjunção, um *stellium* de quatro planetas. Sua Lua em Gêmeos tinha algumas qualidades geminianas, mas com toda essa ênfase canceriana apresentava muitas características e muita sensibilidade de Câncer, inclusive a lealdade.

Na Astrologia, nada está isolado; não podemos dizer nada sem considerar o horóscopo todo. O todo do mapa astrológico é sempre mais revelador que cada posicionamento considerado individualmente. Os diferentes elementos de um horóscopo não se invalidam ou se negam reciprocamente, mas mudam de significado. Assim, uma Lua em Gêmeos influenciada por Câncer funciona de forma diferente de uma Lua em Gêmeos influenciada por Leão.

Isso pode parecer complicado neste momento, mas, à medida que você prosseguir com a Parte II, ficará mais familiarizado com as complexidades da Astrologia. Você vai, efetivamente, interpretar um mapa e conferir sua interpretação com a nossa, e essas coisas começarão a se encaixar. A prática é a chave. Algum dia, você terá a própria experiência para lhe servir de base e desenvolverá o próprio vocabulário, dispensando nossas frases. Para tanto, a Parte II vai lhe dar um sólido ponto de partida.

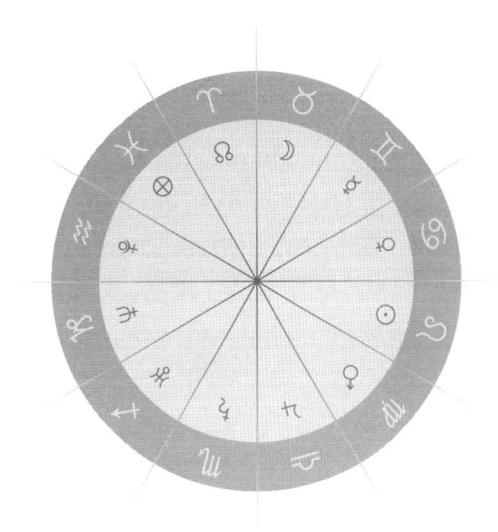

Módulo 8:
O Sol

Alguns comentários gerais sobre este módulo

No Módulo 7, sua tarefa foi levantar os aspectos do mapa natal de Wolfgang Amadeus Mozart. Nos próximos dez módulos, à medida que formos apresentando mais detalhes sobre cada planeta, vamos pedir-lhe que analise cada planeta do mapa de Mozart. Como sempre, você encontrará nossas respostas e interpretações no Apêndice. É muito importante fazer as tarefas, porque é disso que trata a Astrologia: levantamento de dados astrológicos, interpretação e síntese do que você vê. E só é possível aprender praticando. Ao definir cada planeta, signo, posição das casas e decidir quais palavras-chave e frases usar, você estará praticando Astrologia, e isso o levará a se tornar um bom astrólogo. Essa experiência faz parte do aprendizado básico de Astrologia; tudo que vier depois será apenas o refinamento dessa técnica e desse conhecimento.

Apanhado geral do mapa natal de Wolfgang Amadeus Mozart

Antes de começar a ler o mapa natal de Mozart, vamos fazer um resumo de sua breve vida. De acordo com uma carta escrita por Leopold

Mozart, seu pai, Wolfgang Amadeus Mozart nasceu no dia 27 de janeiro de 1756, às 20h00, em Salzburgo, Áustria. Leopold, ele mesmo músico e violinista de habilidade incomum, e sua esposa, Anna Maria, eram conhecidos como o casal mais bonito da cidade. Tiveram sete filhos, porém apenas Marie Anna, mais conhecida como "Nannerl", e Wolfgang sobreviveram.

Nannerl era quase cinco anos mais velha que o irmão. Dizem que, enquanto estava no berço, Mozart ouvia aulas de música dadas a ela pelo pai. Aos 3 anos, ele já arriscava alguns acordes no cravo (tipo de piano antigo) e até memorizava passagens. Aos 4 anos, o pai começou a ministrar aulas a "Wolferl", como Mozart era carinhosamente chamado pela família, e aos 5 anos começou a compor, de fato. Nannerl tornou-se notável artista musical no cravo, e em janeiro de 1762 os Mozart mais velhos levaram os dois filhos prodígios primeiro para Munique, depois para Viena, onde foram bem recebidos pela Imperatriz Maria Theresa. Grande parte da vida do jovem Mozart foi passada na estrada, viajando e se apresentando por toda a Europa, primeiro com toda a família, em seguida apenas ele e o pai, e finalmente, em 1777, apenas com a mãe, que morreu em Paris, em 3 de julho de 1778, quando Mozart tinha 22 anos. De fato, durante sua curta vida de 36 anos, catorze foram passados fora de casa.

"Wolferl" era uma criança excepcionalmente afetuosa e devotada ao pai dominador, cheio de alegria e bom humor, traços aparentemente herdados da mãe despreocupada. Não era um jovem bonito, era baixo; a cabeça era um pouco desproporcional para o corpo esguio, o nariz era grande e aquilino, as mãos roliças. A tez parecia amarelada e com marcas de varíola, contraída em uma das frequentes viagens em 1767. Os dois filhos de Mozart contraíram a doença, e por nove dias Wolfgang ficou cego, levando-o à futura miopia. O conde Podstatsky, cônego de Salzburgo, cuidou da saúde das crianças às próprias expensas.

O jovem Mozart lutou, por muitos anos, para escapar da dominação paterna. Dependente do pai, esse gênio musical, verdadeira "Wunderkind" ("criança-prodígio"), não amadureceu em várias áreas da vida. Nunca aprendeu a se controlar, não tinha senso de organização doméstica, nem sabia administrar seu dinheiro. Também não era nada moderado nem fazia escolhas muito sábias em atividades prazerosas. Enquanto Leopold, o pai, era pedante, bem organizado, prudente e preciso, Wolfgang era o oposto... desleixado, indisciplinado, esbanjador (de dinheiro e talento) e confiante de que no dia seguinte tudo ficaria bem. Carta após carta, o pai alertou o filho de sua "tendência de gostar de todos e de não ser tão facilmente influenciado pela lisonja". No entanto, o que jovem filho precisava era de encorajamento, simpatia e apoio, não de sermões ou repreensão.

Aos 21 anos, enquanto viajava com a mãe para encontrar um bom trabalho, Wolfgang conheceu os Weber, família boêmia com um filho e quatro filhas. Eles tinham pouco dinheiro e não era o tipo de família com a qual Leopold desejava que o filho se envolvesse. Mas Wolfgang apaixonou-se por Aloysia, uma das filhas do casal, que tinha uma linda voz. Aloysia estava prestes a se tornar *prima donna* da ópera em Munique e seguiu seu caminho. Wolfgang, abatido pela perda da mãe em uma viagem a Paris em 1778 e pela rejeição de Aloysia, estabeleceu-se em Salzburgo como organista da corte taciturno e insubordinado. Entretanto, jamais parou de compor, e, em meio a esse período de provações de sua jovem maturidade, criou sua primeira grande obra. Mozart passou a ser considerado um grande mestre e recebeu sua primeira grande encomenda de ópera. *Idomeneo* teve sua estreia em Munique, em 1781.

Os Weber mudaram-se para Viena, e Mozart mudou-se com eles. Em uma longa e confusa carta ao pai, o compositor explicou que havia se apaixonado perdidamente pela filha do meio, Constanze.

Apesar das objeções de Leopold de que o filho se casaria com "uma garota sem um tostão, de uma família de caráter duvidoso", uma pequena e reservada cerimônia aconteceu em Viena, em 4 de agosto de 1782. Após o casamento, a relação de Wolfgang com o pai nunca foi a mesma. Leopold permaneceu em Salzburgo – onde vivia com a filha Nannerl, que se casou com um "homem digno e com título" – e morreu em 28 de maio de 1787.

Constanze tornou-se uma garota leviana e dada ao flerte. Era má administradora e não ajudava Mozart de forma nenhuma. Engravidou seguidamente, embora apenas dois dos seis filhos tenham sobrevivido. Gastou uma quantia exorbitante de tempo e dinheiro em tratamentos em *spas*, em Baden. Mas Wolfgang a amava, e o casamento parece ter sido bastante feliz. Além da falta de senso comercial, a péssima administração da casa por parte de Constanze cobrou seu preço. Mozart trabalhou duro, e, apesar da crescente fama como compositor, poucas mudanças ocorreram em sua existência desvalida.

Em 1791, a saúde do compositor dava sinais de deterioração. As frequentes ausências da esposa e as festas extravagantes não lhe fizeram bem, assim como os maus hábitos alimentares e o excesso de trabalho constante. Seu pequeno e franzino corpo talvez nunca tenha tido as reservas adequadas – além de ter sido severamente drenado pelas dificuldades durante as viagens na infância, por anos de trabalho incessante e da ansiedade crescente em relação à má gestão das finanças, já que vivia endividado desde a época do casamento.

Em 18 de novembro de 1791, Mozart deitou-se com fortes dores de cabeça, febre e inchaço nas extremidades. Disse à cunhada, Sophia, que cuidava dele: "Vocês me verão morrer. Sinto o gosto da morte na boca". Ainda trabalhando, mesmo no leito de morte, completou seu último trabalho, o *Requiem*. No final do dia 4 de dezembro, entrou em coma e morreu à 1h00 de 5 de dezembro de 1791, aos 36 anos incompletos.

Em 7 de dezembro, seu corpo foi enterrado em uma vala comum. Constanze não estava presente, nem nenhum de seus amigos, alunos ou admiradores. Constanze casou-se novamente e viveu por mais cinquenta anos. São inúmeras as teorias sobre a morte de Mozart e o estranho sepultamento sem a presença dos amigos. A ocultação dos fatos parece ter sido realizada por todos os envolvidos. Seu amigo e patrono, o Barão Gottfried van Swieten, supostamente assumiu o comando, e nenhum dos amigos próximos de Mozart divulgou detalhes sobre a trágica conclusão de sua vida. A causa de sua misteriosa morte foi atribuída a uma possível doença renal, febre reumática, uremia, doença de Bright, tuberculose ou, sua própria suspeita, envenenamento por água tofana (mistura de arsênico branco, antimônio e óxido de chumbo). Se Mozart foi envenenado, os amigos teriam dado sumiço aos corpo para que não fosse submetido à autópsia, motivo pelo qual foi utilizada uma sepultura não marcada. Eles também podem ter conhecimento do motivo pelo qual alguém queria matá-lo.

Uma teoria atribui o possível envenenamento a um compositor invejoso, Antonio Salieri; outra, a Franz Hofdemel, marido da aluna favorita de Mozart, a bela Magdalena, que teria tido um filho bastardo com ele, Karl. Seja qual for a verdade, o mundo perdeu um gênio cuja música era incrível na exatidão e quase misteriosa na perfeição. A criança-progídio que compôs concertos antes mesmo que suas mãos se tornassem grandes o bastante para tocá-los; o jovem impetuoso e amante do prazer que compôs obras-primas operísticas como *Idomeneo*, *As Bodas de Fígaro*, *A Flauta Mágica*, *Don Juan* e mais de 380 outras peças musicais, incluindo sinfonias, obras vocais, música sacras e de câmara; a criança incrível cuja audição era tão delicada que aos 4 anos dizia aos mais velhos quando seus violinos tinham um quarto de tom desafinado; que era mestre de espineta, cravo e violino aos 6 anos... a perda de um gigante musical, como este mundo raramente verá de novo, é difícil imaginar ainda hoje, mais de duzentos anos depois.

Bibliografia

Encyclopedia of the Opera, de David Ewen.

International Cyclopedia of Music and Musicians, de Pitts Sanborn.

Lives of the Great Composers, de Harold C. Schonberg.

The Intimate Sex Lives of Famous People, de Irving, Amy e Sylvia Wallace e David Wallechinsky.

The MacMillan Everyman's Encyclopedia, 4ª edição.

Encyclopedia of the Arts, edição de Herbert Read.

How Did They Die?, de Norm Donaldson, 1989, St. Martin's Press.

Mozart's Mysterious Death, de Francis Carr, Revista "Ovation", abril de 1984.

"Mozart No Pauper", de Kathleen Kelleher, *Los Angeles Times*, 7 de julho de 1993.

Interpretação do mapa natal de Mozart

Antes de começarmos a analisar as partes separadas do mapa astrológico de Mozart, precisamos dar uma olhada no todo para obtermos uma visão geral de sua personalidade.

O nativo tem quatro planetas, incluindo o mais importante, o Sol, em signos fixos, dois planetas mais o Ascendente e o Meio do Céu em signos mutáveis, e apenas dois planetas em signos cardeais. Mozart tinha mente penetrante com excelente memória, além da grande capacidade de concentração (qualidades fixas); isso é reforçado pelo posicionamento de quatro planetas em casas sucedentes, que correspondem a signos fixos. Como sua Lua e os ângulos (Ascendente/Descendente, MC/IC) estão em signos mutáveis, ele também era versátil, adaptável, intuitivo, ou a ter ações inconstantes ou não confiáveis (ver Módulo 1).

Os seis planetas em signos de ar permitiram a Mozart se comunicar bem, ser idealista e ter a mente aberta (ver Módulo 1). A ausência de planetas em signos de terra revelam falta de praticidade e dificuldade em manter os pés no chão (ver Módulo 4). A falta do elemento terra é parcialmente compensada por três planetas nas casas de bens materiais, análogas aos signos de terra. Mozart também tinha três planetas nas casas de vida, análogas aos signos de fogo, que, sem dúvida, acrescentaram um grau de entusiasmo e inspiração à sua personalidade.

O mapa de Mozart apresenta dois planetas a leste e seis a oeste do meridiano, o que indica que, para se validar, ele pode ter dependido das reações de outros. Com a maioria dos planetas (6) abaixo do horizonte, incluindo o Sol e a Lua, ele tende a ser um tanto subjetivo (Módulo 4). Não mencionamos a tendência a "trabalhar nos bastidores", porque o enérgico Marte na décima casa geralmente trabalha duro para alcançar posição superior e frequentemente se esforça para estar à frente do palco. É aqui que você começa a interpretar valendo-se do próprio julgamento – o primeiro passo para se tornar astrólogo.

Mercúrio está exaltado em Aquário, o que indica que o nativo se comunica harmoniosamente (Módulo 3). Em Aquário, o Sol está em detrimento ou exílio, e tende a se expressar de forma aquariana exagerada (ver Módulo 2: imprevisível, temperamental, excêntrico); já Marte, em queda em Câncer, tende a encontrar dificuldade de projetar sua natureza marciana, geralmente agressiva.

Essa breve visão geral fornece uma noção básica do horóscopo de Mozart. A próxima etapa é interpretar o coração do mapa, o doador da vida: o Sol. Este módulo aborda o Sol em mais detalhes que o que vimos até agora. Após ler tudo, pedimos que escolha as palavras-chave e as frases selecionadas neste módulo para o Sol de Mozart, o signo de Aquário, a posição da casa 5 do Sol e seus aspectos. Não se esqueça de verificar onde o regente do Sol, Urano, está colocado, bem como de estudar a casa 12, regida pelo Sol neste mapa. Relacione também todos os aspectos que o Sol faz.

Nossa interpretação pode ser encontrada no Apêndice, na página 452. Agora, vamos entrar no coração do mapa astrológico. Você já domina o beabá astrológico e passou de palavras-chave a frases em nosso léxico astrológico. Então, vamos rumo ao Sol.

O Sol nos signos
(Todas as datas são aproximadas)

O Sol representa seu *ser interior*, sua *personalidade* e seu *ego*. Considere as descrições a seguir nesse contexto.

☉ ♈   **SOL EM ÁRIES**   21 de março – 20 de abril
palavra-chave   *empreendedor*   exaltação

Militante, obstinado e ambicioso, você é rápido, dinâmico e entusiasmado. É líder, não liderado, e se sai bem em cargos de autoridade e gerência. É, com frequência, excelente artesão. Gosta de seguir seu caminho no seu ritmo, é presunçoso e, às vezes, até arrogante. Pode ser insensível às necessidades dos outros e raramente guarda rancor. Sua notável autoconfiança pode esconder um profundo sentimento de inadequação. Seu objetivo é a liderança enérgica.

Airton Senna, piloto; Isak Dinesen (Karen Blixen), escritora dinamarquesa; Bette Davis, atriz; B. F. Skinner, psicólogo comportamental.

☉ ♉ SOL EM TOURO — 21 de abril – 20 de maio
palavra-chave *prático*

Persistente, determinado e cauteloso, você caminha devagar e precisa de tempo para se adaptar a novas ideias. Como gosta de arte e música, pode sobressair-se nessas áreas. Firme e tenaz, raramente dispersa suas forças. Prefere assumir responsabilidades de forma séria e prática. Gosta de viver bem e sente profunda necessidade de ter alicerces sólidos, muitas vezes baseados em segurança financeira. Obstinado, demora a se zangar, mas, quando o faz, fica furioso. Simpático e compreensivo, é um amigo fiel, porém um inimigo implacável.

Barbra Streisand, cantora; Rainha Elizabeth II; Salvador Dalí, artista plástico; Iggy Pop, compositor e ator.

☉ ♊ SOL EM GÊMEOS — 21 de maio – 20 de junho
palavra-chave *hábil*

Curioso, conversador, volátil e cabeça aberta, você precisa cultivar a persistência, ou sua inquietação pode inibir a verdadeira realização. A variedade é o tempero de sua vida. Gosta de socializar e tenta evitar o emocionalismo profundo. É eloquente, gosta de ler e tem muitos *hobbies*. Pode ser disperso e irresponsável, e precisa mudar de cenário constantemente. É importante canalizar sua capacidade e seu talento para comunicações, para que não se torne um tagarela vazio.

John F. Kennedy, 35º presidente dos Estados Unidos; Alois Alzheimer, médico; Angelina Jolie, atriz; Bob Dylan, cantor e compositor.

☉ ♋ SOL EM CÂNCER 21 de junho – 21 de julho
palavra-chave **sensível**

Você tem ligação inata com o lar e a família. É maternal, obstinado e patriótico. Embora tranquilo, íntegro e receptivo, preocupa-se profundamente com o que os outros pensam a seu respeito. Precisa se sentir necessário e por meio do autêntico interesse pela humanidade pode vencer sua timidez natural. Gosta de cozinhar e de receber amigos e é um colecionador voraz. Quando necessário, pode se tornar manipulador para alcançar seu objetivo, que é a segurança emocional. Você precisa ter um refúgio tranquilo, pois suas respostas às influências do meio são muito intensas.

Edgar Degas, artista plástico; Marcel Proust, escritor; Tom Hanks, ator.

☉ ♌ SOL EM LEÃO 22 de julho – 22 de agosto
palavra-chave **autoexpressivo** domicílio

Você é líder nato e tem muitos amigos. É ativo, generoso, jovial e otimista. Apesar da dignidade e da autoconfiança, tem medo de ser ridicularizado ou desacreditado. Afetuoso, gosta de demonstrar seus sentimentos. Embora possa não ter muitos filhos, gosta de crianças, que reagem calorosamente à sua presença. A paciência não é sua qualidade mais forte, e você precisa aprender a disciplinar seu entusiasmo ígneo e sua abordagem excessivamente dramática da vida. Não se deixa pressionar, mas é muito suscetível à lisonja. Criativo e emocionalmente exuberante, pode se tornar bom ator ou professor, e sabe aproveitar a vida.

Napoleão Bonaparte, imperador da França; Neil Armstrong, pioneiro espacial; Madonna, artista; George Bernard Shaw, dramaturgo.

☉ ♍ **SOL EM VIRGEM**   23 de agosto – 22 de setembro
palavra-chave *meticuloso*

Modesto, discriminativo e solícito, tudo o que faz é bem-feito. Você presta muita atenção aos detalhes, mas pode levar isso a extremos, tornando-se exigente, supercrítico e até intrometido. Embora se preocupe muito, não desanima com facilidade. Uma vez superada a modéstia, será claro nas palavras e expressará bem suas ideias. É solícito, gosta de aprender e é voltado ao serviço. Gosta da rotina e é muito responsável. Raramente aparenta a idade que tem.

Hans Arp, escultor; Julio Cortázar, escritor; H. G. Wells, pioneiro do controle de natalidade; Agatha Christie, escritora.

☉ ♎ **SOL EM LIBRA**   23 de setembro – 22 de outubro
palavra-chave *diplomático*   queda

Paz e harmonia são importantes para você, que faz grandes esforços para mantê-las. Você acredita em acordos, o que o torna um bom diplomata. Gosta de beleza e refinamento. Não gosta de sujar as mãos e, em geral, evita qualquer trabalho que requeira isso. Encantador e companheiro, funciona melhor em parceria. Geralmente casa-se cedo e, às vezes, mais de uma vez. É sociável e afável; gosta de receber e de se divertir.

Eleanor Roosevelt, primeira-dama; Thom Yorke, líder da banda Radiohead; Catherine Deneuve, atriz; Mahatma Gandhi, líder político e religioso.

☉ ♏ SOL EM ESCORPIÃO 23 de outubro – 21 de novembro
palavra-chave *investigativo*

Determinado, agressivo e astuto, raramente fica passivo ou neutro diante de alguma situação. Profundo, misterioso e reservado, às vezes é ciumento, ressentido e até vingativo. Seus poderes de recuperação são notáveis. Você busca a verdade; tem raciocínio afiado e mente penetrante, e essas qualidades lhe permitem dispor de muita autoridade sobre os outros. A ciência, a medicina ou qualquer área que exija pesquisas são um caminho adequado. A força de vontade e a persistência são seus pontos fortes, e, apesar de ser um pouco retraído, quando provocado, pode se tornar falante e direto.

Pablo Picasso, artista plástico; Mr. Universo Charles Atlas, líder religioso e assassino; Charles Manson, especialista em etiqueta Emily Post.

☉ ♐ SOL EM SAGITÁRIO 22 de novembro – 21 de dezembro
palavra-chave *vigoroso*

Você é entusiasmado e tem princípios elevados, como o amor universal e a paz mundial. Despreocupado, honesto, animado e otimista, às vezes é agitado, descuidado ou extravagante. Sua tolerância permite-lhe trabalhar bem com todas as pessoas, que você aceita pelo que são. É extrovertido, e sua franqueza e impaciência podem, sem querer, ferir pessoas mais sensíveis. Gosta de esportes, da vida ao ar livre e de viagens. "Não me restrinja" poderia ser seu refrão.

Lee Trevino, jogador de golfe profissional; Chuck Mangione, músico; Junipero Serra, padre espanhol; Rick Little, impressionista.

☉ ♑ SOL EM CAPRICÓRNIO — 22 de dezembro – 20 de janeiro
palavra-chave ***prudente***

Ambicioso, sério e dedicado ao dever, a vida pode parecer-lhe difícil, mas no fim das contas você vence. Embora tenha autodisciplina, responsabilidade e praticidade, pode, às vezes, cair na autopiedade. Sua capacidade de raciocínio é excelente, e você possui forte senso de propósito e de objetivo. Pode parecer austero e reservado com os outros, mas, uma vez obtida sua confiança, é um amigo leal e constante. Voltado à sociedade, está disposto a trabalhar duramente em prol de qualquer coisa que deseje, e sua autoestima é extremamente importante.

Daniel Webster, estadista; Nostradramus, astrólogo/físico; Robert E. Lee, general; Elizabeth Arden, esteticista.

☉ ♒ SOL EM AQUÁRIO — 21 de janeiro – 19 de fevereiro
palavra-chave ***inconvencional***   exílio

Original, independente, individualista e amante da liberdade, você pode ser rebelde e teimoso se não lidar bem com essas características. Suas fortes preferências podem fazê-lo parecer teimoso e inflexível. Qualquer coisa diferente é um grande atrativo para você, e, muitas vezes, sente-se atraído para o oculto, a Astrologia ou as causas de qualquer tipo. É mais fácil para você gostar de muitas pessoas que de uma só, o que pode fazer com que pareça frio e distante. Imprevisível, curioso e intelectual, seu objetivo é expressar o conhecimento útil.

Claudio Arrau, pianista concertista chileno; Betty Friedan, feminista/autora; Charles Lindbergh, aviador; Enzo Ferrari, designer de carros/piloto de corrida.

☉ ♓ SOL EM PEIXES   20 de fevereiro – 20 de março
palavra-chave *imaginativo*

O sonhador do zodíaco, você é empático, tolerante, amável e amoroso. Deixa-se influenciar facilmente pelos outros porque não gosta de ferir ninguém. É difícil para você tomar decisões, e precisa superar a vontade de fugir de tudo que seja árduo. Criativo, espiritual e, muitas vezes, místico, pode ser indolente e pouco prático. Pode aparentar não ter confiança em si mesmo, mas com seu jeito tranquilo consegue muitas coisas. Encantador e simpático, é bondoso com os que estão sofrendo e gosta de animais. Peixes, mais que qualquer outro signo, vai tirar sua força ou sua fraqueza do restante do mapa natal.

Hubert de Givenchy, estilista; Rudolf Nureyev, dançarino; Adelle Davis, nutricionista; Ernest Gallo, vitivinicultor.

As descrições apresentadas aplicam-se também ao signo do Ascendente.

Ao analisar o Sol, você sabe que precisa considerar não apenas o signo, mas a casa em que ele se encontra. Por exemplo: o Sol em Gêmeos na casa 8 vai se expressar com matizes de Escorpião, enquanto o Sol em Gêmeos na casa 10 vai adquirir aspectos de Capricórnio, além das características de Gêmeos.

O Sol nas casas

SOL NA CASA 1
palavra-chave *vital*

Voluntarioso, confiante, otimista e feliz, essa posição intensifica o signo do Sol. Em geral, a infância do nativo é feliz, e sua constituição é forte, com boa saúde. Você tem capacidade de liderança e gosta de dominar. É extrovertido, corajoso e entusiasmado, mas se houver muitos aspectos desafiadores pode ser ditatorial, egoísta e pretensioso. O Sol na primeira casa apresenta muitas características de Áries.

Claude Debussy, compositor impressionista; George Lucas, produtor/diretor de cinema; Jack Kemp, jogador de futebol/político/candidato a V.P; Tracy Austin, tenista.

SOL NA CASA 2
palavra-chave *administrador*

Você está em constante busca de recursos e valores. Essa colocação indica capacidade de atrair dinheiro, mas nem sempre você consegue conservá-lo. Gosta de abundância; seus recursos interiores ou exteriores podem ser símbolos de *status*. Geralmente tem amigos influentes. Muitas vezes, vem de família abastada ou tem um genitor bem-sucedido. A extravagância e o sucesso financeiro são característicos dessa posição, mas também é importante que aprenda a compartilhar. O Sol na segunda casa apresenta aspectos do Sol em Touro.

Karl Marx, teórico revolucionário; Claudio Abbado, maestro italiano; Emily Dickinson, poetisa; Kate Chase, socialite/espiã da Guerra Civil.

SOL NA CASA 3
palavra-chave *comunicativo*

Perspicaz, otimista, científico e flexível, você tem a capacidade de tomar as decisões certas na hora certa. Bom orador e bom escritor, gosta de se envolver com os assuntos de pessoas próximas e de viajar. Seus irmãos são importantes para você, e, provavelmente, o ambiente de sua infância foi feliz. Você tanto pode ser imparcial e depender de si mesmo quanto arrogante e dominador. O Sol na terceira casa funciona muito como o Sol em Gêmeos.

Beverly Sills, estrela da ópera/soprano; Georges Seurat, pontilhista/pintor; Philip Berrigan, sacerdote/ativista católico romano; Sir Isaac Pitman, educador/inventor da estenografia.

SOL NA CASA 4
palavra-chave *doméstico*

Você tem fortes laços parentais e vida doméstica feliz, a não ser que haja muitos aspectos desafiadores no restante do mapa; nesse caso, há uma vontade de deixar o lar precocemente. Você goza de boa saúde na velhice. A colocação do Sol nesta casa é excelente para todos os ramos imobiliários. Você tem grande necessidade de autoproteção, que pode vir à tona, em última análise, como necessidade de segurança. Essa casa mostra as raízes do nativo, as profundezas não visíveis na superfície. O Sol na quarta casa reflete muitas tendências do Sol em Câncer.

Carl Sandburg e Alfred Tennyson, poetas; Julia Child, chef; Phyllis Schlafly, antifeminista ativista.

SOL NA CASA 5
palavra-chave *magnético*   dignidade acidental

Forte, popular, criativo e autoindulgente, você encontra grandes alegrias no amor e com as crianças. É bem-sucedido nos casos amorosos e pode ter muitos. Se dá bem com as crianças, mas dificilmente terá uma família grande. É provável que se expresse através do teatro, do ensino, da arte ou dos esportes. Com aspectos difíceis, você pode explorar os outros ou ser exibicionista. O Sol na quinta casa funciona muito como o Sol em Leão.

Giuseppe Verdi e Benjamin Britten, compositores; Alice Roosevelt Longworth, socialite/bon-vivant; Leonardo da Vinci, pintor de "Mona Lisa"/escultor/arquiteto/inventor/um dos maiores artistas da história.

SOL NA CASA 6
palavra-chave *capaz*

Você é um bom trabalhador e administrador e se orgulha de suas realizações. Determinado e leal, tem alto apreço pela beleza, pela dieta, pela saúde e pela higiene. Uma rotina diária é fundamental para seu bem-estar emocional. Atitudes positivas podem ajudá-lo a superar fraquezas físicas ou a saúde deficiente. Você se dá bem tanto no campo assistencial como nos esportes. O Sol na sexta casa é semelhante ao Sol em Virgem.

Jackie Robinson, jogador de beisebol; Willis Reed, jogador de basquete; Renata Tebaldi, soprano lírica; Fred Astaire, dançarino.

SOL NA CASA 7
palavra-chave *companheiro*

A parceria é sua nota característica, e você funciona melhor quando trabalha com outra pessoa. Entretanto, é preciso que aprenda que os desejos do parceiro são tão importantes quanto os seus. Como se relaciona bem com os outros, tende a ser popular e estimado. O casamento é importante para você, que pode se beneficiar de qualquer sociedade ou união. Se o Sol fizer aspectos tensos, esse posicionamento pode trazer notoriedade. Geralmente, você tem sorte nos assuntos legais ou referentes a tribunais. Sol na sétima casa e Sol em Libra são muito parecidos.

Clint Eastwood, ator; R. D. Laing, psicanalista; Gower Champion, dançarino/coreógrafo; Linda Ronstadt, cantora.

SOL NA CASA 8
palavra-chave *regenerativo*

Este é um posicionamento bastante político; você é capaz de atrair o apoio dos outros. Pode ser que receba uma herança, um legado, ou que administre o dinheiro dos outros. É uma pessoa criativa, e o sexo é muito importante para você. Dedicado ao autoaperfeiçoamento, há a tendência a se interessar pelo conhecimento oculto e pela questão da vida após a morte. É provável que tenha dificuldades no início da vida, associadas, de alguma forma, ao pai. Com o Sol fazendo aspectos desafiadores, você pode ter problemas financeiros, ou por má administração, ou pela extravagância de algum parceiro. O Sol na oitava casa apresenta similaridades ao Sol em Escorpião.

Harry S. Truman, 33º presidente dos Estados Unidos; Barbara Hutton e Evelyn Walsh McLean, herdeiras; Jeanne Dixon, médium.

SOL NA CASA 9
palavra-chave *aventureiro*

O Sol na casa 9 é uma excelente colocação para o sucesso no campo da lei, das viagens ou da religião. Você tem queda por línguas estrangeiras e se dá bem com quase todo mundo. Pode ser que se case com um estrangeiro que conheça durante uma viagem ou talvez um de seus pais seja estrangeiro. É um estudioso sério, com inclinação para a filosofia, e pode ser um professor bom e dedicado. Às vezes, pode não ser prático e, se usar esse posicionamento de forma negativa, sonhar acordado ou ser fanático. O Sol na nona casa funciona como o Sol em Sagitário.

Jacques Cousteau, explorador marinho; Walter H. Annenberg, editor/diplomata; Willy Brandt, chanceler alemão; Otis Chandler, editor.

SOL NA CASA 10
palavra-chave *responsável*

Você sente necessidade de provar sua importância, de modo que, em geral, é bem-sucedido e, às vezes, famoso. Mesmo que não esteja em posição pública, é líder em seu círculo. Esse é um posicionamento ideal para a política, já que você é ambicioso e atraído pelo poder. Algumas vezes, é rebelde e arrogante, mas os outros sempre o notam. O Sol na décima casa e o Sol em Capricórnio funcionam, muitas vezes, da mesma maneira.

Albert Speer, arquiteto/ministro nazista; Jeffrey Archer, escritor/político; John deLorean, engenheiro automotivo; Nina Blanchard, empresária de agência de modelos.

SOL NA CASA 11
palavra-chave *individualista*

Você faz o que deseja e geralmente consegue o que quer. Ou é muito sociável e tem muitos amigos, ou é um solitário que segue o próprio caminho. Por ter facilidade para enfrentar desafios, em geral você é excelente organizador, capaz de inspirar os outros a ajudá-lo em seus empreendimentos. Muitas vezes, esse posicionamento indica pioneirismo em algum campo novo ou com o serviço assistencial em larga escala. O Sol na casa 11 e o Sol em Aquário operam de forma semelhante.

Ernest Hemingway, escritor; Danny deVito, ator de palco/cinema/TV/comediante; Gloria Vanderbilt, herdeira/estilista; Friedrich Nietzsche, filólogo/filósofo.

SOL NA CASA 12
palavra-chave *reservado*

Embora possa carecer de autoconfiança e precise de um período de solidão, você é capaz de integrar a parte inconsciente de sua natureza. Sua vida antes dos 30 anos pode ter algumas restrições. Algum tipo de trabalho em instituições de caridade, pesquisa, lhe parece atraente, já que você prefere trabalhar nos bastidores. Esse é um posicionamento comum em atores e atrizes, que podem explorar seus sentimentos desempenhando um papel. Se houver aspectos difíceis, você pode ser seu pior inimigo; precisa aprender a servir e não deve deixar que a autopiedade tome conta de você. O Sol na décima segunda casa funciona como o Sol em Peixes; esse posicionamento depende mais do conjunto do mapa que qualquer outro posicionamento do Sol.

James Hoffa, líder sindical de caminhoneiros; Pina Bausch, dançarina alemã imaginativa/coreógrafa; Sir Rudolph Bing, empresário de ópera; Jodie Foster, diretora/atriz.

Aspectos do Sol

Conforme explicado na página 103, a integração entre dois planetas assume a coloração de ambos. Cada aspecto reflete uma mistura diferente dos dois planetas envolvidos, assim como a mistura de azul e amarelo resulta em vários tons de verde. Qualquer aspecto com o Sol enfatiza o *ser* interior, a *personalidade* e o *ego*.

- A conjunção enfatiza o *self*.
- O sextil *facilita a expressão do ego*.
- A quadratura *desafia o ego* e cria *tensão no nível da personalidade*.

- O trígono *dá à personalidade oportunidade de fluir harmoniosamente*.
- O quincunce indica que é preciso *fazer um ajuste* antes que o *self* possa se expressar positivamente.
- A oposição dá *autopercepção* ou *percepção do outro*.

> **ASPECTOS DO SOL COM A LUA – Sol/Lua trabalhando juntos**
>
> Qualquer aspecto entre o Sol e a Lua denota a integração do masculino e do feminino. Também pode descrever a integração entre mãe e pai ou, em termos junguianos, entre *anima* e *animus*. A facilidade ou dificuldade de combinar esses princípios varia de acordo com o tipo de aspecto. Quando usado de modo positivo, há um acordo harmonioso entre o ego (Sol) e as emoções (Lua); quando projetado de modo negativo, pode ser difícil reconciliar os princípios masculino e feminino. A Lua reflete a natureza interior e os sentimentos; o Sol testemunha a necessidade de brilhar e de se expressar.

☉ ☌ ☽ SOL EM CONJUNÇÃO COM A LUA

A união dos dois "planetas" mais poderosos, ou luminares, torna mais evidente a concentração de energia no signo da conjunção. Às vezes, o nativo pode estreitar muito esse foco, dada a incapacidade de expressar o princípio masculino/feminino. O Sol em conjunção com a Lua indica Lua nova no nascimento.

Alexandra Feoderovna, czarina russa; Tito Schipa, tenor italiano; Leopold Stokowski, maestro; Emile Zola, romancista francês.

☉ ✶ ☽ SOL EM SEXTIL COM A LUA

Muitas vezes, as portas se abrem para você por causa de sua personalidade agradável e social. A menos que conte com outros aspectos no mapa natal, você pode não ser tão ambicioso.

Bruce Willis, ator; William Saroyan, escritor de contos e dramaturgo; Indira Gandhi, primeira-ministra indiana; Zelda Fitzgerald, flapper *da idade do jazz.*

☉ ☐ ☽   SOL EM QUADRATURA COM A LUA

O Sol testemunha o princípio de autoafirmação, e a Lua, o sensível, o sentir necessidade. Logo, esse aspecto traz o conflito entre o ego e as emoções, que pode se expressar como personalidade antagônica. No entanto, essa tensão interna pode levar à automotivação e fornecer grande impulso à integração do feminino/masculino.

Marquês de Sade, autor e libertino; Bruce Jenner, campeão olímpico de decatlo; Patrice Munsel, soprano; Jim Henson, titereiro e criador dos "Muppets".

☉ △ ☽   SOL EM TRÍGONO COM A LUA

O equilíbrio harmonioso entre seu ego (Sol) e suas emoções (Lua) funciona como atratativo para as outras pessoas. Desse modo, suas relações de parceria, em geral, fluem de modo suave. Seu maior problema é a tendência ao comportamento indiferente, quando você deveria se afirmar.

Jonas Salk, criador da vacina contra a poliomielite; Will Rogers, humorista; Josh Logan, produtor e diretor; Carol MacEvoy, apresentadora de TV para surdos.

☉ ⚻ ☽   SOL EM QUINCUNCE COM A LUA

Possivelmente, problemas não resolvidos com os pais podem necessitar de atenção. É preciso fazer ajustes na maneira como você lida com suas necessidades emocionais (Lua) e sua vontade consciente (Sol). Se ceder às demandas esmagadoras de seu tempo e energia, podem ocorrer problemas de saúde.

Oscar Levant, pianista e contador de histórias; Charlie Daniels, músico de country-rock; John Coltrane; compositor de jazz; Ferruccio Tagliavini, tenor italiano.

☉ ☍ ☽   SOL EM OPOSIÇÃO À LUA

Quando usado com conhecimento, este aspecto promove a ambição e a capacidade de ver as coisas sob outras perspectivas. Há a tendência a forte discórdia interna à medida que você tenta reconciliar os princípios "masculino" e "feminino". Você pode enfrentar controvérsias entre fatores profissionais e domésticos, entre você e seus pais ou parceiros.

Merv Griffin, empresário de mídia; Elizabeth Dejonge, bailarina; Josephine Tey, escritora de mistério escocesa; Luciano Pavarotti, tenor lírico.

ASPECTOS DO SOL COM MERCÚRIO – Sol/Mercúrio trabalhando juntos

O princípio Sol/Mercúrio combina a necessidade de brilhar (Sol) com a de se comunicar (Mercúrio). Juntos, eles representam a expressão verbal da *persona* interior. Dependendo dos signos envolvidos, seu foco (Sol) pode estar em atitudes juvenis.

☉ ☌ ☿ SOL EM CONJUNÇÃO COM MERCÚRIO

Uma vez que Mercúrio e o Sol nunca estão mais que 28 graus separados, o único aspecto principal que fazem é a conjunção. Em decorrência do grande foco na energia mental e na expressão pessoal, é importante evitar a armadilha da estreiteza mental. Porém, é possível ganhar notoriedade através do pensamento e da comunicação.

Charles de Gaulle, presidente francês; Lenny Bruce, satirista; René Lalique, escultor francês de vidro; Ernie Pyle, correspondente da Segunda Guerra Mundial.

ASPECTOS DO SOL COM VÊNUS – Sol/Vênus trabalhando juntos

O princípio mais importante dessa combinação denota a união do eu interior (Sol) e seu senso de afeto, amor, beleza e consciência dos outros (Vênus). O desejo de poder representado pelo Sol alinha-se às necessidades sociais e aos valores venusianos.

☉ ☌ ♀ SOL EM CONJUNÇÃO COM VÊNUS

Vênus nunca está a mais de 46 graus de distância do Sol, então não há nenhum outro aspecto importante além da conjunção. Essa conexão sugere disposição afável, grande amor pela diversão, forte erotismo e tendência a ganhar e a gastar dinheiro. O nativo é persuasivo, anseia ser amado e leva a vida com charme. Uma conjunção muito próxima pode levar ao egoísmo, a atitudes presunçosas e a expectativas muito elevadas.

Don Loper, estilista; Peter Lynch, mago das finanças; Lily Tomlin, feminista e comediante; Cyd Charisse, dançarina e atriz.

> **ASPECTOS DO SOL COM MARTE – Sol/Marte trabalhando juntos**
>
> Os aspectos Sol/Marte combinam motivação e direção. Qualquer contato entre esses dois planetas dinâmicos aponta para forte necessidade de tomar uma atitude. O par Sol/Marte vincula dois princípios masculinos: a necessidade de projetar liderança (Sol) com a iniciativa e a afirmação (Marte). Junta, essa dupla frequentemente invencível pode mover montanhas. Os campos da gestão, dos esportes ou da política podem atrair você.

☉ ☌ ♂ SOL EM CONJUNÇÃO COM MARTE

Trabalhador e competitivo; o poder do Sol é expresso através da energia e da ação de Marte na casa que esses planetas ocupam, bem como nas casas que regem (aquelas com Áries e Leão na cúspide). Você se irrita, mas esquece com facilidade; é empreendedor, dramático e competitivo. Não se intimida diante do perigo e encara os problemas de frente.

John Glenn, astronauta; William Saroyan, escritor; François Truffaut, diretor de cinema francês; Nolan Ryan, lançador de beisebol.

☉ ✶ ♂ SOL EM SEXTIL COM MARTE

Com forte senso de honra e integridade, você tende a agir rapidamente e a tomar decisões incisivas. Sua capacidade de se recuperar de todos os tipos de contratempos é reconhecida por todos.

Telly Savalas, ator; Italo Balbo, general fascista e aviador; Roland Petit, dançarino e coreógrafo francês; Paul Tsongas, senador e candidato à presidência dos EUA.

☉ □ ♂ SOL EM QUADRATURA COM MARTE

Agressivo, entusiasmado e combativo, você gosta de assumir riscos e se sente atraído por esportes e atividades físicas. Direto e franco, aceita qualquer desafio. Seu amor pela ação rápida nem sempre é bem dirigido.

Sugar Ray Leonard, ex-pugilista estadunidense; Denton Cooley, cirurgião cardíaco; Jim Jones, líder religioso de suicídio em massa; Vanessa Redgrave, atriz, ativista política e vencedora do Oscar.

☉ △ ♂ SOL EM TRÍGONO COM MARTE

Ousado e aventureiro, você pode realizar qualquer coisa que se propõe a fazer. O impulso vital do seu Sol, qualquer que seja o signo em que esteja, combina bem com as energias sexuais e físicas de Marte.

Al Unser, piloto de carros de corrida; dr. William Masters, educador sexual e pesquisador; Penny Marshall, atriz e diretora; Maurice Béjart, dançarino e coreógrafo.

☉ ⚻ ♂ SOL EM QUINCUNCE COM MARTE

Pode haver conflito entre sua necessidade de se tornar bem-sucedido (Sol) e a natureza do seu desejo (Marte), criando tensão em grande parte de seus empreendimentos. Inseguro quanto às suas capacidades, você, muitas vezes, compensa essa insegurança fazendo mais coisas do que pode, o que resulta em problemas de saúde. É sensato dar vazão às energias (Sol/Marte) de forma prática e prazerosa.

Oscar Ariaz-Sanchez, presidente da Costa Rica/vencedor do Prêmio Nobel; Alene Bertha Duerk, primeira mulher almirante da Marinha; Bix Beiderbecke, músico de jazz; Geoff Edwards, apresentador de TV.

☉ ☍ ♂ SOL EM OPOSIÇÃO A MARTE

Você pode ser temperamental e agressivo às vezes, deixando as outras pessoas com raiva. Extremamente físico, precisa de um parceiro que tenha a mesma energia.

Lizzie Borden, suspeita de ter assassinado os pais; Emil-Waldteufel, compositor francês; Naomi Judd, cantora de música country; Georgie Ann Geyer, jornalista.

ASPECTOS DO SOL COM JÚPITER – Sol/Júpiter trabalhando juntos

Quando o Sol encontra Júpiter, existe o potencial de expandir a expressão do ego. Você quer progredir (Júpiter) a fim de melhorar (Sol). Esses dois planetas se unem no desejo de desenvolver uma filosofia de vida pessoal. O campos do direito e dos esportes podem ser atraentes para você.

☉ ☌ ♃ SOL EM CONJUNÇÃO COM JÚPITER

Este é um aspecto muito benéfico. Sugere sucesso, generosidade, sorte e gosto pela vida, o que pode levar a grandes realizações. Dá entusiasmo e otimismo, mas a falta de moderação pode levar a problemas de saúde. O nativo pode não ser muito ambicioso, mas certamente gosta de obter reconhecimento por seus esforços. É importante encontrar um campo que estimule sua imaginação.

Erma Bombeck, humorista e colunista; William Blake, poeta/místico; Princesa Ira von Furstenberg, atriz italiana; Georges Simenon, autor de 500 livros que disse que fez amor com mais de 10 mil mulheres.

☉ ✶ ♃   SOL EM SEXTIL COM JÚPITER

Um pouco autoindulgente, mas, se houver empenho, poderá obter riqueza. Uma boa educação pode abrir muitas portas para o sucesso pessoal.

Burt Reynolds, ator; Lucinda Eustis Childs, dançarina/coreógrafa; Lola Falana, cantora/dançarina; James Clavell, autor/dramaturgo de "Shogun".

☉ □ ♃   SOL EM QUADRATURA COM JÚPITER

Excesso de indulgência e falta de moderação podem ser suas armadilhas. Você pode ser arrogante e egoísta e sentir-se à vontade para agir como quiser, mas, uma vez que aprenda quais são suas prioridades, todos os objetivos estão ao seu alcance. Um aspecto positivo de Saturno pode ser útil, especialmente em situações de negócios.

Antonin Scalia, juiz da Suprema Corte dos EUA; Maureen O'Connor, prefeita de San Diego; Dave Brubeck, músico; Placido Domingo, maestro/tenor.

☉ △ ♃   SOL EM TRÍGONO COM JÚPITER

Amigável e extrovertido, as pessoas gostam de você. Há tendência a ser preguiçoso e apático, a menos que Júpiter ou o Sol façam aspectos com Saturno. Você é intelectual, sensato e quase sempre tem pontos de vista amplos.

Sam Francis, pintor; Bill Moyers, jornalista/entrevistador de TV; Renata Tebaldi, cantora lírico-soprano.

☉ ⚻ ♃   SOL EM QUINCUNCE COM JÚPITER

A tendência jupiteriana ao exagero precisa ser temperada com a abordagem nobre do Sol. O nativo ou assume responsabilidades e ocupações demais ou procura prazeres e *hobbies*. Exercitar a moderação pode prevenir problemas de saúde e de personalidade que podem se manifestar, como obesidade ou ostentação.

Gabrielle d'Annunzio, poeta e dramaturga italiana; Princesa Diana da Inglaterra; Risë Stevens, estrela de ópera; Tom Snyder, personalidade da TV.

☉ ☍ ♃   SOL EM OPOSIÇÃO A JÚPITER

Você pode demonstrar otimismo cego, gosto pelo perigo e tendência a ignorar as opiniões dos outros, muitas vezes agindo como sem lei. Esse aspecto pode produzir um trapaceiro ou falsário. Ao ensinar e ajudar os outros, você vai se conscientizando de quem realmente é.

Odette, cantora folk; Gay Talese, autor; Zino Francescatti, violinista; Quincy Jones, maestro e compositor.

> **ASPECTOS DO SOL COM SATURNO – Sol/Saturno trabalhando juntos**
>
> Fundamentalmente, quando o Sol e Saturno se fundem, combinam as forças do eu interior (Sol) e a manifestação de ambição e de reconhecimento do mundo exterior (Saturno). Em essência, ambos têm semelhanças: representam senso de autoridade, posição, título e alto cargo. Saturno ameniza a corrida impetuosa do Sol ao buscar uma ação responsável. Tanto o Sol quanto Saturno implicam a imagem masculina, especialmente o pai. "Pai Tempo", idade, dignidade, respeito e tradição. Essa conexão planetária muitas vezes indica um relacionamento distante com o pai. Problemas dentários ou artrite podem ser manifestações físicas da ação limitadora de Saturno na exuberância natural do Sol. Lembre-se: o Sol quer fazer, seja lá o que for... Saturno quer fazer o melhor.

☉ ☌ ♄ SOL EM CONJUNÇÃO COM SATURNO

Sério e trabalhador, frequentemente com mente focada, você pode alcançar sucesso material por merecimento. O nativo com essa conjunção tende a amadurecer cedo e a aprender com a experiência. A falta de um pai ou, ao contrário, um pai forte, com grandes expectativas, causa profundas necessidades de aceitação e reconhecimento.

Arnold Schwarzenegger, magnata e ator; rainha Margarethe da Dinamarca; Arthur Schopenhauer, "Filósofo do pessimismo"; Mirella Freni, cantora italiana de ópera.

☉ ✶ ♄ SOL EM SEXTIL COM SATURNO

Embora nada seja fácil quando Saturno está envolvido, esse aspecto pode trazer oportunidades práticas para empreendimentos de sucesso, bem como concreta divulgação de suas capacidades criativas.

Rainha Elizabeth I da Inglaterra; Catarina, a Grande, da Rússia; Carl Sandburg, poeta/folclorista/biógrafo; Mary Shelley, romancista de "Frankenstein".

☉ □ ♄ SOL EM QUADRATURA COM SATURNO

Com este aspecto, sua autoexpressão tende a ser limitada, especialmente na juventude, e, muitas vezes, o força a aprender tudo do jeito mais difícil. Seu discernimento é bom, sobretudo em situações que envolvem a carreira; uma vez alcançado o sucesso, adquire autoconfiança. Esse aspecto pode levar ao casamento com uma viúva ou viúvo, ou com alguém com diferença de idade.

Carl Sagan, astrônomo; Gene Kelly, ator, dançarino e cantor; Enrico Fermi, físico nuclear italiano; Sylvia Plath, poeta suicida.

☉ △ ♄ SOL EM TRÍGONO COM SATURNO

O sucesso na vida vem através dos próprios esforços, bem como da capacidade de se concentrar e de se organizar. Responsável e disciplinado, você leva uma vida moral e bem ordenada. Em geral, esse aspecto revela boa saúde. Pode indicar um pai ou cônjuge bem-sucedido, ou ambos, e, claro, reconhecimento e capacidade de realizar suas ambições.

Jean Paul Sartre, filósofo existencialista; Gary Player, jogador de golfe sul-africano; Maya Angelou, poeta, ativista e autora; Ron Howard, ator, diretor e produtor.

☉ ⚻ ♄   SOL EM QUINCUNCE COM SATURNO

Para superar o sentimento de inadequação, você precisará purificar seu sistema de crenças. Pelo fato de estar sempre muito envolvido com o trabalho, fazendo o que bem entende, ou deixando que os outros tirem vantagem de você, pode ter problemas de saúde. Quando aprender a lidar com os ajustes necessários em questões práticas, a vida transcorrerá de maneira mais tranquila.

Lana Turner, atriz de cinema; Charles Aznavour, cantor e compositor francês; Ferruccio Busoni, pianista e compositor; Martha Graham, dançarina, coreógrafa e professora.

☉ ☍ ♄   SOL EM OPOSIÇÃO A SATURNO

Você pode buscar segurança por meio de parcerias e, muitas vezes, atrair uma pessoa mais velha para cuidar de você. Tem que trabalhar duro para desenvolver disciplina e ritmo ao lidar com outras pessoas. Orientado à realização, tende a ser bastante ambicioso.

Antoine de Saint-Exupéry, aviador e autor; Art Tatum, pianista de jazz; Ivana Trump, modelo e ex-mulher de Donald Trump; Rudolf Steiner, autor e metafísico.

> **ASPECTOS DO SOL COM URANO – Sol/Urano trabalhando juntos**
>
> O desejo de se expressar (Sol) e a necessidade de se diferenciar (Urano) precisam ser abordados da perspectiva certa. O senso de identidade interage com a necessidade de experimentar o inesperado, de identificar-se com o amanhã e seguir em frente – nunca para trás.

☉ ☌ ♅   SOL EM CONJUNÇÃO COM URANO

Imprevisível, porém talentoso, você tem uma queda para o incomum. Pode ser arrogante, às vezes teimoso, e até ser acusado, de vez em quando, de comportamento errático. Há tendência a se atrair por uma carreira "de última geração". Como a liberdade pessoal é fundamental para você, pode viver muitos altos e baixos nos relacionamentos.

Omar Sharif, ator e especialista em jogos de bridge; Meryl Streep, atriz; Percy Bysshe Shelley, poeta lírico; William Butler Yeats, dramaturgo e ocultista irlandês.

☉ ⚹ ♅   SOL EM SEXTIL COM URANO

Sua intuição, percepção e imaginação são fortes; portanto, esse aspecto oferece muitas oportunidades para a autoexpressão inventiva, criativa e única.

Gwen Verdon, dançarina e coreógrafa; Mary Martin, cantora e estrela de teatro e cinema; Nancy Wilson, cantora de jazz; John Ruskin, crítico de arte e reformador social inglês.

☉ □ ♅   SOL EM QUADRATURA COM URANO

Impulsivo, audacioso, excêntrico e, às vezes, sem princípios, você segue seu caminho e faz suas escolhas sem levar em consideração os sentimentos e pensamentos dos outros. É original, mas não prático, e esse aspecto geralmente lhe dá um tremendo magnetismo pessoal. A quadratura Sol/Urano é como o substituto que irrompe na cena na noite de estreia e rouba o *show*.

Suzanne Valadon, artista; Tom Wicker, jornalista; Randy Travis, cantor de country; Joseph Wambaugh, ex-policial e escritor.

☉ △ ♅ SOL EM TRÍGONO COM URANO

Sua capacidade de liderança, sua popularidade e seu talento atraem pessoas para seu lado. Embora nem sempre tenha tato, seu entusiasmo, seu otimismo e sua risada são contagiantes. Pode ser que você abrace uma causa ou um movimento; nesse caso, o fará com total dedicação.

Norman Schwarzkopf, general de quatro estrelas; Janis Joplin, cantora de rock; Jean Luc Godard, diretor de cinema francês; Willie Sapateiro, lendário jóquei.

☉ ⚻ ♅ SOL EM QUINCUNCE COM URANO

Você tende a projetar uma atitude de "sabe tudo" e tem dificuldade em lidar com os outros. Precisa aprender a focar em sua engenhosidade, criatividade e originalidade mais que em passar por cima dos outros.

Art Buchwald, colunista e humorista; Ignazio Silone, dramaturgo, satirista e socialista; Phyllis Diller, atriz e comediante; Bruce Hershensohn, comentarista de TV e autor.

☉ ☍ ♅ SOL EM OPOSIÇÃO COM URANO

Como você adora resolver situações difíceis, tende a sair, com frequência, em busca de condições e eventos perturbadores.

Ray Bradbury, escritor de ficção científica e fantasia; Cannonball Adderley, saxofonista de jazz; Prospero Gallinari, terrorista da Brigada Vermelha; Bette Bao Lord, autora sino-americana.

> **ASPECTOS DO SOL COM NETUNO – Sol/Netuno trabalhando juntos**
>
> Os aspectos de Sol/Netuno oferecem o potencial para a criatividade e a capacidade de se sintonizar com o Universo. O calor do Sol pode dissolver as brumas de Netuno, e o contato entre esses dois planetas pode propiciar interesses espirituais, religiosos ou metafísicos. Embora tão multifacetada como um caleidoscópio, se a conexão desses planetas não tiver foco, você poderá desperdiçar seu tempo e talento. Quando devidamente empregado, pode trazer glamour e carisma. Também pode refletir o que há de melhor no ator, no mágico ou, em nível menos positivo, no vigarista. O expressivo Sol com o empático Netuno tem predileção por inocentes e oprimidos, portanto você pode esbanjar amor e atenção a essa população.

☉ ☌ ♆ SOL EM CONJUNÇÃO COM NETUNO

Esses aspectos marcam o artista criativo por excelência: instintivo, dramático, compassivo. Às vezes, o nativo adota pontos de vista fantasiosos e foge para um mundo só seu, em vez de encarar a si mesmo e sua vida. Há também incerteza quanto às próprias capacidades, com frequência se escondendo atrás do papel de palhaço.

Kenneth Grahame, contador de histórias e ensaísta; Dino de Laurentiis, produtor de cinema italiano; Ann Richards, governadora do Texas; Milton Berle, comediante e apresentador de TV.

☉ ✶ ♆ SOL EM SEXTIL COM NETUNO

Oportunidade de usar o sexto sentido (Netuno) para se expressar (Sol). Pode ocorrer tanto na área dos negócios e das finanças quanto em campos criativos, como na música, na arte e na poesia.

Pierre Balmain, estilista; Jean Marsh, atriz britânica de cinema/TV; Christopher Isherwood, dramaturgo/devoto da filosofia oriental; Woody Herman, líder de banda.

☉ □ ♆ SOL EM QUADRATURA COM NETUNO

O vapor gerado entre o Sol (fogo) e Netuno (água) apresenta um desafio (quadratura) que pode impulsioná-lo em empreendimentos criativos; por outro lado, você pode se sentir evaporando. Embora geralmente positivos, você pode não ser capaz de seguir em frente em seus projetos e, muitas vezes, subestima suas capacidades. Há também a tendência a esconder sua sensibilidade ao sofrimento, bem como sua natureza emocional. Se Netuno estiver em uma casa angular (1, 4, 7 ou 10), você precisará se precaver contra decepções, já que poderá ser vítima de fraudes ou escândalos.

Edwin Meese III, procurador-geral do presidente Reagan; Marcel Proust, um dos maiores romancistas franceses do século XIX; Linda Lovelace, atriz pornô; Alberto Anastasia, chefe da Máfia.

☉ △ ♆ SOL EM TRÍGONO COM NETUNO

A arte de Netuno é estimulada pelo entusiasmo do Sol. Conhecido como o encantador do zodíaco, você é romântico, gentil e, com frequência, musicalmente talentoso.

Shirley MacLaine, atriz, dançarina, autora; Farrah Fawcett, atriz de cinema e TV; Robert Joffrey, fundador do balé; Edgar Rice Burroughs, criador e autor de "Tarzan".

☉ ⚻ ♆   SOL EM QUINCUNCE COM NETUNO

Com tendência ao autossacrifício (Netuno), você parece atrair aqueles que precisam de você (Sol) de alguma forma; mais tarde, se ressente, porque entende que os outros o estão explorando. Aprender a dizer não é importante, já que sempre ajudar os outros exaure suas energias.

Steffi Graf, tenista campeã; Jean Pierre Rampal, flautista; Daniel Moynihan, senador dos EUA; Damon Runyon, escritor de contos e jornalista.

☉ ☍ ♆   SOL EM OPOSIÇÃO A NETUNO

Com frequência, a incapacidade do autoconhecimento leva ao julgamento equivocado dos outros; pelo mesmo motivo, os outros nem sempre veem você como realmente é. Conhecido pela qualidade camaleônica, você é capaz de desempenhar qualquer papel necessário para transmitir seu ponto de vista. Tem propensão a se envolver em situações em que outros se apoiam em você.

Elizabeth Taylor, superestrela; Leontyne Price, diva da ópera; Anna Freud, psicanalista, filha de Sigmund Freud; Bernardo Bertolucci, diretor de cinema italiano.

> **ASPECTOS DO SOL COM PLUTÃO – Sol/Plutão trabalhando juntos**
>
> O Sol representa seu eu interior, e Plutão é o planeta da potência e da intensidade. Logo, qualquer conexão entre esses planetas sugere força aplicada à expressão de si mesmo. Ambos os planetas competem pelo controle, levando a grandes realizações (positivo) ou a destruições massivas (negativo). A conexão de Plutão com o Sol também pode adicionar uma nota de compulsão ou obsessão. Ambos querem estar no comando, mas o Sol gosta de brilhar e aparecer; Plutão prefere trabalhar sozinho e ficar invisível. O dinheiro pode ser uma força motriz – o acúmulo, o desperdício ou a falta dele.

☉ ☌ ♇   SOL EM CONJUNÇÃO COM PLUTÃO

Você tem desejos fortes em todos os níveis – físico, mental e espiritual – e pode ser um extremista impulsionado pela obsessão do poder. É incapaz de entender a fraqueza ou a falta de garra nos outros, de modo que precisa trabalhar a intolerância e o egoísmo de maneira construtiva. Com frequência, sua determinação, persistência e coragem são muito admiradas pelos outros. O autodomínio parece ser sua tônica.

P. D. Q. Bach/Peter Schickele, músico e compositor; Jerry Garcia, líder da banda "Grateful Dead"; Peter Bogdanovich, diretor e produtor de cinema; Richard Secord, Major General.

☉ ⚹ ♇   SOL EM SEXTIL COM PLUTÃO

O poder plutoniano aumenta a capacidade de se projetar (Sol) em qualquer área. Sua sutil persuasão oferece a oportunidade para alcançar diversas de suas grandes expectativas.

Sonia Braga, atriz de "O Beijo da Mulher Aranha"; Dodger Fernando Valenzuela, lançador do Los Angeles; Bobby Darin, cantor e compositor; Carrie Fisher, roteirista, romancista e atriz, filha de Eddie Fisher e Debbie Reynolds.

☉ □ ♇   SOL EM QUADRATURA COM PLUTÃO

Plutão, que quer privacidade, desafia constantemente o Sol, que deseja ser reconhecido. Esse conflito tende a gerar um padrão de comportamento que beira a obsessão, resultando em grande sucesso ou fracasso.

Mark Chapman, assassino de John Lennon; Alan Ladd Jr., produtor de cinema; Darryl Hannah, atriz de teatro, cinema e TV, pessoa pública particular; Al Pacino, o intenso e taciturno astro de teatro e cinema.

☉ △ ♇   SOL EM TRÍGONO COM PLUTÃO

O impulso plutoniano típico fluindo com a energia do Sol pode ajudar a torná-lo uma potência em seu campo. O nativo apresenta fortes capacidades regenerativas, concentração e força de vontade.

Bette Midler, atriz e cantora; Gary Marshall, produtor e diretor de cinema; Jerome Hines, estrela da ópera estadunidense; John Boyd Orr, cientista.

☉ ⚻ ♇   SOL EM QUINCUNCE COM PLUTÃO

Você se esforça até a exaustão; é importante cuidar de quaisquer problemas de saúde que surjam. Seu forte impulso pode ser baseado em uma insatisfação interna que você deve tentar superar, talvez com ajuda profissional. O desejo plutoniano de manipular pode afetar a maneira como você expressa seu ego (Sol), resultando em descontentamento ou frustração; a melhor maneira de lidar com esses sentimentos é canalizar as energias para um novo meio de expressão, como *hobbies*, relacionamentos e atividades filantrópicas.

John Saul, escritor de suspense; Kim Novak, atriz de cinema; Mario Lanza, ator de cinema, TV e cantor de ópera (morreu jovem, de compulsão alimentar); Rush Limbaugh, apresentador de talk show.

☉ ☍ ♇ SOL EM OPOSIÇÃO A PLUTÃO

As pessoas podem achar que conhecem você, mas na verdade isso não acontece. Às vezes arrogante, você pode ter temperamento explosivo. É preciso aprender a controlar o gênio e a desenvolver a moderação nos relacionamentos. Devido à sua natureza compulsiva, é necessário que aprenda o valor do compromisso.

Michael Crawford, o convincente cantor e ator de "O Fantasma da Ópera"; Arsenio Hall, apresentador de talk show *para a TV e comediante de humor excêntrico; Christopher Boyce; espião estadunidense; Jessica Whitney Dubroff, morreu aos 7 anos enquanto tentava se tornar a mais jovem piloto de avião utilitário leve dos Estados Unidos.*

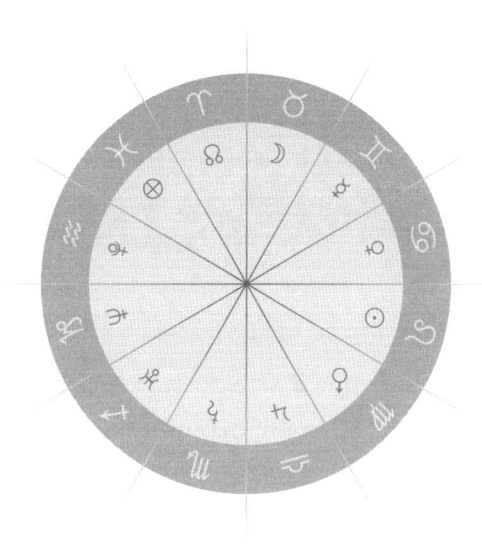

Módulo 9:
A Lua

Alguns comentários gerais sobre este módulo

Antes de começar o Módulo 9, esperamos que você tenha interpretado o Sol no mapa de Mozart e confrontado sua leitura com a nossa (disponível no Apêndice).

Neste curso básico para principiantes, não exploramos detalhadamente o Ascendente. Entretanto, sabemos que ele descreve a maneira como as pessoas o veem e o modo como você quer ser visto. Veja como, mesmo sem descrições extensas, você já pode ter uma boa ideia de como funciona esse importante ponto do mapa astrológico.

O Ascendente de Mozart (a cúspide da primeira casa) está a 12° 41' de Virgem e é regido por Mercúrio em Aquário na casa 5. Com esse posicionamento, as pessoas veem o nativo como diligente, estudioso, científico, exigente; alguém que busca perfeição, humano e pesquisador dos fatos; todas as descrições encontradas em Virgem no capítulo sobre os signos. Por conta de Mercúrio, planeta regente de Virgem, bem como do Sol em Aquário, eliminamos algumas palavras: discriminador, mesquinho, crítico, pedante. Acrescentamos um pouco da essência de Aquário, como independente, inventivo, individualista, progressista e artístico, e temos uma boa noção de como Mozart se saiu. Mais uma vez, seja criterioso na escolha de palavras e tenha o mapa todo em mente. A posição do regente do Ascendente por casa é onde o nativo realmente deseja estar. Como Mercúrio, regente do Ascendente, está na quinta casa, da criação, faça uma observação mental de que a arte de se expressar e todos os outros assuntos dessa casa são muito importantes para ele.

Agora, vamos tratar da Lua nos signos. Quando estiver familiarizado com este módulo, analise e interprete a Lua de Mozart da mesma forma que fez com o Sol, e confira sua leitura com a nossa, no Apêndice, na página 456.

A Lua nos signos

A Lua representa as *emoções*, os *instintos* e o *princípio feminino*. As descrições que se seguem devem ser consideradas nesse contexto.

> ☽ ♈ **LUA EM ÁRIES**
> palavra-chave *emocionalmente agressiva*

Você reage à vida como se fosse uma aventura e está aberto a novas ideias. Relaciona-se com a experiência como meio de autorrealização. Dotado de entusiasmo natural e sincero, precisa trabalhar conscientemente para desenvolver a virtude da paciência. Seu humor é irregular; você se inflama rapidamente, mas logo esquece a causa da explosão.

Por trás de um exterior agressivo, pode haver uma sensação de insegurança; é preciso desenvolver a capacidade de pedir ajuda e de ser vulnerável. Com frequência, predomina a tendência do "eu primeiro". Sua mente rápida e mutável é brilhante e aguda, mas também suscetível ao nervosismo e até a dores de cabeça.

Você parece emocionalmente distante das pessoas com as quais convive. Seus sentimentos são agudos e nítidos, e, muitas vezes, você os utiliza como instrumento consciente em benefício próprio. Sua natureza independente pode torná-lo corajoso a ponto de ser imprudente.

Quando está interessado, é muito caloroso; quando não é despertado interiormente, é impessoal. Você sente com o ego. Suas percepções e reações mentais são muito rápidas. Instintivo, confia nas percepções dos sentidos e é capaz de agir imediatamente, sem reflexão; lança-se à ação, levado pelos sentimentos e, não pela razão. Você não é metódico; ressente-se da autoridade e não gosta de conselhos.

Você se sobressai em situações em que as decisões rápidas são vitais. Seu entusiasmo é mutável (mais ainda que os de uma pessoa com o Sol em Áries). Tem muita originalidade, inventividade e excitação, mas não muita persistência. Quase sempre toma a iniciativa em muitas atividades, mostrando confiança excessiva e pouca estratégia. Tenta dominar os outros emocionalmente e, em geral, tem autoridade, porque é melhor líder que liderado.

Ambicioso e pioneiro, vive e lucra de maneira irregular. Não gosta de detalhes, não ouve conselhos, acha difícil aceitar a disciplina e precisa cultivar a perseverança. Seus sentidos são bem desenvolvidos, principalmente a visão. Sua atitude dinâmica e a autoconfiança impressionam os outros. Esse posicionamento da Lua pode indicar ciúme e necessidade de dominar o parceiro, ou, ainda, atrair um parceiro dominador.

Como a Lua no mapa representa a mãe, a seus olhos, sua mãe personifica muitos dos traços de Áries: resoluta, independente, ativa, franca, com grande influência sobre você.

Bobby Short, pianista/cantor; Edith Galt Wilson, primeira-dama; Melvin Belli, advogado; Malcom X, militante e ativista negro.

☽ ♉ LUA EM TOURO
palavra-chave *emocionalmente estável*   exaltação

Suas emoções se dirigem para o conforto, convergindo para as posses e os bens materiais. Com a Lua em Touro, você deseja o melhor de tudo e raramente aceita menos. A Lua está exaltada em Touro; esse posicionamento traz à tona o lado reflexivo e firme da Lua e desenfatiza sua característica mais mutável.

Você se apega aos ideais com unhas e dentes. É cegamente fiel, sentimental, afetuoso e tímido. Pode faltar certa originalidade, portanto tente não ser muito intransigente.

Suas reações às percepções dos sentidos são lentas, porém fortes. Você tem memória precisa. Pondera a respeito de alguma ação durante muito tempo, usando premissas, ética e ideais; assimila a informação e age com base nela de maneira lenta e firme. É difícil para você mudar de ideia, e se ressente de qualquer interferência depois de ter tomado uma decisão. Você é uma pessoa determinada, com intuição bem desenvolvida e ajuizada. Quer se sobressair em tudo que faz. É ambicioso – não apenas no que diz respeito a bens materiais, mas também às amizades.

Seu tato e seu paladar são altamente desenvolvidos, e é provável que tenha voz agradável, falando ou cantando. Gosta de música, arte, dança e de tudo o que torna a vida mais agradável, e precisa satisfazer aos apetites físicos.

Você só aceita ideias compatíveis com seu temperamento estável. Pode ser que tenha a mente estreita, conservadora e convencional. Cuidado para não cultivar o orgulho, a preguiça, o ciúme e a teimosia em excesso. Depois de escolhido o rumo, você avança devagar, mas sem se desviar.

Raramente abandona as tradições, a educação ou os ideais familiares transmitidos pela mãe, com quem tem ligação estreita, mas nem sempre feliz. Seus relacionamentos de amizade, amor e casamento são fiéis e duradouros.

Essa colocação da Lua pode indicar aptidão para a jardinagem. No amor, o nativo tente a atrair um parceiro leal, que estimula suas ambições.

Gregory Peck, ator com voz atraente; Joe Biden, 46º presidente dos Estados Unidos; Maurice Templesman, comerciante de diamantes e empresário; George Archer, campeão de golfe.

☽ ♊ LUA EM GÊMEOS
palavra-chave *emocionalmente versátil*

Você se interessa por contatos íntimos efêmeros. Sua natureza emocional exige variedade e novidade em vez de duração e profundidade de sentimentos. Em geral, você é incapaz de sentimentos duradouros e de exclusividade afetiva. Embora às vezes possa ser insensível, suas percepções são rápidas e precisas, e você as mantém no pensamento, não no sentimento.

Seus sentidos servem mais ao intelecto que às emoções. Uma consequência disso é a capacidade de observação e raciocínio desapaixonados. Sua mente é mutável e, às vezes, caótica, mas você é capaz de assimilar uma quantidade enorme de detalhes. Sendo versátil e adaptável, pode ser que tenha duas ou mais vocações, quase sempre ao mesmo tempo.

Você gosta de ação e movimento, tanto física como mentalmente. Possui habilidade, destreza e rapidez manual, além de olfato bem desenvolvido. Não é intuitivo, mas é observador, organiza suas percepções rapidamente e, em geral, é capaz de verbalizá-las.

Você é atraído para as profissões artísticas e literárias e para qualquer área que envolva comunicação. Para seu bem-estar psicológico, prefere fazer várias coisas ao mesmo tempo, e tem necessidade disso. Muitas vezes, a capacidade intelectual desse posicionamento faz de você um leitor voraz e um artesão talentoso.

É discreto em relação a assuntos pessoais, e os outros, às vezes, o acham frio; está mais interessado no aqui e agora que no passado. Dilacerado por sentimentos mutáveis, pode se interessar por muitas coisas ao mesmo tempo e dispersar suas forças, o que pode se manifestar através de tensão nervosa. Sabe bajular os outros e, por vezes, é perspicaz em benefício próprio. Sua natureza inquieta está sempre à procura de algo novo.

Esse posicionamento da Lua pode indicar superficialidade e falta de apego ao lar, além da atração por um parceiro intelectual que consiga se encaixar em qualquer papel social. Você vê sua mãe como alguém emocionalmente distante, sociável e versátil, porém que apoiou sua educação e o ajudou quando você começou a se comunicar.

Joan Miró, artista; Toni Tennille, cantora de pop rock; Howard Cosell, locutor esportivo; Johannes Kepler, astrônomo e astrólogo alemão.

☽ ♋ LUA EM CÂNCER
palavra-chave ***emocionalmente tenaz***   domicílio

Maternal, simpático, algumas vezes protetor, você confia em seus sentimentos, mas fica apreensivo em relação a assuntos que estão fora do seu controle.

É intuitivo e sensível, porém nem sempre age baseado nas percepções. Sua mente é meditativa, e suas reações são lentas e vacilantes. Sensível às influências externas, capta as vibrações negativas dos outros; se essas emoções invadirem seus relacionamentos pessoais, poderão torná-lo temperamental e infeliz. Você esconde seus verdadeiros sentimentos e suas fortes emoções por baixo de uma rígida carapaça.

Com esse forte posicionamento lunar, há grande tendência à tranquilidade e à passividade, o que resulta em amor especial pelo lar e pela família; essa é sua ligação básica. Tende mais a um amor suave, pacífico e romântico que a grandes paixões. Essa colocação da Lua indica um laço muito profundo e muito forte com a mãe. Se o cordão umbilical não for cortado em tempo, os relacionamentos podem se tornar problemáticos.

Você é muito intuitivo e demasiadamente sensível às influências externas; sente o ambiente, tanto consciente quanto inconscientemente. Aceita imposições com facilidade, mas quando isso acontece sente profundo ressentimento.

Gosta do seu lar e precisa ter uma base para se refugiar, mas viaja com frequência e faz mudanças na vida. Sua natureza doméstica, protetora, o inclina a tomar conta de outras pessoas, e você é muito empático em relação aos sentimentos delas.

A Lua em Câncer é parcimoniosa, econômica e cuidadosa em relação a dinheiro e propriedades, e não gosta de desperdício. Artístico, criativo e dramático, você tem uma queda natural para a música, a poesia e o teatro. Seu amor pelo lar e pela família também pode se expressar como autêntico patriotismo.

No mapa de um homem, esse posicionamento da Lua pode ser emocionalmente sensível demais. Quando procura uma parceira, ele se sente atraído por uma mulher mais mãe que companheira. A mulher com a Lua em Câncer magoa-se com facilidade e tende a dominar a cena doméstica.

Liza Minelli e Aretha Franklin, cantoras; David Scott, astronauta; Stephen Foster, autor e compositor.

☽ ♌ LUA EM LEÃO
palavra-chave *emocionalmente dramático*

Autossuficiente e autoconfiante, você não interfere nas situações, a menos que esteja pessoalmente envolvido. Depois de ter decidido agir, ofende-se se alguém interfere ou critica sua ação. Liga-se emocionalmente a qualquer coisa que lhe pertença ou que tenha influência direta no ego.

Suas percepções sensoriais e sua intuição são bem desenvolvidas, e você é capaz de fazer avaliações rápidas e precisas dos outros e de suas motivações. Seu temperamento é ígneo, e você sabe colocar os outros no devido lugar.

Egocêntrico e um tanto pretensioso, pode carecer de objetividade e ter um ponto fraco na perspectiva emocional. Para desfrutar verdadeiramente de um relacionamento, seu coração precisa estar envolvido.

Em geral, você não é curioso, mas quando está motivado aprende de maneira rápida e precisa, embora todo aprendizado seja colorido pelos sentimentos. Leão dá nobreza às emoções, mas essa colocação também torna difícil retroceder ou chegar a um acordo. Você é difícil de ser convencido, mas, quando abre a mente e o coração, aprende mais rápido que qualquer um.

Tem necessidade de ser admirado e aplaudido. A despeito da lealdade básica, se não se sentir valorizado, vai procurar aprovação e satisfação em outro lugar.

As pessoas com a Lua em Leão são magnéticas e encantadoras, mas também podem ser dominadoras e arrogantes. Esse posicionamento o torna romântico, divertido e *sexy*, ou pode dar-lhe a tendência a ser convencido, arrogante e dominador. Tanto os homens como as mulheres com essa colocação são atraentes e procuram um parceiro que tenha classe, entusiasmo, bom gosto.

A Lua em Leão leva a posições de autoridade e liderança, que você aceita naturalmente e com seriedade. Você é ambicioso e preocupado com *status*; deseja ter posição de destaque e receber aplausos. Tem franca honestidade e manifesta grande capacidade de organização; mas tome cuidado para que isso não se transforme em autoritarismo.

Você gosta de música, artes, luxo e crianças, e seu temperamento, em geral, é alegre e autoconfiante. Suas emoções são fortes, e você dá afeto generosamente; em geral, prefere os prazeres sofisticados.

Vê sua mãe como forte personalidade que o dominou na juventude. Ela tentou transmitir-lhe sólidos valores morais e religiosos.

Ansel Adams, fotógrafo; Edouard Lalo, compositor espanhol; Louis Braille, educador de cegos; Geraldine Ferraro, candidata à vice-presidência.

☽ ♍ LUA EM VIRGEM
palavra-chave *emocionalmente discriminador*

Você reage bem ao estímulo e ao reconhecimento e tem profunda ânsia de compartilhar experiências e autorrealização com os outros. Entretanto, isso pode torná-lo emocionalmente ambicioso, já que há a tendência a ditar o rumo de todos os seus relacionamentos. Você é insistente e pode chegar a ser petulante. É generoso com seu tempo e com seu serviço; deseja servir as pessoas, mas tem dificuldade de entender os sentimentos dos outros. Você quer o que quer e do jeito que quer.

Esse posicionamento da Lua enfatiza suas qualidades mentais, mas aqui as qualidades mentais inquietas de Gêmeos são substituídas pela firmeza e praticidade de Virgem. Você não valoriza o conhecimento em si, mas o procura para usá-lo e aplicá-lo. Sua memória é excelente. Você analisa e critica cuidadosamente todas as impressões e percepções dos sentidos. Essa não é a colocação mais sexual para Lua.

Você gosta de ciência e/ou do oculto. Pode ser clarividente e dispõe de grandes capacidades intuitivas, caso queira desenvolvê-las.

Às vezes, pode ser temperamental. Prefere sempre ser reconhecido pela capacidade mental e pela imaginação fértil. Apesar da tendência virginiana a procurar defeitos e discutir, você aparenta ser tranquilo, tímido e modesto. Embora seja basicamente certinho e conservador, suas inclinações religiosas são tolerantes. Com essa Lua mutável, você tem muitos conhecidos, muda frequentemente a vida e faz várias pequenas viagens.

Você é um excelente professor. Não faz perguntas pessoais, a menos que necessário, e sua curiosidade só vem à tona em relação a trabalho e a questões práticas. Interessa-se por dieta, saúde e higiene, tendendo a se preocupar e a desenvolver nervosismo; como resultado, sua digestão pode ser prejudicada. Muitas vezes, essa posição da Lua é chamada de "Lua da caixa de remédios". Você é perspicaz, com bom tino comercial e meticulosamente detalhista. Pode sair-se muito bem na psicanálise ou em qualquer tipo de ocupação analítica. Tente neutralizar o excesso de detalhismo ou a falta de confiança em si mesmo.

Esse posicionamento da Lua no mapa indica, com frequência, insegurança emocional, que se expressa como falta de calor e, às vezes, inibição. Há a tendência a atrair um parceiro desprendido, não possessivo, para que não lhe sejam feitas exigências emocionais. Sua mãe pode parecer-lhe crítica e fria, e ser trabalhadora e dedicada.

Princesa Anne da Inglaterra; Deborah Kerr, atriz de cinema, TV e teatro; Wilhelm Messerschmitt, projetista alemão de aeronaves; Jack Paar, apresentador do "The Tonight Show".

☽ ♎ LUA EM LIBRA
palavra-chave *emocionalmente sofisticado*

Você vê a vida como forma de conhecer a si mesmo por meio de tentativa e erro. Procura compartilhar a experiência em todas as ocasiões e tem sentimento natural, charmoso, afável e impessoal em relação à humanidade. Sente profunda necessidade de que os outros gostem de você; sua conduta é naturalmente cortês, encantadora e diplomática. Seu bem-estar emocional depende da aprovação dos outros, de onde decorre seu desejo de agradar.

Você tende a viver o momento presente e tem seus altos e baixos de acordo com as mudanças dos acontecimentos. É amistoso, desenvolto e popular, mas se usar negativamente essa posição lunar pode se tornar caprichoso, inconstante e crítico. Como você se "derrete" facilmente diante do elogio, precisa desenvolver, de forma consciente, a autoconfiança e aprender a dizer *não*. Você precisa refrear sua tendência à preguiça e à paquera.

Suas percepções sensoriais são esteticamente fortes; você tem necessidade de dedicar-se à perfeição. Como Virgem, vivencia as sensações através da mente e avalia os fatos, mas não os critica ou analisa. A qualidade aérea de Libra carece da aplicação prática que vimos no signo de terra de Virgem. A mente de Libra é mais contemplativa; as ideias são grandiosas, mas nem sempre se transformam em realidade. Para você, o julgamento é mais importante que a execução.

A decisão, geralmente, não é uma qualidade marcante com esse posicionamento, mas a cordialidade libriana esconde grande força. Você gosta de música, poesia e artes. Embora tenha alguma aptidão nessas áreas, em geral é mais um apreciador.

Afetuoso e de boa índole, é muito requisitado socialmente. As pessoas à sua volta o influenciam, e sua vida amorosa depende muito do quanto é apreciado. Para você, os parceiros são importantes, já que trabalha melhor em conjunto.

O nativo com a Lua em libra procura um parceiro sofisticado, sociável e amante do prazer, atraente e inteligente. É também sociável, bom anfitrião e gosta de ambientes, decoração e roupas bonitas.

A seus olhos, sua mãe deu muita atenção às suas maneiras e à sua conduta em geral, e tentou motivá-lo a apreciar a beleza nas artes e na natureza.

Henri Toulouse Lautrec, artista com crescimento lento e restrito; Mel Gibson, ator e produtor; Fidel Castro, presidente cubano; Billy Casper, jogador de golfe profissional.

☽ ♏ LUA EM ESCORPIÃO
palavra-chave *emocionalmente possessivo* queda

Suas emoções são intensas e normalmente estão enraizadas num desejo poderoso. Você é impaciente, temperamental e dado à meditação. Ofende-se com facilidade e pode se tornar ciumento, rancoroso e vingativo. Com frequência, julga os outros com muita rapidez e sente necessidade de dominá-los por meios sutis.

Você não tolera que os outros interfiram em seus objetivos ou se oponham a eles, mas com frequência abre mão de muita coisa por bondade. Você tem capacidade executiva, é empreendedor e cheio de recursos. Embora seja brusco e impulsivo, tem autoconfiança e capacidade de chegar ao sucesso. Geralmente, consegue o que quer; entretanto, pode não dar valor às vitórias.

Por ter tendência extrema ao orgulho e à possessivade, esse posicionamento da Lua não promete um casamento harmonioso. O desejo de dominar, muitas vezes, se reflete no relacionamento com os filhos; isso pode ser resultado da dominação ou da grande idealização de um dos genitores, em geral da mãe. Com esse posicionamento lunar, a mãe pode ser demasiadamente possessiva e ter dificuldade em proporcionar liberdade ao filho, sobretudo se for menino.

Você se concentra emocionalmente na realização e na fruição de qualquer projeto – e, quando está envolvido, pode parecer lhe faltar simpatia. Sua personalidade é profunda, e você tem percepção aguda dos outros e, com frequência, gosta de investigar áreas profundas e desconhecidas.

Você considera os sentidos como instrumentos de prazer, não de conhecimento, reagindo intensa e apaixonadamente à vida e ao sexo. Sua capacidade de observação é ilimitada. Muitas vezes, sua força de vontade é latente, mas quando você a usa é para o aperfeiçoamento da humanidade.

O uso negativo da Lua em Escorpião pode levar ao excesso no campo sexual, à inibição, à perversão ou ao alcoolismo. Sua maior necessidade é aprender a perdoar e esquecer. Você precisa aprender a lidar com os sentimentos fortes e profundos. Como os sentidos são tão importantes, deveria dar mais atenção a eles.

A Lua em Escorpião pode indicar promiscuidade sexual, autoindulgência e problemas familiares. Há tendência a buscar um parceiro sensual, porém gentil o bastante para que ele possa possuí-lo e usá-lo. Reservado e calado, precisa de um parceiro intuitivo que consiga sentir seu estado de espírito.

George Steinbrenner, empresário e executivo de beisebol; Ru Paul Charles, apresentador de TV; k. d. lang, cantora e compositora; Etienne Drioton, padre católico romano.

☽ ♐ LUA EM SAGITÁRIO
palavra-chave *emocionalmente idealista*

Você é socialmente ingênuo e desconhece por completo as verdadeiras diferenças entre os seres humanos, reagindo aos outros como se fossem parte de você. Sua tendência é misturar-se e fundir-se com as pessoas. Você precisa, e quer, fazer tudo com todos, e é aberto e amistoso. Tem senso profético e inspiracional agudo. Inquieto, está sempre em busca de algo, frequentemente sem persistência.

Suas percepções sensoriais são nítidas e mais precisas que em quase qualquer outro signo; assim, seu julgamento é perspicaz. Mas você precisa aprender a pensar antes de falar. Sua mente não gosta de confusão e rejeita qualquer coisa irrelevante em relação ao problema em questão. Porém, quando se concentra em uma única coisa, parece ter mente estreita. Agitado mental e fisicamente, precisa de atividade e exercício físico. Tem necessidade de andar em liberdade e gosta de esportes, tanto participando deles como assistindo a eles.

Suas tendências para o psíquico e o oculto são fortes, e você é mais sensível do que faz supor sua atitude livre e vigorosa. É professor ou orador nato, com talento para religião, filosofia, poesia e música. Gosta de ajudar os outros.

Você tem alto grau de independência, necessidade de liberdade e tendência a ser um pouco brusco. Precisa contrabalançar o descuido e a negligência com tato e consideração.

A Lua em Sagitário pode indicar casamento tardio, celibato ou solteirice convicta, cheia de aventuras, podendo torná-lo demasiado independente ou até libertino.

Sua mãe – ou assim lhe parece – vivia sua vida e o deixava quase por conta própria, mas proporcionava, generosamente, o que achava que você precisava.

Albert Einstein, gênio, físico e matemático; Rupert Murdoch, editor de jornal e empresário; Billy Graham, pastor evangélico; Kate Millett, artista, escultora e feminista.

☽ ♑ LUA EM CAPRICÓRNIO
palavra-chave *emocionalmente reservado* exílio

Você quer ser reconhecido como alguém poderoso e importante. Emocionalmente, é supersensível e, ao mesmo tempo, crítico dos outros; entretanto, é incansável e ponderado quando está interessado e envolvido.

A Lua está em detrimento em Capricórnio, em oposição ao caloroso e protetor Câncer. Essa posição lunar enfatiza a reserva e a frieza. Você é tímido e inseguro quanto ao próprio valor; tem muitos temores inconscientes e pode ser demasiado sensível à rejeição real ou imaginária. Procura se justificar agindo com dignidade pessoal e através da grande ambição de sucesso. Assim, não é simpático nem muito emotivo de modo autêntico. Estranhamente, as mulheres parecem lidar com essa colocação da Lua melhor que os homens.

Sua mente reage de forma rápida às percepções sensoriais, porém frequentemente com raiva ou antagonismo. A combinação de Saturno, regente de Capricórnio, com a Lua pode se manifestar em tendência à melancolia, mas também pode levar à popularidade ou à fama.

Esta posição da Lua, mais que qualquer outra, vai reagir ao restante do mapa. O sentimento "pé no chão" da Lua em Capricórnio vai captar o melhor de um mapa com aspectos favoráveis ou o pior, se houver muitos desafios. Bem aspectada, favorece a liderança e a capacidade administrativa. Os aspectos desfavoráveis, muitas vezes, provocam falta de energia criativa, embora a ambição seja poderosa. Se você não aprender a lidar com essa posição, pode ter tendência ao alcoolismo, entregar-se à cobiça ou ao desejo calculista de chegar ao poder a qualquer custo, sem se preocupar com ninguém. Você faz inimigos com facilidade, quer mereça, quer não, o que pode trazer problemas à sua reputação.

A Lua em Capricórnio indica forte influência parental. Sua mãe foi bastante tradicional e conservadora na sua criação. Ela era prática e eficiente, embora sociável, e o estimulou a buscar o sucesso em todos os empreendimentos.

Você é cauteloso no que se refere a dinheiro, tem bom senso e praticidade. Esses traços podem se tornar exagerados, inclinando-o ao excesso de cautela, à melancolia e à austeridade. Você precisa cultivar o calor e a ternura e aprender que dar livremente, sem pedir nada em troca, pode ser mais gratificante que exigir dos outros. No trabalho, você demonstra aplicação; assume a responsabilidade e pode chegar a um alto cargo através do seu esforço persistente.

Nativos com Lua em Capricórnio tendem a ficar tristes e a achar que "ninguém no mundo gosta de mim". Buscam um parceiro que possa ajudá-lo nas ambições sociais, a administrar um lar confortável e a controlar as finanças da família.

Kirk Kerkorian, empresário; Hugo L. Black, distinto juiz da Suprema Corte; Gianfranco Zeffirelli, cenógrafo e figurinista italiano; Joyce Carol Oates, diretora de cinema e ópera, romancista.

☽ ≈ LUA EM AQUÁRIO
palavra-chave *emocionalmente desprendido*

Você considera a experiência seu campo de testes. Reage a tudo em nível utilitarista e, ao mesmo tempo, idealista. Para você, é muito importante descarregar, já que tende a se sobrecarregar emocionalmente. Precisa de uma causa ou de um projeto para liberar a tensão ou fica frustrado. Isso pode levar à busca incansável ou à iluminação espiritual. Suas percepções sensoriais são rápidas, e sua mente e suas emoções reagem juntas; assim, você dispõe de clareza e envolvimento mentais. Há boa mistura de instintos religiosos, humanitários, sexuais e científicos nesse posicionamento.

Você tem uma qualidade universal e está à frente do seu tempo. É um amigo encantador e bom companheiro, além de conversador interessante. As mulheres com a Lua em Aquário podem se tornar demasiado excêntricas e experimentais, e precisam, assim como os homens, evitar serem muito impessoais ou distantes. Você procura um parceiro mais ou menos liberado, sobretudo em questões sexuais.

Você pode ter inclinação para a política, para a educação ou para assuntos fora do comum, como a Astrologia e o oculto. É possível que demonstre originalidade, engenhosidade, inventividade e capacidade científica. Sua imaginação é fértil, e você tem muita energia criativa; se não se cuidar, o excesso de energia emocional pode prejudicar seu sistema nervoso. Você é um aglutinador nato, principalmente em torno de uma causa.

Você prefere o inconvencional e valoriza a independência pessoal. É idealista e tolerante, mas, por trás de um exterior amistoso e extrovertido, pode haver bastante egoísmo. Você precisa controlar conscientemente o comportamento errático, a frieza e a imprevisibilidade. A educação ética e os padrões morais aprendidos na infância trarão bons resultados.

Esse posicionamento da Lua dá muito valor à amizade, ao humanitarismo e à gentileza. Sua necessidade de independência emocional pode levar à solidão e à dificuldade nos relacionamentos emocionais; é possível que você os afaste com aparente indiferença. Sua natureza emocional pode ser fria, porque você não entende as necessidades emocionais dos outros, agindo de forma calorosa e amistosa, mas não particularmente íntima.

Você vê sua mãe como amiga e companheira. Ela o educou para ser independente; é humanitária, e seu comportamento geral não é rotineiro.

George Gershwin, compositor; Mary Baker Eddy, fundadora da Ciência Cristã, esposa do político Tipper Gore, "banqueiro de Deus", envolvida na máfia do esquema de lavagem de dinheiro Roberto Calvi.

☽ ≈ LUA EM PEIXES
palavra-chave *emocionalmente instintivo*

Você é muito suscetível às profundidades da experiência humana, compreensivo e afetuoso em relação a todas as pessoas. Emocionalmente ingênuo, está disposto a ignorar as falhas e deficiências dos outros. Desse modo, tende a se magoar com facilidade, a chorar ou a ter pena de si mesmo. Não gosta de enfrentar os fatos de maneira objetiva, e seus relacionamentos podem ser prejudicados por causa da sensibilidade de suas emoções. Às vezes, pode carecer de humor e de senso comum.

Suas percepções sensoriais podem enganá-lo por causa do romantismo e otimismo superdesenvolvidos; você usa as autênticas lentes cor-de-rosa. Como quer acreditar no melhor sobre todas as coisas, a verdade e a realidade o perturbam. Geralmente, tem talento musical, poético e artístico.

Dependendo dos aspectos, essa pode ser a pior ou a melhor posição da Lua. Se o posicionamento for favorável, proporciona visão realista; se for desfavorável, pode causar ilusão ou desilusão total. Você é calmo, introvertido, afável e simpático com os desfavorecidos. É gentil, às vezes bonachão, irrealista e sonhador. Muda de ideia com frequência; assim, pode ser difícil confiar em você, que se desencoraja e se deprime com facilidade.

Essa é a posição mais psíquica da Lua, e é possível haver sofrimento e muitos obstáculos no caminho para atingir seus objetivos. Você precisa se sentir amparado e amado, e gosta de ter beleza, harmonia e conforto à volta, pois sofre em ambientes adversos.

O excesso emocional pode causar problemas de saúde e casamento tardio. Essa posição, muitas vezes, contribui para um silencioso magnetismo que atrai homens e mulheres.

O nativo com a Lua em Peixes necessita de um parceiro devotado, afetuoso e simpático, que provavelmente terá influência forte e indispensável em sua vida privada, mas não necessariamente em sua carreira.

Você vê sua mãe como uma pessoa simpática, mas talvez demasiadamente envolvida com a própria vida. Nem sempre você a enxerga com clareza – às vezes, supervaloriza-a e, às vezes, subestima-a.

Paul Cézanne, artista impressionista; Georgie Anne Geyer, jornalista; "Sr. Rogers", personalidade de TV de Fred Rogers; Pierre Balmain, estilista.

A Lua nas casas

LUA NA CASA 1
palavra-chave *ambiental*

Você é emocional, sensível e mutável, e tudo depende de como se sente; logo, tende a ser instável. Pode ser bem-sucedido com o público depois que vencer a timidez básica. A necessidade de reconhecimento o torna ansioso por agradar, ressentindo-se ao menor sinal de que seus esforços não estão sendo apreciados. Você tem fortes laços com sua mãe, e se a Lua estiver em conjunção com o Ascendente pode haver forte complexo materno. Sua imaginação é fértil, e você é muito sensível ao ambiente. Fisicamente, é ativo, e, se a sua Lua estiver em um signo cardeal ou mutável, pode causar inquietação.

François Mitterrand, presidente da França; Lola Falana, dançarina; Francisca Xavier "Madre" Cabrini; Robert Rauschenberg, artista vanguardista estadunidense.

LUA NA CASA 2
palavra-chave *aquisitivo*

Você tem tino comercial agudo, é possessivo e capaz de mudar os valores dos outros. Sua situação financeira vai passar por muitas mudanças. Em alguns casos, você poderá lucrar através de sua mãe ou do parceiro; essa posição é boa para negócios com o público e com as mulheres. O dinheiro e os bens materiais são importantes para sua segurança emocional. Pode ser que você seja muito mesquinho ou extremamente generoso, e é preciso evitar esses extremos. Se a Lua estiver em um signo fixo, você tem tendência a se apegar às pessoas e ao dinheiro.

Drew Barrymore, atriz; Maryon Kantaroff, escultor; Tip O'Neill, presidente da Câmara; Carole King, cantora/compositora.

LUA NA CASA 3
palavra-chave *expressivo*

Você é dramático e intelectualmente curioso; isso lhe dá uma personalidade fascinante. É inquieto, gosta de viajar e se deixa dominar pelo ambiente com facilidade. Seus irmãos são importantes para você e, muitas vezes, eles o ajudam. Você pode mudar várias vezes de escola, e geralmente não tem concentração para estudar. Aprende melhor ouvindo os outros; sua memória é boa, e você detesta a rotina. A família influencia seu pensamento, bem como a maneira como se comunica.

Elvis Presley, superastro e cantor; Santa Bernadette de Lourdes; Pete Rugolo, músico de jazz; Dorothy Kate Haynes, escritora de horror e fantasia.

LUA NA CASA 4
palavra-chave *amante do lar*   dignidade acidental

Você é intuitivo e protetor, gosta do seu lar, de sua família e do seu país; entretanto, se há muitos aspectos desafiadores, pode ser separado deles. A Lua nessa casa indica forte ligação com um dos pais. Gosta de colecionar e, em especial, de antiguidades, da tradição e da ancestralidade. Pode ser que mude várias vezes de casa, principalmente se a Lua estiver em um signo mutável. Você tende a ser egocêntrico, tendo o "eu" e o "meu" como forças motivadoras. É capaz de se isolar da realidade.

Maria Shriver, âncora de telejornal; Brian Wilson, cantor problemático do "The Beach Boys"; "Evita" Peron, primeira-dama argentina; Thomas More, humanista e historiador.

LUA NA CASA 5
palavra-chave *teatral*

Suas emoções são fortes, quer você as expresse através do amor, da criatividade ou do desejo de ter filhos. É romântico e inclinado a ter inúmeros casos na constante procura do prazer, a não ser que haja muitos planetas em signos fixos no seu mapa. Você tem muito charme e imaginação poética. Sua criatividade vai se manifestar de acordo com o signo da Lua e com os aspectos que ela faz. Esse posicionamento promete um casamento fecundo. É um bom pai ou mãe, mas é capaz de fazer com que os filhos sejam dependentes. A Lua aqui pode indicar sucesso precoce e sugere carreira nas áreas do ensino, dos esportes ou do teatro. Assim como as marés do oceano, a Lua na quinta casa das aventuras especulativas pode estar sujeita a flutuações.

Federico Fellini, diretor de cinema; Rosemary Clooney, cantora; Geraldo Rivera, apresentador de talk show de TV; Francis Poulenc, compositor, membro do grupo "Les Six".

LUA NA CASA 6
palavra-chave *adaptável*

O posicionamento da Lua no mapa indica uma área de muitas mudanças; assim, na sexta casa, a Lua reflete mudanças no trabalho. Você é atencioso com os outros, sobretudo com os empregados, se houver; é trabalhador e espera que os outros trabalhem tanto quanto você. Seu nervosismo pode se expressar através de doenças, as quais, muitas vezes, podem ser psicossomáticas. Tem forte tendência a cuidar dos outros e a servi-los. É bom cozinheiro e se sairia bem em qualquer negócio que atendesse ao público, como mercados e restaurantes. A não ser que a Lua esteja em um signo fixo, você tem tendência a mudar de hábitos.

Pearl Bailey, cantora e representante das Nações Unidas; Giulio Andreotti, ex-primeiro-ministro da Itália, acusado de envolvimento com a Máfia; Wilhelm Busch, autor, poeta e ilustrador alemão; Max Ernst, artista surrealista e dadaísta; Coco Chanel, estilista francesa.

LUA NA CASA 7
palavra-chave *popular*

Você é popular e sociável, e esse posicionamento acentua os relacionamentos interpessoais. É muito sensível e, com frequência, reage às necessidades do público. É difícil para você decidir se casar, e geralmente tem muitas oportunidades para isso. Muitas vezes, devido à dependência emocional, pode se casar cedo; isso nem sempre funciona, por causa de sua necessidade de desenvolver a maturidade nos relacionamentos pessoais. Pode ser que atraia um parceiro sensível, que o apoie emocionalmente.

Shirley Temple Black, atriz e embaixadora; Eugene Fodor, violinista; Shirley Jones, cantora e atriz; Cher, estilista, cantora e atriz.

LUA NA CASA 8
palavra-chave *intuitivo*

Você tem necessidade inerente de segurança. Muitas vezes, interessa-se por assuntos que os outros consideram mórbidos, como vida após a morte. Afeto, amor e sexo são muito importantes para você; se a Lua receber aspectos desfavoráveis, pode fazer mau uso de sua sexualidade. O dinheiro pode vir através de um parceiro, de sua mãe ou das mulheres em geral. Frequentemente, há envolvimento com a administração do dinheiro dos outros.

General George Patton; Lena Horne, cantora; Les Aspin, secretária de Defesa; Dinah Shore, cantora, atriz e apresentadora de TV.

LUA NA CASA 9
palavra-chave *filosófico*

Você desenvolve uma filosofia através dos sentimentos e da devoção a seus ideais; sua perspectiva religiosa geralmente é ortodoxa. O estudo dos aspectos mais profundos da vida é importante para você, que é receptivo aos reinos do superconsciente. É imaginativo e gosta de viajar. Também pode ser nômade, sonhador inquieto. Você é um professor nato em quase todas as áreas.

Benjamin Disraeli, primeiro-ministro; Gustave Flaubert, autor de "Madame Bovary"; Swami Vivekananda, fundador do Vedanta no Oeste; Anjelica Huston, atriz.

LUA NA CASA 10
palavra-chave *social*

Com este posicionamento da Lua, é provável que você experimente muitas mudanças na carreira. Precisa lidar com o público de alguma forma, com mulheres ou com campos relacionados às mulheres. Esse posicionamento é favorável para todas as ocupações lunares: marketing, comércio, navegação, assim como para qualquer área relacionada ao público. Sua reputação é importante para você; seus sentimentos, muitas vezes, são dominados pela ambição e pelo desejo de subir na vida. Como precisa ter o mundo como plateia, essa colocação pode atrair escândalos. Você tem pouca vida privada e, às vezes, pode se sentir como se vivesse em um aquário. Precisa se sentir socialmente útil.

Anita O'Day, cantora de jazz; Henry Cisneros, secretário do HUD; Meryl Streep, atriz; Galileu Galilei, astrônomo e astrólogo.

LUA NA CASA 11
palavra-chave *amistoso*

Seus pontos de vista são imparciais, desprendidos e objetivos, mas você muda com frequência os alvos. Tem tendência a ser aglutinador e se sai bem no trabalho organizacional. Você tem muitos amigos e conhecidos que lhe são úteis, com quem tem relacionamento fácil. Entretanto, se sua Lua fizer aspectos desfavoráveis, tome cuidado para não ser usado por falsos amigos. Os muitos objetivos de estabeleceu para si mesmo estão sujeitos a flutuações, trazendo novas oportunidades para expandir sua vida.

Brian de Palma, diretor de cinema; Eric Sevareid, jornalista; Anthony Hopkins, ator; Julian Bond, político e ativista de direitos civis.

LUA NA CASA 12
palavra-chave *isolado*

Você é tímido e sensível e precisa de períodos de isolamento para se recarregar emocionalmente. Gosta de trabalhar em isolamento ou solidão e, muitas vezes, vive no mundo da imaginação. Seu inconsciente é ativo, e você pode se ressentir por rejeições imaginárias. Geralmente inquieto, não aprecia fazer muitas mudanças porque gosta do que é habitual, testado e comprovado. Tem prazer em ajudar os necessitados e, se não se envolver demais com seus pacientes, pode ser um bom enfermeiro. A Lua aqui pode indicar casos de amor secretos.

Mel Lazarus, cartunista; Jerry Brown, ex-governador da Califórnia; Tammy Wynette, cantora de música country; William Blake, escritor, místico e visionário.

Aspectos da Lua

Qualquer aspecto da Lua acentua as *emoções*. A conjunção as enfatiza.
- O sextil fornece a *oportunidade para a expressão emocional positiva*.
- A quadratura *desafia* e *cria tensão emocional*.
- O trígono dá *fluidez e desembaraço à condição emocional*.
- O quincunce sugere *ajuste emocional a ser feito*.
- A oposição oferece a oportunidade de *tomar consciência da própria configuração emocional* e dos outros.

> **ASPECTOS DA LUA COM MERCÚRIO** – Lua/Mercúrio trabalhando juntos
>
> Todos os aspectos Lua/Mercúrio combinam fatores mentais e emocionais. A natureza emocional da Lua influencia a maneira como Mercúrio se comunica. Essa pode ser uma combinação difícil por causa da necessidade de racionalizar *versus* a necessidade da Lua de sentir. O aspecto determina como esses fatores se combinam.

☽ ☌ ☿ LUA EM CONJUNÇÃO COM MERCÚRIO

Quando o planeta das emoções (Lua) está conjunto ao planeta da razão e da comunicação (Mercúrio), a ênfase é sobre a imaginação, a intuição, a fala, a voz e a percepção intelectual.

Sean Connery, ator escocês; Umberto Eco, escritor italiano; Joan Didion, romancista, roteirista e jornalista; Giorgio Armani, estilista.

☽ ✶ ☿ LUA EM SEXTIL COM MERCÚRIO

Esse aspecto indica bom senso comum e pouca ansiedade emocional. Descontraído e afável, a vida se apresenta a você com muitas oportunidades.

Maurice Chevalier, artista de teatro e variedades; Brenda Lee, cantora de música country; Hugh Downs, locutor e apresentador de TV; Don Johnson, ator.

☽ □ ☿ LUA EM QUADRATURA COM MERCÚRIO

A inclinação de Mercúrio ao desapego ressente-se da necessidade emocional da Lua por envolvimento pessoal. Frequentemente tenso, inquieto e excitável, você deve aprender a arte do compromisso, a fim de ganhar o respeito dos outros.

Joseph McCarthy, senador; Mark Russell, político satirista; John B. Connally Jr., senador do Texas; Kathy Bates, atriz.

☽ △ ☿ LUA EM TRÍGONO COM MERCÚRIO

Com mente perspicaz, intuitiva, lógica e judiciosa, geralmente você se expressa de maneira delicada. Como a Lua representa o princípio feminino, no mapa de um homem esse aspecto harmonioso pode proporcionar bom casamento.

Henry Mancini, compositor, pianista e arranjador; Rita Coolidge e Donna Fargo, cantoras; Nick Faldo, campeão britânico de golfe profissional.

☽ ⚻ ☿ LUA EM QUINCUNCE COM MERCÚRIO

Você pode ter dificuldade de resolver seus problemas porque as emoções e o intelecto estão desalinhados. Tem dificuldade de guardar segredos e, muitas vezes, diz coisas sem pensar. A ansiedade e a inquietação podem gerar falta de perspectiva e dificuldade de compreender de onde os outros estão vindo. Assim que encontrar uma maneira de coordenar a lógica (Mercúrio) e as emoções (Lua), muitos caminhos de comunicação se abrirão para você.

Erma Bombeck, humorista e colunista; Jean Baptiste Corot, artista litógrafo; Kenny Kingston, psicometrista.

☽ ☍ ☿ LUA EM OPOSIÇÃO A MERCÚRIO

Você pode ser injusto, já que os sentimentos estão sempre misturados com os julgamentos. A sede de conhecimento intelectual (Mercúrio) pode acabar se chocando com o sentimento (Lua) de incapacidade. Isso a grandes realizações, mas também pode levá-lo a manifestar uma atitude arrogante.

Alexander Graham Bell, inventor do telefone; Coco Chanel, costureira e estilista; Charles Gounod, músico e compositor francês.

ASPECTOS DA LUA COM VÊNUS – Lua/Vênus trabalhando juntos

Esses dois planetas são bastante compatíveis: ambos representam o princípio feminino e são sociais; a Lua nutre e protege; Vênus representa amor e afeição. Portanto, na maioria dos aspectos, funcionam bem juntos, para reforçar os sentimentos, a harmonia, a parceria, a beleza e a atividade social. Ocasionalmente, essa combinação pode evocar excessos emocionais.

☽ ☌ ♀ LUA EM CONJUNÇÃO COM VÊNUS

Você é charmoso, gentil e popular; essa conjunção enfatiza a importância da beleza para o seu contentamento emocional. É criativo, sensível, diplomático e naturalmente amistoso; gosta de arte, música e beleza. Às vezes, pode ser autoindulgente e se envolver demais com o luxo.

Piet Mondrian, artista abstrato holandês; Patti Davis, atriz e filha do presidente Reagan; Jules Massenet, compositor francês; Greta Garbo, para sempre a bela atriz do "Eu quero ficar sozinha".

☽ ✶ ♀   LUA EM SEXTIL COM VÊNUS

Você é refinado, encantador e sociável. Lida bem com pessoas e tem um charme magnético que atrai crianças e animais.

Susan Butcher, corredora de trenó de cães; Jayne Mansfield, atriz; Richard Rodgers, compositor musical de comédia; Cathy Guisewite, cartunista.

☽ □ ♀   LUA EM QUADRATURA COM VÊNUS

A quadratura pode refletir os primeiros desafios com sua mãe ou madrasta, mas não necessariamente com as mulheres em si. Seus pais (quarta e décima casas) podem se opor ao seu parceiro, ou você pode sentir falta de harmonia doméstica (quarta casa). Sua natureza basicamente calorosa e amorosa pode torná-lo querido para todos, em especial quando você aprende a ignorar o que os outros pensam a seu respeito.

Leontyne Price, diva da ópera; Robert Mapplethorpe, fotógrafo; Richard Strauss, compositor e maestro alemão; Joan Crawford, atriz.

☽ △ ♀   LUA EM TRÍGONO COM VÊNUS

Sua natureza básica é vista como calma, alegre e artística. Sua perspectiva prática e estável permite que você tire vantagem de qualquer talento que possa ter. Você pode ter sucesso em carreiras que envolvam mulheres, bem como em questões femininas.

Júlio Verne, romancista futurista; Carol Channing, cantora de "Hello Dolly"; Ingrid Bergman, atriz sueca; Anton Bruckner, compositor e organista.

☽ ⚻ ♀   LUA EM QUINCUNCE COM VÊNUS

Na tentativa de se sentir querido, você se curva diante da opinião dos outros. Parece atrair pessoas que exigem provas de seu amor por elas. A tolerância em excesso pode levar a hábitos não saudáveis, e você precisa aprender a avaliar o que é importante e o que é desnecessário. Para compensar possíveis sentimentos de inferioridade, você, muitas vezes, desenvolve forte necessidade de estar no centro das atenções. A autoconfiança vem com a compreensão de que é amado.

Renata Scotto, diva italiana da ópera; Martin Bormann, secretário do Partido Nazista; Sergei Prokofiev, compositor russo; Tina Brown, a irreverente e sofisticada editora.

☽ ☍ ♀   LUA EM OPOSIÇÃO A VÊNUS

Embora um tanto temperamental (Lua), crédulo e excessivamente indulgente (Vênus), sua veia criativa geralmente prevalece. Sua tendência a lidar mal com o amor e os afetos podem levar à tristeza e à infelicidade. Depois de alcançar o equilíbrio entre o amor de um parceiro (Vênus) e o amor pela família (Lua), você pode ter afeto e prazer em ambas as esferas da vida.

Annette Funicello, atriz e cantora; Ferruccio Busoni, compositor e pianista italiano; Jessye Norman, soprano dramática; MacKenzie Phillips, atriz.

> **ASPECTOS DA LUA COM MARTE – Lua/Marte trabalhando juntos**
>
> As profundas necessidades internas da Lua emocional podem ser facilmente atendidas por meio do vigor e do impulso de Marte ou explodir em raiva e recriminações. Qualquer um com esses dois planetas em aspecto deve encontrar uma via para mesclar o desejo físico de Marte com as demandas sensíveis e sencientes da Lua.

☾ ☌ ♂   LUA EM CONJUNÇÃO COM MARTE

Impaciente e socialmente inflexível, você está disposto a assumir riscos e pode ser emocionalmente ousado. Embora sensível a críticas, também pode ser insensível aos sentimentos dos outros. Combinando a energia marciana ao sentimento lunar da natureza, você pode aprimorar sua capacidade criativa e de empatia.

Martin Sheen, ator de teatro, cinema e TV; Sarah Vaughan, cantora de jazz; Natalie Cole, cantora pop; Berthe Morisot, artista e modelo impressionista francesa.

☾ ⚹ ♂   LUA EM SEXTIL COM MARTE

Marte fornece o impulso para agir de acordo com os instintos e as intuições lunares. O sextil pode ajudar a neutralizar possíveis problemas de saúde, pois reforça a força física.

Dwight Stones, estrela do atletismo; Elliott Gould, ator; Stephen Sondheim; compositor e letrista; Shannen Doherty, atriz.

☽ □ ♂   LUA EM QUADRATURA COM MARTE

Adequadamente canalizada, sua energia é ilimitada, tornando-o capaz de mover montanhas; negativamente, este aspecto pode denotar temperamento explosivo, bem como tendência à indiscrição. Suas exigências, a tendência ao comodismo, a intolerância, o vigor e o sarcasmo cortante podem afastar os outros e deixá-lo sozinho e amargurado.

Dianne Feinstein, senadora; Bobby Fischer, mestre do xadrez mundial; Deacon Jones, jogador de futebol americano; Alfred von Krupp II, chefe do império siderúrgico alemão.

☽ △ ♂   LUA EM TRÍGONO COM MARTE

Você é ambicioso, firme, resoluto e rápido; é um trabalhador incansável. A combinação fluida de energia emocional e física pode levar à coordenação física inata e, portanto, ao interesse ou envolvimento com esportes.

Barbara Walters, entrevistadora; Diahann Carroll, atriz e cantora; Peter Marshall, político dos EUA; Philip Roth, autor e romancista.

☽ ⚻ ♂   LUA EM QUINCUNCE COM MARTE

Este aspecto indica conflito entre suas emoções e seus desejos. Uma possível ansiedade emocional (Lua) pode fazer com que você aja de maneira impulsiva (Marte). Você se envolve, com frequência, com os problemas dos outros para evitar enfrentar os seus. Mas, depois de enfrentá-los, deve fazer os ajustes necessários. Quando realinha sua necessidade (Lua) para a ação e a reação (Marte), dando e não necessariamente esperando receber algo em troca, pode resolver muitos de seus problemas.

Dorian Harewood, ator; Lesley Stahl, âncora, repórter e moderadora de TV; Emmy Lou Harris, cantora de música country; Gian Carlo Menotti, compositor e produtor de festival de música.

☽ ☌ ♂ LUA EM OPOSIÇÃO A MARTE

Você parece constantemente envolvido em crises emocionais que podem levá-lo a problemas de saúde se não aprender a lidar com elas de forma adequada. Pode chegar a uma conclusão precipitada no que diz respeito a questões emocionais e, em seguida, admitir que estava errado. Quanto melhor for seu relacionamento com seus pais, mais fácil será se sentir bem consigo mesmo.

Richard Allen Davis, assassino de Polly Klaas; Jacques Aubert, percussionista suíço; Sue Grafton, romancista de mistério; T. S. Eliot, ensaísta e crítico.

ASPECTOS DA LUA COM JÚPITER – Lua/Júpiter trabalhando juntos

O otimismo e o entusiasmo de Júpiter aquecem a natureza subjetiva da Lua. Sempre que esses dois planetas se interconectam, canais de expressão emocional parecem se abrir. Por outro lado, a preguiça inata de Júpiter e sua boa sorte levam, frequentemente, à indulgência emocional (Lua). Os aspectos Júpiter/Lua também podem indicar valores morais fracos, portanto essa combinação é encontrada, muitas vezes, nos mapas de criminosos.

☽ ☌ ♃   LUA EM CONJUNÇÃO COM JÚPITER

Você tem facilidade de atingir o sucesso e, muitas vezes, forte necessidade interior de mudança. A não ser que lide bem com este aspecto, pode pender para o sentimento de autovalorização e vaidade. Você pode ter sido criado em um lar (Lua) no qual a religião ou a lei (Júpiter) desempenhavam papel importante. Pode ter o desejo (Lua) de explorar horizontes distantes (Júpiter). Acha fácil disseminar (Júpiter) ideias que impulsionem o público (Lua).

Charles Evans Hughes, chefe de Justiça; Franz Schubert, compositor austríaco; Gladys Knight, cantora; William Faulkner, escritor ganhador do prêmio Nobel e do Pulitzer.

☽ ✶ ♃   LUA EM SEXTIL COM JÚPITER

Você tem boa índole, é amistoso, prestativo, e seu raciocínio e julgamento são sensatos. Devido à afabilidade e atitude jovial (Júpiter), o público (Lua) pode adorá-lo.

Rod Stewart e Willie Nelson, cantores; Alicia Witt, atriz prodígio infantil; Margaret Bourke-White, fotógrafa e jornalista.

☽ □ ♃   LUA EM QUADRATURA COM JÚPITER

Com este aspecto da Lua, convém lidar com o excesso de tolerância e a possível apatia, que podem se manifestar fisicamente como problemas de peso. Muitas vezes, você é generoso e emocional demais e pode ser ludibriado. Evite a especulação financeira. Pode ser que haja mal-entendidos com um genitor muito tolerante ou que você se afaste dele. Música e viagens são vias de expressão positivas desse aspecto.

Jeffrey Archer, político, escritor e magnata; James Clavell, escritor australiano; Peter Schickele (P.D.Q. Bach), músico e compositor; Lewis Carroll, autor de "Alice no País das Maravilhas".

☽ △ ♃ LUA EM TRÍGONO COM JÚPITER

Fascinado por jornalismo, pelo mercado editorial e pelo ensino superior, você tem tendência a se atrair por pessoas jupiterianas e a acreditar que as mulheres podem trazer benefícios.

Diane Downs, assassina de crianças; Annagemma Angelini, jornalista e crítica musical italiana; Julie London, cantora de blues; Art Arfons, designer de carros.

☽ ⚻ ♃ LUA EM QUINCUNCE COM JÚPITER

Você se entrega por inteiro, sem pensar duas vezes em que está se envolvendo, e deve aprender a lidar com detalhes, desenvolvendo a paciência e a calma ao realizar sua rotina diária. Além de imensa (Júpiter) emotividade (Lua), deve-se observar que certos problemas de saúde podem se desenvolver. Sua ousadia emocional pode catapultar você para a fama, a atenção e a aprovação.

Craig Breedlove, piloto; Ruth Saint Denis, uma das criadoras da dança moderna; Bhagwan Rajneesh, guru do amor; Pandit Jawaharlal Nehru, primeiro-ministro e líder na luta pela liberdade da Índia.

☽ ☍ ♃   LUA EM OPOSIÇÃO A JÚPITER

Você tende a ser confrontado por conflitos morais que podem causar oscilações emocionais. Suas expectativas otimistas em relação aos outros podem desapontá-lo; porém, quanto mais consciente você se torna, mais tem a oportunidade de crescer por intermédio de outras pessoas.

Leona Helmsley, sonegadora de impostos multimilionária conhecida como "rainha da maldade"; Spiro Agnew, o desonrado vice-presidente; Tim Jordan, esportista; Cecil Andrus, secretário de Idaho.

ASPECTOS DA LUA COM SATURNO – Lua/Saturno trabalhando juntos

A moderação de Saturno pode limitar a capacidade da Lua de expressar seus sentimentos. Da mesma forma, o foco de Saturno pode ajudar a disciplinar os altos e baixos emocionais da Lua. Saturno representa o pai e as figuras de autoridade, enquanto a Lua retrata a mãe e os papéis de nutrição; portanto, todos os aspectos entre esses dois planetas refletem as expectativas dos pais da criança ou, ao menos, a percepção da criança em relação a eles.

☽ ☌ ♄   LUA EM CONJUNÇÃO COM SATURNO

Essa conjunção enfatiza suas qualidades de trabalho e seriedade. Você pode ter dificuldade em revelar seu eu emocional, porque acha que um de seus pais ou ambos lhe negaram amor e ternura. O reconhecimento do próprio valor e a realização emocional chegam com a maturidade. Nativos com este aspecto escolhem parceiros à imagem do pai.

Bill Bradley, político e jogador de basquete; Woody Hayes, treinador esportivo; Sophia Loren, atriz italiana; Simone de Beauvoir, ativista, feminista e filósofa existencialista.

☽ ✶ ♄   LUA EM SEXTIL COM SATURNO

Devido à grande dignidade pessoal, você pode ter oportunidades de progredir na vida pública. Emocionalmente estável, é responsável e capaz de "assumir o controle" diante de qualquer situação.

Alex Haley, autor premiado; Carol Channing, cantora e atriz; Dimitri Shostakovich, compositor russo moderno; René Lalique, escultor francês de art nouveau.

☽ □ ♄   LUA EM QUADRATURA COM SATURNO

Você trabalha mais que a maioria das pessoas para se autoafirmar. Precisa aprender a lidar com a tendência à frustração, à depressão, ao descontentamento e ao apego ao passado. Costuma demonstrar forte senso de responsabilidade emocional. Geralmente, este posicionamento testemunha uma infância infeliz, com desentendimentos com um pai ou mãe dominadores.

Sharon Tate, atriz vítima de assassinato; Jeffrey Dahmer, serial killer*; Kurt Weill, compositor alemão de "Three Penny Opera"; Charles Baudelaire, poeta francês de "As flores do mal".*

☽ △ ♄   LUA EM TRÍGONO COM SATURNO

Você é solícito, sério, prudente, conservador e cauteloso ao assumir compromissos emocionais. Um dos pais, geralmente a mãe, pode desempenhar papel influente em sua vida e nutrir seu apego ao passado.

Jacqueline Kennedy Onassis, primeira-dama; Elizabeth Claire Prophet, guru autoproclamada; James Taylor, músico; Sander Vanocur, jornalista da mídia audiovisual.

☽ ⚻ ♄ LUA EM QUINCUNCE COM SATURNO

Devido à cautela e à reserva básicas (Saturno), você pode se sentir culpado e inadequado (Saturno) quando se trata de expressar afeto e desnudar seu eu emocional (Lua), até encontrar uma maneira confortável de demonstrar seu amor.

John Z. de Lorean, executivo automotivo; Maribeth Whitehead, madrasta; John McEnroe, campeão de tênis; Vincent van Gogh, pintor brilhante/enérgico/mentalmente instável.

☽ ☍ ♄ LUA EM OPOSIÇÃO A SATURNO

Frequentemente apreensivo, você teme sua incapacidade de corresponder às expectativas dos outros. Uma possível sensação de inadequação deve ser superada antes de alcançar a maturidade. Encontrar o equilíbrio entre as pressões da carreira e as necessidades emocionais é importante. Há a tendência de pais zelosos.

Dalai-lama, líder religioso e ganhador do Prêmio Nobel da Paz; Malcolm Boyd, padre gay; Marcel Dupré, boxeador francês; Jim Bakker, televangelista.

ASPECTOS DA LUA COM URANO – Lua/Urano trabalhando juntos

A conexão Lua/Urano combina a natureza emocional com um elemento de desprendimento e excitação. De todos os aspectos da Lua, esse é o mais estimulante e elétrico, e pode muito bem estar à altura da palavra-chave de Urano: "libertário".

☽ ☌ ♅   LUA EM CONJUNÇÃO COM URANO

Estimulante e independente, você expressa alta energia emocional e aversão pelas convenções e pela acomodação. É cheio de recursos, determinado e, às vezes, provocador. É altamente individualista e tem mais facilidade de resolver os problemas dos outros que os seus. Tende a uma vida doméstica (Lua) incomum (Urano) ou a uma abordagem incomum (Urano) da família (Lua).

Jessica Savich, apresentadora de TV; Anatole France, escritor francês; Vincenzo Bellini, compositor de ópera; Joe Montana, esportista.

☽ ✶ ♅   LUA EM SEXTIL COM URANO

Este sextil pode trazer oportunidades ou mudanças. Há potencial para viagens se a Lua ou Urano estiverem nas casas 3 e 9 ou as regerem. Se um desses planetas estiver envolvido com a casa 4, você poderá mudar frequentemente de residência.

Nancy Wilson e Moon Unit Zappa, cantoras; Pablo Casals, violoncelista espanhol; Leonard Cohen, poeta, romancista e cantor de folk.

☽ □ ♅   LUA EM QUADRATURA COM URANO

Apesar da grande capacidade intelectual, você pode ser teimoso, instável, inquieto, sensível e impulsivo. No entanto, sua energia pode ser usada para um tremendo estímulo e um novo despertar. Precisa aprender a ceder ao se relacionar com os outros. O relacionamento com a mãe pode ser único, difícil na juventude, mas vocês dois se tornam amigos à medida que amadurecem.

Cannonball Adderley, saxofonista/músico de jazz; Ludwig Mies van der Rohe, arquiteto; Michael Jordan, superestrela do basquete; Rajiv Gandhi, líder indiano após a morte da mãe, assassinado sete anos depois.

☽ △ ♅   LUA EM TRÍGONO COM URANO

Você é mentalmente alerta e está sempre à procura de novas e diferentes formas de autoexpressão. Empreendedor, científico e intuitivo, interessa-se pela Astrologia, por conceitos espirituais, pela metafísica por campos similares.

Larry King, entrevistador de TV; Don Meredith, jogador de futebol e locutor esportivo; Honore Daumiér, caricaturista; Freeric Bartholdi, escultor da "Estátua da Liberdade".

☽ ⚻ ♅   LUA EM QUINCUNCE COM URANO

Sua tendência é agir sem muita firmeza e ter reações emocionais exageradas quando se sente pressionado. O descanso e o relaxamento são extremamente necessários, já que você costuma ficar muito tenso; desse modo, será capaz de lidar com os problemas imprevisíveis que surgirem.

Carla Fracci, bailarina; Oscar Levant, pianista e apresentador de TV; Charles Addams, cartunista; Adolf von Hildebrand, escultor e pesquisador alemão de pureza da forma.

☽ ☍ ♅   LUA EM OPOSIÇÃO A URANO

Há tendência a apegos emocionais (Lua) incomuns (Urano), à infidelidade ou a problemas com relacionamentos íntimos. Pode haver, ainda, várias mudanças de residência (Lua) e repentinas alterações emocionais, que, às vezes, tornam difícil para os outros entendê-lo. Conhecido pela versatilidade emocional, você atrai outras pessoas que gostam de sua visão, muitas vezes, única.

Pete Rose, jogador de beisebol; Sam Sheppard, médico acusado de assassinato; Donald Trump, empresário e 45º presidente dos Estados Unidos; Bart Jan Bok, astrônomo.

ASPECTOS DA LUA COM NETUNO – Lua/Netuno trabalhando juntos

Nesse aspecto, a sensível e sentimental Lua imerge nos sonhos de Netuno. Essas imagens oníricas podem se desenvolver em talento artístico, musical ou intuição. Porém, quando o lado excessivamente emocional da Lua é fundido com a qualidade escapista de Netuno, pode resultar em confusão.

☾ ☌ ♆ LUA EM CONJUNÇÃO COM NETUNO

Você é inquieto, instável, extremamente sensível, romântico, idealista, simpático e facilmente influenciável. Esta conjunção enfatiza as tendências místicas e religiosas e as inclinações musicais ou criativas. Emocionalmente, é difícil para você distinguir a ilusão da realidade.

Ashleigh Brilliant, cartunista; Graham Greene, romancista e dramaturgo; Groucho Marx, ator e comediante; Isak Dinesen (Karen Blixen), escritora dinamarquesa.

☾ ✶ ♆ LUA EM SEXTIL COM NETUNO

Você é caloroso, autêntico e atraído pela arte, pela música, pelo canto e pela dança. Pode se dar bem em empreendimentos netunianos como petróleo, líquidos, navegação, televisão, filmes e teatro, além de muitos outros campos relacionados à água e ao oceano.

Francis Ford Coppola, produtor e diretor de cinema; Billy Tipton, músico de jazz transgênero; Barbara Cartland, romancista britânica; Frederic Delius, compositor inglês.

☽ □ ♆ LUA EM QUADRATURA COM NETUNO

Este aspecto reflete, muitas vezes, o ardor religioso ou a necessidade de escapismo da realidade por meio de drogas ou fantasias. Você pode ter vivido com um pai que nem sempre esteve ao seu lado ou que você vê através de um véu. Use sua energia criativa em áreas como atuação, música e fantasia.

Doris Duke, herdeira, horticultora e colecionadora de arte; Baba Ram Dass, guru; Shirley Conran, autora britânica; Peter Sellers, ator de cinema e de teatro britânico.

☽ △ ♆ LUA EM TRÍGONO COM NETUNO

Sua personalidade carismática (Netuno) é bem recebida pelo público (Lua); portanto, uma carreira na televisão, no teatro ou no cinema é uma ótima escolha. Por causa de sua natureza idealista e, muitas vezes, espiritual, você pode gostar de trabalhar cuidando dos necessitados.

Linda Ronstadt, cantora; Darius Milhaud, compositor francês; Richard Gephardt, candidato à presidência e congressista estadunidense; Ned Rorem, músico vencedor do Pulitzer.

☽ ⊼ ♆   LUA EM QUINCUNCE COM NETUNO

Por ser emocionalmente inseguro, age, com frequência, de forma assertiva, deixando-se vulnerável à hostilidade. Você deve aprender a ver as pessoas como elas realmente são e a não romantizar seus amigos e amantes. O realinhamento de suas qualidades artísticas com a natureza de seus sentimentos pode levar ao sucesso nas artes.

Pauline Kael, crítica; Albert Camus, autor existencialista francês; Balthus, artista; Edgar Rice Burroughs, cenógrafo francês criador de "Tarzan".

☽ ☍ ♆   LUA EM OPOSIÇÃO A NETUNO

Você pode se envolver em relacionamentos emocionais complicados devido à tendência de não conseguir discernir realidade de ilusão. Embora seja criativo e idealista, subestima, com frequência, suas capacidades.

Chet Atkins, cantor de música country; Ramon Navarro, ator vítima de assassinato; Ashley Putnam, soprano; Marc Bolan, músico de rock.

ASPECTOS DA LUA COM PLUTÃO – Lua/Plutão trabalhando juntos

O desejo de dominação de Plutão conecta-se com a receptiva Lua, gerando, por vezes, intenso e/ou obsessivo comportamento emocional. Na infância, a combinação desses planetas geralmente é intensa, mas a real profundidade de qualquer aspecto da Lua/Plutão só pode ser alcançada com a maturidade. A transformação que Plutão demanda raramente pode ser vivenciada até que a *persona* emocional já tenha sido formada.

☽ ☌ ♇   LUA EM CONJUNÇÃO COM PLUTÃO

Esta conjunção frequentemente enfatiza a obsessão por assuntos emocionais e sexuais; talvez você deseje dominar os outros nessas áreas. Suas emoções são intensas, a ponto de chegar à tirania. O amor é muito importante para você, que está constantemente à procura da realização emocional – que poderá, também, ser encontrada nos campos que envolvem criatividade.

Willie Nelson, músico country; Sydney Biddle Barrows, empresária; Geraldo Rivera, apresentador de talk show; Van Cliburn, pianista mundialmente famoso.

☽ ⚹ ♇   LUA EM SEXTIL COM PLUTÃO

Assim como a fênix pode ressurgir das cinzas, você também pode se recuperar de qualquer contratempo e se regenerar.

Lorin Maazel, maestro; Tina Turner, atriz e cantora; Bo Derek, atriz; Sally Priesand, primeira rabina.

☽ □ ♇   LUA EM QUADRATURA COM PLUTÃO

Intensamente emotivo, você tende a ser solitário. Devido ao relacionamento com seus pais, em especial com sua mãe, você, às vezes, pode se sentir abandonado e procurar soluções drásticas para os problemas.

Gary Kasparov, campeão russo de xadrez; Edie Sedgwick, socialite que cometeu suicídio; Anita Bryant, cantora homofóbica e ativista cristã.

☽ △ ♇   LUA EM TRÍGONO COM PLUTÃO

Profundamente emocional, mas controlado, você gosta do contato pessoal, mas não de perder tempo com relacionamentos casuais. Instintivo e perceptivo, deve ouvir sua voz interior.

John Madden, treinador de futebol; Saddam Hussein, general e ditador iraquiano; Carole King, cantora pop; Loretta Swit, atriz de teatro/cinema/TV.

☽ ⚻ ♇   LUA EM QUINCUNCE COM PLUTÃO

A necessidade de se autoafirmar pode deixá-lo emocionalmente vulnerável, o que faz que os outros se aproveitem de você. Solitário nato, esquiva-se rapidamente de relacionamentos potenciais ou os outros podem se sentir intimidados por sua intensidade. A capacidade de realizar as coisas por conta própria pode levar ao sucesso.

Uma Thurman, atriz de cinema; A. J. Cronin, médico e romancista inglês; Susan Butcher, tetracampeã da corrida de trenós puxados por cães no Alasca.

☽ ☍ ♇   LUA EM OPOSIÇÃO A PLUTÃO

Esta oposição pode indicar ciúme, impulsividade, sensualidade e competição por poder (Plutão). Você é capaz de se sair bem em qualquer campo escolhido, desde que aprenda a lidar com sua natureza emocional (Lua). Devido a uma possível figura feminina dominadora ou manipuladora na infância, você pode ter bloqueios emocionais nos relacionamentos pessoais. Sua capacidade de autoafirmação pode ser um caminho para a realização.

Jerry Kramer, jogador de futebol profissional; Yves Saint Laurent, estilista; Edwin Moses; atleta medalhista olímpico; Sam Donaldson, repórter e âncora de TV.

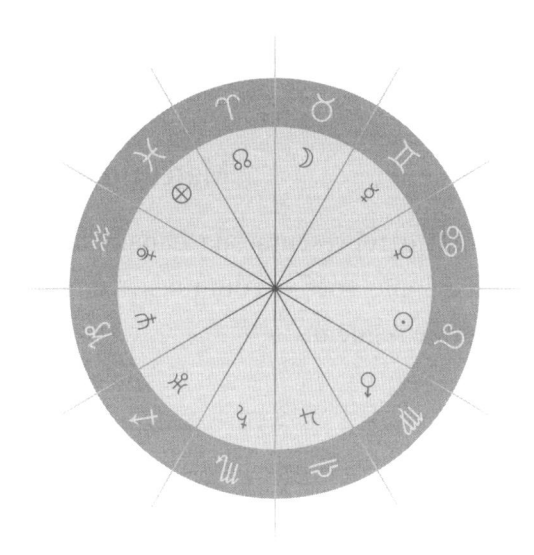

Módulo 10:
Mercúrio

Alguns comentários gerais sobre este módulo

A esta altura, você já deve ter uma noção geral de como ler e interpretar um mapa astrológico. Não deixe de conferir suas leituras com as nossas no Apêndice; observe que deixamos de usar várias frases e tente descobrir por que não as escolhemos. Você já deve ter notado que muitos aspectos, posicionamentos e características se repetem e reforçam tendências no mapa. Este é um dos mais importantes fatores da leitura astrológica. O potencial e o caráter mais básico de uma pessoa são mostrados pelos fatores e temas que mais se repetem. Quanto mais determinados temas se repetirem, mais você poderá estar certo de que essas são as verdadeiras características da pessoa. Os potenciais que só aparecem uma ou duas vezes podem ser desenvolvidos, mas falta a ênfase provocada pela repetição, e pode ser que o nativo não tenha consciência deles.

Vamos prosseguir com o Módulo 10. Primeiro, vamos estudar o planeta Mercúrio em geral; depois, você poderá explorar especificamente Mercúrio em conjunção com o Sol e com o Saturno de Mozart. Nossas leituras e análises podem ser encontradas no Apêndice, na página 454.

Mercúrio nos signos

Mercúrio representa sua capacidade de raciocínio, sua mente e a forma como você se comunica. Lembre-se disso quando ler as descrições que seguem.

☿ ♈ MERCÚRIO EM ÁRIES
palavra-chave *impulsivo*

Imaginativo, você tem facilidade para olhar para a frente e quer ser o primeiro em tudo. Tem destreza para se expressar e é capaz de improvisar maravilhosamente. Às vezes, usa suas energias vigorosas de forma irônica ou sarcástica. Impetuoso e impulsivo, tem tendência a mudar de ponto de vista de uma hora para outra. Esse posicionamento não se adapta bem ao esforço mental prolongado; portanto, é preciso que cultive a paciência e aprenda a não se irritar com atrasos. Espirituoso, inventivo e rápido, você tem ideias originais. Combativo, gosta de um bom debate. Às vezes, pode ser muito obstinado ou egocêntrico. Se houver aspectos desafiadores entre Mercúrio e Júpiter no mapa, você é dado a exageros. Sua tendência é enxergar o mundo como gostaria que ele fosse, não como realmente é. Muitos planetas fixos no mapa vão ajudar a estabilizar esse posicionamento de Mercúrio.

Joan Miró, pintor e escultor espanhol; Craig Breedlove, juiz do Supremo Tribunal; John-Paul Stevens, piloto de carros de corrida.

☿ ♉ MERCÚRIO EM ÁRIES
palavra-chave *concreto*

Você é teimoso e tem gostos e aversões bem definidos. Ganancioso, apreciador tanto do dinheiro quanto dos bens materiais, interessa-se pelo amor e pelas artes. Sua mente não reage de pronto a ideias novas, mas, uma vez que inicia um projeto, raramente desiste. Gosta de examinar tudo com antecedência e nunca tira conclusões apressadas. Mentalmente, é conservador, cauteloso, concreto e prático, confiando mais na experiência da vida que naquilo que aprende nos livros. Esta é uma excelente posição para negócios e administração. Sua memória é boa; sua abordagem, tradicional. Se Mercúrio fizer aspectos desfavoráveis, você pode tender à inércia mental, mas não vai adiantar nada tentar forçá-lo a agir; você precisa trabalhar no próprio ritmo.

Willem de Kooning, artista abstrato experimental; Peter Townsend, cantor e guitarrista do "The Who"; Lorraine Hansberry, dramaturga; Dean ("Dino") Martin, ator e cantor.

☿ ♊ MERCÚRIO EM GÊMEOS
palavra-chave ***versátil***   domicílio

Em Gêmeos, o puro raciocínio lógico pode alcançar a mais alta expressão, sobretudo se Mercúrio estiver bem aspectado. Você é versátil, imparcial e impessoal na capacidade de compreender a verdade. Dispõe de excelente vocabulário, gosta de aprender e é capaz de se comunicar bem e com facilidade. Um sistema nervoso altamente sensível é a base de sua mente ágil. É espirituoso, falante, charmoso e interessado nos assuntos cotidianos. Seu raciocínio é ousado e brilhante, e, muitas vezes, você usa as mãos para se expressar. Amante dos empreendimentos intelectuais, pode ser escritor ou orador. Fique atento à necessidade de mudanças e novidades, já que isso pode levar à superficialidade e à falta de rigor.

Joe Montana, esportista; Jean Cocteau, escritor, poeta e dramaturgo; Leslie Uggams, cantora e atriz; Nikola Tesla, inventor.

☿ ♋ MERCÚRIO EM CÂNCER
palavra-chave *receptivo*

Você é extremamente sensível e pode se deixar levar com facilidade pelas emoções. As discussões despertam sua teimosia, porque depois que toma uma decisão você a mantém. Impressionável e mutável, é sensível ao ambiente; a gentileza e o elogio são as melhores maneiras de chegar até você. Sua mente é absorvente, e seu raciocínio, criativo. Você tem *flashes* de intuição e gosta de poesia. É um ouvinte sensível, repleto de compaixão pelo sofrimento dos outros, mas pode ter dificuldade em pensar objetivamente, já que suas emoções estão sempre envolvidas. Isso pode levar ao sentimento de autopiedade. É diplomático e tem boa habilidade para os negócios, embora seja fortemente orientado ao lar e à família. Se Mercúrio fizer muitos aspectos desafiadores, você poderá ser mais evasivo que direto.

Twyla Tharp, dançarina e coreógrafa; Pearl Buck e Thomas Mann, romancistas e vencedores do Prêmio Nobel de Literatura; Carl Gustav Jung, psiquiatra e psicoterapeuta.

☿ ♌ MERCÚRIO EM LEÃO
palavra-chave *positivo*   queda

Você pensa dramaticamente, sempre com o coração; por ser visionário e idealista, grande parte de sua concentração é direcionada para as ligações românticas. Você tem dignidade, senso inato de refinamento e gosta de causar boa impressão. Sua vontade é ser considerado uma autoridade em seu campo, e, embora tenha muita capacidade de resolver problemas, às vezes ignora os detalhes. É ambicioso e tem boa habilidade executiva; é excelente professor e pode ter sucesso no teatro, nas artes, na educação ou no mercado de ações. Se Mercúrio estiver mal aspectado, você poderá ser teimoso, autoindulgente, genioso, exagerado e egocêntrico.

Laura Biagiotti, estilista italiana; Billy Rose, showman; Luigi Pirandello, dramaturgo italiano vencedor do Prêmio Nobel de Literatura; John Bradshaw, filósofo, autor e terapeuta especialista em "cura da criança interior".

☿ ♍ MERCÚRIO EM VIRGEM
palavra-chave ***metódico***   domicílio e exaltação

Você é crítico, analítico e prático, e seu raciocínio é frio, lógico e impessoal. Seu julgamento é imparcial; sua mente classifica e cataloga todas as ideias, que ficam prontas para serem postas em prática quando você necessita delas. Como sua mente é versátil, é um orador convincente. Você se interessa por literatura e se sai bem na pesquisa e no trabalho científico detalhado; pode ser erudito. Interessa-se por medicina, higiene, matemática e todo trabalho que envolva detalhes. Sabe transformar conhecimento em benefícios materiais. Seu senso comum é desenvolvido; você é honesto e pode ser intolerante em relação aos menos inteligentes ou ser muito cético. Com aspectos desafiadores de Mercúrio, você pode ser tornar excessivamente crítico; é preciso cuidado para não deixar os detalhes interferirem em seus planos e objetivos mais amplos. Também é recomendável combater a tendência a classificar tudo que existe no universo.

H. G. Wells, autor, historiador e escritor; Grandma Moses, pintora; Antonin Dvorak, compositor boêmio; Ely Culbertson, especialista em bridge.

☿ ♎ MERCÚRIO EM LIBRA
palavra-chave *diplomático*

Embora seja amistoso, de mente aberta e racional, você pode ser rigoroso quando seus princípios estão envolvidos. Abomina a injustiça; sua vontade é pesar e julgar todas as coisas com total justiça. É incapaz de tomar decisões precipitadas. Detesta discussões; prefere conversar e raciocinar em conjunto. Quer se realizar intelectualmente; gosta das artes; seu tato é delicado, e você gosta de estar rodeado de pessoas polidas, refinadas e honestas. A conduta grosseira ou pessoas que se vestem sem elegância o desagradam; seu desejo de perfeição pode torná-lo uma pessoa de convivência difícil. Você tem curiosidade a respeito da maneira de pensar e de se comportar dos outros; assim, esse posicionamento de Mercúrio é bom para qualquer tipo de trabalho que envolva relações humanas, sobretudo a psicologia; também é excelente para diplomatas e mediadores. Sem o estímulo de quadraturas e outros aspectos desafiadores a Mercúrio, você pode se tornar demasiadamente leviano e superficial.

Christopher Reeve, ator de "Superman"; Bill Medley, integrante do "The Righteous Brothers"; Frederick C. Weyand, comandante do General das Forças Vietnamita; Penny Marshall; atriz e diretora.

☿ ♏ MERCÚRIO EM ESCORPIÃO
palavra-chave *penetrante*

Você é crítico, cético e, às vezes, misterioso ou desconfiado. Tem tendência a ter opiniões fixas e é difícil convencê-lo a mudar de ideia. É sagaz, vigoroso e tem capacidade de ser penetrante demais, falando ou escrevendo. Você tanto é capaz de ferir os outros sem necessidade quanto de transformar o sarcasmo em humor refinado. Esse posicionamento investigativo e inquisidor de Mercúrio é favorável para todas as profissões relacionadas à cura; também funciona bem para a química, a fotografia, o trabalho investigativo, o ocultismo, a pesquisa e os grandes negócios. Sua mente é profunda, mas raramente é benevolente; sua determinação não tem fronteiras, e sua mentalidade é tão fixa que você é capaz de superar todos os obstáculos para conseguir o que deseja. Se seu Mercúrio tem aspectos desfavoráveis, você precisa aprender a superar a tendência a usar a fraqueza dos outros em benefício próprio; evite, também, julgar os menos afortunados.

Winston Churchill, autor, pintor e primeiro-ministro britânico; Oscar Wilde, dramaturgo; Ed Davis, chefe da polícia de Los Angeles; Dory Previn, compositora.

☿ ♐ MERCÚRIO EM SAGITÁRIO
palavra-chave *independente* exílio

Você é sincero e tem ótimo senso de humor. Impulsivo, muitas vezes fala sem pensar nas consequências. Tem visões intuitivas da verdade, mas, devido ao grande número de interesses, é capaz de dispersar sua força mental. Sua mente não precisa ser aguçada, porém direcionada. Generoso, progressista e honesto, você detesta enganar os outros. Como se preocupa mais com atitudes que com fatos, tem interesse por educação superior, filosofia e religião. Valoriza o *status* intelectual, tende à verborragia e adora qualquer tipo de viagem. Se Mercúrio fizer muitos aspectos desfavoráveis, você tenderá a sermões moralizantes e/ou pedantes.

Gwen Verdon, dançarina e coreógrafa; Ross MacDonald, escritor de ficção policial; Carlo Ponti Sr., produtor de cinema; Marie Curie, cientista.

☿ ♑ MERCÚRIO EM CAPRICÓRNIO
palavra-chave *sério*

Trabalhador e cauteloso, sua mente é penetrante; sua memória para fatos e números é excelente, e você aprecia o trabalho detalhista. Quando quer expor alguma coisa, pode ser repleto de tato e diplomacia, mas com tendência ao esnobismo intelectual. Tem senso comum e é capaz de dar uso prático às ideias. Tem autodisciplina e sabe disciplinar, mas precisa se lembrar de acrescentar coração à cabeça. Seu pensamento e seus procedimentos são metódicos, o que lhe proporciona habilidade executiva e política. Você aprova as ideias tradicionais; é mais realista que idealista. Também tem percepção aguda e bons poderes de concentração. Pode carecer da capacidade de rir de si mesmo, e seu senso de humor é um pouco ácido. Com Mercúrio fazendo aspectos desfavoráveis, você pode ser excessivamente materialista, ambicioso, dogmático e até desconfiado.

Carla Hills, representante de comércio dos EUA; John (pai) e Bonnie (filha) Raitt, cantores; Neil Bogart, produtor musical.

☿ ♒ MERCÚRIO EM AQUÁRIO
palavra-chave *original*   exaltação

Você é dotado de muitos recursos; é observador, intuitivo e geralmente conhece bem a natureza humana. Sua mente é aguda, original, independente, humanitária e espirituosa. Você é capaz de assimilar ideias abstratas; tem tendência ao oculto. É estudioso, sociável e, em geral, autodidata. Interessado em ciência, no estudo da personalidade e nas questões de interesse humano, gosta de ler e de se envolver com grupos ou organizações. Fala e escreve com facilidade e pode ser verborrágico. Embora esteja aberto a qualquer ponto de vista, não muda de opinião sem a devida reflexão e análise lógica. Objetivo, você não liga muito para a tradição ou para a aceitação social. Com aspectos desafiadores de Mercúrio, pode ser que pense muito, mas realize pouco, ou que seja teimoso e excêntrico.

Buzz Aldrin, astronauta; Thomas A. Edison, inventor; Wayne Gretzky, estrela do hóquei; Helen Gurley Castanho, escritora e editora.

☿ ♓ MERCÚRIO EM PEIXES
palavra-chave ***reflexivo*** exílio e queda

Você é psíquico, intuitivo e aprende mais por assimilação que por estudo. Sua memória é absorvente; sua mentalidade, reflexiva, romântica e poética. É possível que você oculte seus pensamentos reais e só os expresse quando está na companhia de amigos íntimos ou parentes. Esse posicionamento de Mercúrio mostra uma dualidade, evidenciando qualidades contraditórias que, combinadas à sua receptividade às influências externas, faz que seja frequentemente acusado de ser caprichoso e instável. Você se magoa com facilidade. Ambientes harmoniosos são importantes para você, que reage mais inconscientemente que racionalmente. Gosta de estar bem informado, adora música ou tem talento artístico de algum tipo. Com aspectos desfavoráveis de Mercúrio, seu senso de realidade tende a ser distorcido, e sua mente, vacilante; você pode viver no mundo da Lua ou sonhar acordado. Como se magoa facilmente, pode se tornar pessimista, melancólico ou confuso. Tenha cuidado com a autopiedade ou com o ressentimento; concentre-se em ver e em pensar com clareza. Use seus diversos talentos e sua abertura espiritual inata para combater qualquer tipo de negativismo.

Marcel Marceau, mímico; Charles Baudelaire, poeta francês; Maurice Ravel, compositor francês de "Bolero de Ravel"; Benjamin "Bugsy" Siegel, gângster.

Mercúrio nas casas

MERCÚRIO NA CASA 1
palavra-chave *consciente de si*

Você é curioso, adaptável, inquieto e tende ao nervosismo. Com aspectos favoráveis, é provável que seja bastante eloquente; com muitos aspectos desafiadores, pode gaguejar ou ter algum defeito da fala. Tem poderosa energia intelectual e mente rápida. Seu pensamento é orientado a si mesmo, trazendo dificuldades em compreender, de fato, os sentimentos dos outros. É inteligente, e esse é um posicionamento favorável a escritores, médicos, cientistas, acadêmicos e bibliotecários. Tem profunda necessidade de se expressar e, algumas vezes, fala antes de pensar. Mas, em geral, aborda os assuntos pessoais de maneira bastante racional.

Arthur J. Goldberg, juiz da Suprema Corte; Chet Atkins, músico country; Friedrich Duerrenmatt, escritor novelista suíço, crítico de teatro, roteirista e satirista social; Felix Adler, educador, filósofo e reformador ético.

MERCÚRIO NA CASA 2
palavra-chave *consciente dos valores*

Você valoriza aquilo que acredita poder dar resultados práticos; é voltado à aquisição financeira e aos negócios e tanto pode ser mão-fechada como gastador, dependendo do signo e dos aspectos de Mercúrio. Você gosta de tomar decisões rápidas, e sua mente é boa para ocupações racionais, comerciais, administrativas ou educacionais. Esse é um bom posicionamento para economistas, gerentes de produtos e negócios, vendedores, escritores de grande público, editores e qualquer profissão que envolva comunicações.

Benjamin Disraeli, político fundador do Partido Conservador; Mario Andretti, estadista e piloto; Stephen Sondheim, letrista e compositor; Tammy Faye Bakke, televangelista.

MERCÚRIO NA CASA 3
palavra-chave **consciente da comunicação**   dignidade acidental

Você é muito inteligente, com bons poderes de raciocínio e conversação. É capaz de tomar decisões rápidas: seu pensamento é correto e exato. Tem talento literário, é um bom secretário, gosta de escrever cartas e é excelente repórter. A pesquisa e a investigação o atraem. Os assuntos relacionados a irmãos e vizinhos são importantes para você; pode ser que trabalhe para um parente. Você tem curiosidade sobre todas as áreas da vida. É conveniente escolher uma profissão que o mantenha em movimento, pois é inquieto por natureza. Com aspectos desafiadores, pode exagerar e esgotar os nervos trabalhando ou se preocupando demais; também pode desenvolver problemas intestinais, tender ao exagero e ao engano. Se Mercúrio faz muitos aspectos desfavoráveis, é melhor estudar todos os documentos e contratos antes de assinar.

Cary Grant, ator; Abbie Hoffman, ativista; Joseph Mankiewicz, diretor e roteirista de cinema; Ginger Rogers, atriz e dançarina ganhadora do Oscar.

MERCÚRIO NA CASA 4
palavra-chave **consciente do lar**

Você é determinado, sua memória é absorvente, e seu raciocínio é cuidadoso. Orgulhoso da família e interessado nos antepassados, adora antiguidades e pode ser colecionador de livros, selos ou moedas. Seus pais são, provavelmente, educados e cultos. Este é um bom posicionamento para imóveis, agricultura, ecologia, arqueologia, geologia e outras profissões relacionadas com a terra. É possível que trabalhe no próprio lar. Pode ser que mude de residência várias vezes ou que haja muita atividade em seu lar. Talvez um parente more com você. Com aspectos desafiadores, você se irrita facilmente, pois é bastante excitável.

Clare Booth Luce, autora, dramaturga, embaixadora; Colette, escritora; Rosy Grier, jogadora de futebol; Willis Eugene Lamb, físico vencedor do prêmio Nobel.

MERCÚRIO NA CASA 5
palavra-chave **consciente do prazer**

Seu pensamento é criativo, e você se expressa dramaticamente, com capacidade para a oratória. Pode ser autocrático e gosta de especulação. Ocupa-se com o amor, o prazer e os empreendimentos artísticos. Gosta de crianças, mas não terá filhos necessariamente. Sente-se atraído por tudo que estimula sua mente, como xadrez ou palavras cruzadas. A educação é importante para você, que pode ser excelente professor, ator, teatrólogo ou crítico de arte. Se Mercúrio estiver forte e em signo fixo, você poderá ser muito dogmático ou convencido.

Hank Ketcham, cartunista; Giuseppe Verdi, compositor de ópera italiana; Leslie Caron, bailarina e atriz de cinema; Wilt Chamberlain, astro do basquete.

MERCÚRIO NA CASA 6
palavra-chave **consciente do trabalho**   dignidade acidental

Você é prático, reservado, sistemático, eficiente, gosta de trabalho mental e é muito observador. Interessa-se por educação, saúde, higiene, medicina, literatura e engenharia. É trabalhador e deve se cuidar para não trabalhar em excesso. Como é excelente planejador, este posicionamento é bom para empreendimentos comerciais ou trabalho de secretariado. Você é atraído por diversas ocupações e corre o risco de se dispersar. Aspectos desfavoráveis podem fazer que se preocupe desnecessariamente, o que pode causar problemas de saúde. Os problemas de saúde, em geral. Uma boa dieta pode ajudar.

Hermann Oppenheim, neurologista e médico alemão vencedor do prêmio Pulitzer; Harper Lee, autora de "O sol é para todos"; Enrico Fermi, inventor do reator atômico e ganhador do prêmio Nobel de Física; Edwin van Beinum, maestro holandês.

MERCÚRIO NA CASA 7
palavra-chave *consciente dos outros*

A menos que haja muitos aspectos desfavoráveis de Mercúrio, o relacionamento com o parceiro será honesto e refinado. Seu casamento pode ter mais conexão mental que emocional, e é possível que se case mais de uma vez, com alguém mais jovem ou bem cedo. É possível que escolha um parceiro espirituoso e talentoso. As pessoas são importantes para você, que tem bom relacionamento com o público em geral. Este é um bom posicionamento para relações públicas, aconselhamento, psicologia e direito. Os aspectos desafiadores podem ocasionar a tendência à discussão. Seria melhor resolver os problemas legais fora dos tribunais e estudar cuidadosamente contratos e documentos antes de assiná-los.

Ferdinand de Lesseps, diplomata e engenheiro do Canal de Suez; Jacqueline Susann, autora de romances românticos; Charles Boyer, ator francês; R.D. Laing, psicólogo.

MERCÚRIO NA CASA 8
palavra-chave *consciente da motivação oculta*

Sua percepção é penetrante, e você se sente atraído pelo oculto. Intuitivo e misterioso, sente atração por intrigas; às vezes, é desconfiado ou sarcástico. Como tem capacidade de lidar com assuntos e recursos de terceiros, esse é um posicionamento favorável para bancos, finanças empresariais, impostos e seguros. É também particularmente bom para a política, pois você não apenas lida com os negócios dos outros como também precisa da ajuda e do apoio deles. Sua primeira experiência sexual pode ser precoce. Com Mercúrio nessa posição, a morte de um parente ou amigo próximo pode afetá-lo profundamente. Aspectos desfavoráveis indicam, muitas vezes, que você guarda rancor.

Truman Capote, roteirista de humor e autor de "Bonequinha de Luxo"; Roberto Rossellini, diretor italiano de cinema; Yves Guyot, político e economista francês.

MERCÚRIO NA CASA 9
palavra-chave *consciente do propósito*

Cheio de propósito e filosófico, se Mercúrio fizer muitos aspectos desfavoráveis você tenderá a duvidar de tudo. Interessa-se por educação superior, filosofia, religiões, países e culturas estrangeiras. Adora viajar e tem facilidade para aprender línguas. Sai-se bem em propaganda ou publicidade; este posicionamento também é favorável para professores, historiadores e antropólogos. Você pode ser muito intuitivo e até visionário. Com aspectos desafiadores, pode ser dogmático, obstinado ou rude, ou mudar frequentemente de ponto de vista. Pode ter problemas com os sogros, e é melhor viver longe deles. Buscando continuamente por mais informações, você pode ser o eterno aluno.

Merry Bromberger, jornalista francês e fundador de jornal; Angela Davis, ativista do feminismo, líder dos direitos civis, educadora e professora; Carl Schurz, autor, editor e jornalista alemão; William Rehnquist, presidente da Suprema Corte dos EUA.

MERCÚRIO NA CASA 10
palavra-chave *consciente da realização*

Você gosta de fatos, é muito rápido, mas nem sempre minucioso. Em geral, é alegre, bem-sucedido e extrovertido. Gosta de mudar de carreira e pode ter mais de uma vocação. Sua carreira é importante para você, que se sente atraído por política ou por profissões que envolvam a vida pública. Em geral, é orador em público bem-sucedido, sabendo comunicar suas ideias de diversas formas. Esperto e ativo, tem capacidade de organização. A educação o interessa, mas somente como meio de incrementar a carreira. Com muitos aspectos desafiadores, você pode deixar para trás os princípios e se tornar calculista para realizar suas ambições pessoais.

Thurman Munson, jogador de beisebol; Françoise Sagan, autora francesa de "Bom dia, tristeza"; Cecil Beton, cenógrafo e fotógrafo; Ludwig Mies van der Rohe, arquiteto da Bauhaus e criador do lema "Menos é mais".

MERCÚRIO NA CASA 11
palavra-chave *consciente dos grupos*

Sua mente é ativa e original. Você gosta de amigos cultos, adora ideias novas, é intuitivo e idealista. Os grupos são muito importantes para você, que gosta de se reunir com amigos para atingir objetivos comuns. Gosta de compartilhar seu conhecimento, já que suas amizades são mais mentais que emocionais. Extremamente sociável e sem preconceitos, tem, provavelmente, amigos mais jovens. Com aspectos desafiadores, você tende a ser crítico, cínico, sem praticidade e, às vezes, excêntrico. Se não escolher seus amigos com cuidado, poderá haver problemas ou escândalos.

Ron Howard, diretor, produtor, ator; George Roy Hill, diretor de cinema ganhador de dois Oscars; Jim Morrison, cantor e compositor da banda "The Doors".

MERCÚRIO NA CASA 12
palavra-chave *consciente da vida interior*

Você é bom para analisar os problemas dos outros. Sua mente é delicada, e você gosta de trabalhar sozinho. Muitos escritores têm este posicionamento de Mercúrio no mapa, que indica imaginação poderosa. Você se interessa por aspectos transcendentes, sutis e misteriosos da vida e, às vezes, pode ter dificuldade em se expressar. Pode haver também falta de confiança em si mesmo. É preciso cuidado para não se fechar em um mundo de sonhos, baseando suas decisões mais na razão que nos sentimentos. Se Mercúrio estiver próximo ao Ascendente, vai assumir uma característica de primeira casa, tornando-o mais comunicativo e menos introvertido. Com aspectos desfavoráveis, você pode ter tido dificuldades em ler ou uma infância incomum; talvez tenha sido criado por pais adotivos, em um orfanato ou internato.

Timothy Leary, líder da contracultura; Henri Désiré Landru (Barba Azul), assassino francês; George Lucas, diretor e produtor do filme "Starwars"; Richard Zanuck, produtor de cinema.

Aspectos de Mercúrio

Qualquer aspecto com Mercúrio deve ser considerado um contato que envolve a mente, o intelecto e a capacidade verbal.
- A conjunção dá ênfase à mente e ao intelecto.
- O sextil oferece novas oportunidades mentais e intelectuais.
- A quadratura cria tensão mental.
- O trígono dá fluxo e fluência mental e intelectual.
- O quincunce sugere ajustes mentais e intelectuais a serem feitos.
- A oposição proporciona percepção ou falta de percepção mental e intelectual.

ASPECTOS DE VÊNUS COM MERCÚRIO – Mercúrio/Vênus trabalhando juntos

A sedutora Vênus gosta de cortejar o andrógino Mercúrio. Esse par é social e inofensivo. Como Mercúrio e Vênus nunca ficam mais de 74° distantes um do outro, podem formar apenas dois aspectos: a conjunção e o sextil.

☿ ♂ ♀   MERCÚRIO EM CONJUNÇÃO COM VÊNUS

Aqui temos o planeta da mente e das comunicações em conjunção com o planeta dos afetos e do amor; a ênfase é em fazer e dizer a coisa certa na hora certa. Você é charmoso, afável e gentil. Tem muitos talentos artísticos, assim como capacidade para expressá-los.

Michael Crawford e Paul Stookey, cantores da Grã-Bretanha; Barbara Jordan, 1ª senadora negra do Texas; Melanie Griffith, atriz de cinema.

☿ ✶ ♀   MERCÚRIO EM SEXTIL COM VÊNUS

Artístico e muitas vezes musical, você incorpora traços sociais, charme, e sabe como se comprometer. Refinado e tranquilo, é conhecido pelo estilo imaginativo. Seus julgamentos são geralmente imparciais, e, em decorrência disso, os outros tendem a cooperar com você. Pode ganhar dinheiro como palestrante, ator, animador, escritor ou artista.

Diahann Carroll, cantora e atriz de teatro e cinema; Thelonius Monk, músico de jazz; Mark Hatfield, senador; Louis Malle, diretor de cinema francês.

> **ASPECTOS DE MARTE COM MERCÚRIO – Mercúrio/Marte trabalhando juntos**
>
> A energia física e o impulso de Marte estimulam a necessidade de Mercúrio de se expressar intelectual e verbalmente com destreza, racional ou irracionalmente. Você deve se expressar; mas isso dependerá, sobretudo, dos aspectos entre os dois planetas.

☿ ☌ ♂   MERCÚRIO EM CONJUNÇÃO COM MARTE

Você tem energia mental de sobra, é inquieto, curioso, impaciente e, às vezes, pode precisar diminuir o ritmo. Sua mente é clara e incisiva, constantemente olhando para a frente e quase nunca para trás. Satírico, você julga os outros apressadamente e adora debates. Se não puder verbalizar, se fará ouvir por escrito ou por outras formas de autoexpressão.

Ringo Starr, cantor e baterista dos Beatles; Dorothy Day, ativista; Dan Dierdorf, astro do futebol e locutor; Max Shulman, autor, dramaturgo e humorista.

☿ ⁎ ♂   MERCÚRIO EM SEXTIL COM MARTE

Este aspecto fortalece (Marte) a mente (Mercúrio); você nunca para de aprender e está sempre um passo à frente dos outros em sua área de conhecimento.

Georges Braque, artista francês; André Maurois, escritor e historiador francês; Leslie Caron, dançarina e atriz; Robert Middleton, educador e compositor.

☿ □ ♂   MERCÚRIO EM QUADRATURA COM MARTE

Você tem bom intelecto, mas pode ser demasiadamente impulsivo e, de vez em quando, tirar conclusões precipitadas. É curioso, e, se não tomar cuidado, seu gasto de energia mental pode levar à exaustão. A natureza agressiva de Marte incita Mercúrio a um comportamento impaciente; por essa razão, você parece teimoso, de língua afiada e crítico. Como sua mente trabalha rapidamente, você é hábil em reagir com rapidez diante de crises.

Helen McInnes, romancista escocesa; Francis Ford Coppola, diretor e produtor de cinema; Herman Melville, autor de "Moby Dick"; Caril Ann Fugate, adolescente que, com a ajuda do namorado, matou os pais e outras sete pessoas.

☿ △ ♂   MERCÚRIO EM TRÍGONO COM MARTE

Literário e assertivo, você adora uma boa discussão e pode escolher uma profissão como repórter, político ou relações públicas.

Tom Dooley, médico missionário; Julius "Dr. J" Erving, jogador de basquete; Katherine Hepburn; atriz de cinema quatro vezes vencedora do Oscar; F. Scott Fitzgerald, romancista da era do jazz.

☿ ⚻ ♂   MERCÚRIO EM QUINCUNCE COM MARTE

Você é bem informado, mas nem sempre é capaz de usar essas informações, porque assume responsabilidades demais. Embora seja trabalhador, seus esforços podem não ser reconhecidos, e seu sentido de prioridade tende a ser distorcido. Você se frustra com facilidade e, às vezes, é rebelde e impulsivo. É preciso parar, contar até dez e ajustar sua perspectiva mental e suas atividades físicas, pois você é capaz de ajustar seu pensamento e ação; sabe quando planejar e quando seguir em frente.

Annie Besant, ocultista/teosofista; Daniel Inouye, senador ferido na Segunda Guerra Mundial; Irving Wallace, romancista best-seller.

☿ ☍ ♂   MERCÚRIO EM OPOSIÇÃO A MARTE

A necessidade de racionalizar de Mercúrio nem sempre está em sincronia com a de Marte de se precipitar para a ação. Com paciência, você pode se conscientizar dos modos de lidar com essa energia. Você precisa aprender a se concentrar e a ter foco mental. Ao reconhecer esses problemas, poderá pensar antes de falar. Você tem coragem e integridade para defender as ideias que acredita valerem a pena.

Dinah Shore, atriz de cinema, cantora e apresentadora de programa de variedades; Hugo Black, Ministro do Tribunal Superior; Chuck Berry, o original "Rock and Roller"; Steffi Graf, tenista.

> **ASPECTOS DE MERCÚRIO COM JÚPITER –**
> **Mercúrio/Júpiter trabalhando juntos**
>
> Juntos, esses dois planetas oferecem potencial de crescimento mental, afabilidade e perspectiva otimista, mas também atitude de *laissez-faire*. Basicamente, o expansivo Júpiter gosta de trabalhar com o curioso e racional Mercúrio.

☿ ☌ ♃   MERCÚRIO EM CONJUNÇÃO COM JÚPITER

Otimista (Júpiter), inquieto (Mercúrio) e apaixonado por viagens (Júpiter), você pode pensar grande (Júpiter) e ser insaciavelmente curioso (Mercúrio), entusiasmado (Júpiter), interessado em muitas áreas (Mercúrio e Júpiter) e dado a exageros. Propenso a exagerar, você precisa desenvolver autodisciplina. A forma como comunica suas habilidades pode ser fora do comum.

Art Arfons, designer de carros de corrida; Jean Piaget, psicólogo suíço; Doris Duke, herdeira; Louis J. Freeh, advogado, juiz federal e chefe do FBI.

☿ ✶ ♃   MERCÚRIO EM SEXTIL COM MARTE

Embora nem sempre tenha ideias muito originais, sua personalidade turbulenta, otimista, espirituosa e extrovertida tende a compensar.

Alexander Fleming, descobridor da penicilina e vencedor do prêmio Nobel; Eddie Arcaro, jornalista esportivo; Scott Hamilton, medalhista olímpico de esqui no gelo; Vincent Bugliosi, advogado e autor.

☿ □ ♃   MERCÚRIO EM QUADRATURA COM JÚPITER

Você não é fã de planejamentos, mas quer começar de cima ou, pelo menos, pegar um atalho. Por causa dos desafios da quadratura, com esforço, você poderá chegar à proficiência nos campos da lei (Júpiter), da educação (Júpiter) e da literatura (Mercúrio). Já que tudo na vida parece vir tão fácil, quando algo dá errado, você acha difícil lidar com a situação até que aprenda a organizar os pensamentos e as aspirações.

Mata Hari, cortesã e agente de espionagem; Spider Savich, esquiadora vítima de homicídio; Judy Wilty, assassina de dois maridos e filho; Dimitri Shostakovich, compositor russo independente.

☿ △ ♃   MERCÚRIO EM TRÍGONO COM JÚPITER

Você geralmente tem excelente domínio da linguagem, ampla compreensão e grande integridade. Honroso, justo, tranquilo e filosófico, esses atributos são bons para carreiras como jornalismo, editor, professor, orador e conselheiro.

Rollo May, autor e psicólogo existencialista; Sir Arthur Sullivan, compositor; Terry Cole-Whittaker, pastora; John Chanceler, jornalista, apresentador de TV e comentarista.

☿ ⚻ ♃   MERCÚRIO EM QUINCUNCE COM JÚPITER

Você é generoso com os outros à custa do próprio tempo. Sua tendência é assumir muitos compromissos, frustrando-se facilmente em seguida. Para remediar essa situação, seria importante que reorganizasse seu cronograma. Definir prioridades lhe permitirá satisfazer a seu interesse pelo quadro geral (Júpiter) e à sua preocupação com os detalhes (Mercúrio).

Joe McGinnis, escritor e biógrafo; Mary McCarthy, romancista e crítica literária; Toni Morrison, autora, ensaísta, professora universitária e vencedora do Prêmio Pulitzer; Giacomo Puccini, compositor italiano de ópera.

☿ ☍ ♃   MERCÚRIO EM OPOSIÇÃO A JÚPITER

A educação é importante para você, mas é possível que seja interrompida, pelo menos por um período. Você pode ter dificuldade de se focar em suas crenças ou filosofias, porém pode contornar esses problemas concentrando-se e não dispersando suas energias. Essa combinação geralmente aponta para um aluno, professor e/ou viajante vitalício.

Pierre de Smet, explorador e missionário jesuíta; Dante Rossetti, pintor e poeta inglês; Alan Dershowitz, advogado criminal e professor de Direito de Harvard; Vincent Price, ator e colecionador de arte.

ASPECTOS DE SATURNO COM MERCÚRIO –
Mercúrio/Saturno trabalhando juntos

O pedante Saturno encontra o esperto Mercúrio, e os dois não se dão muito bem. Mercúrio é mentalmente apressado; Saturno delibera e organiza cada etapa. Mercúrio representa a juventude e o arquétipo do *puer*, a criança eterna; Saturno, a velhice e o *senex*. A arte de integrar esses princípios tão distintos depende dos aspectos envolvidos.

☿ ☌ ♄ MERCÚRIO EM CONJUNÇÃO COM SATURNO

Você é cuidadoso, sóbrio, lógico, metódico, tenaz, preciso e responsável; pode ser a voz da autoridade. É um bom ouvinte e geralmente prefere trabalhar sozinho. Essa conjunção é boa para gerência empresarial, matemática e arquitetura. Com aspectos desfavoráveis, você pode ser pessimista, abatido ou deprimido.

William L. Shirer, historiador/autor de "Ascensão e queda do Terceiro Reich"; Albert Einstein, físico da "Teoria da Relatividade"; Anaïs Nin, escritora; Paul Hindemith, compositor atonal/teórico.

☿ ✶ ♄ MERCÚRIO EM SEXTIL COM SATURNO

Você é reservado, tímido e sério. De julgamento firme, também é conhecido pelo senso de humor sarcástico. Na juventude, tende a preferir a companhia dos mais velhos.

Burl Ives, cantor de folk e ator; Arthur Schlesinger, vencedor do Pulitzer e professor de Harvard; Henry Ford Sr., empresário automotivo; Edith Cavell, enfermeira.

☿ □ ♄ MERCÚRIO EM QUADRATURA COM SATURNO

Disposto a dispender muito esforço para obter e disseminar conhecimento, este é, geralmente, o aspecto de uma mente perspicaz. Você pode ter tido dificuldade na infância por causa de problemas com um dos genitores, provavelmente o pai. Isso pode gerar inseguranças, atitude defensiva, natureza suspeita ou levar a depressões. Problemas dentários ou auditivos são bastante comuns com Mercúrio em quadratura com Saturno.

Jay Sebring, ator, cabeleireiro e vítima de homicídio de Manson; Richard E. Byrd, almirante da Marinha e explorador ártico; Jacques Ayotte, físico nuclear canadense; Robert Kerrey, senador do Nebraska.

☿ △ ♄   MERCÚRIO EM TRÍGONO COM SATURNO

Este aspecto fluente de Saturno, que representa disciplina e estrutura, com Mercúrio, que representa agilidade mental e criatividade, muitas vezes resulta na habilidade de composição musical. Possuidor de memória penetrantre, você pode ser prático, tradicional, estudioso, trabalhador e engenhoso.

Stan Kenton, músico de jazz progressivo; George Harrison, músico, compositor e cantor dos Beatles; Louis Pasteur, microbiologista francês, inventor da pasteurização; Anton Bruckner, compositor e teórico musical austríaco.

☿ ⚻ ♄   MERCÚRIO EM QUINCUNCE COM SATURNO

Este aspecto mostra que você tem tendência a cair na rotina mental ou à autopiedade Possivelmente, tem enorme necessidade de aprovação para compensar o senso de insegurança. O ajuste necessário com esse aspecto é análogo ao das casas 1 e 6 ou ao das casas 1 e 8 (quincunce). Portanto, você deve desenvolver rotinas diárias de saúde adequadas (casa 6), incluindo muitos exercícios; por outro lado, seria útil mudar sua sexualidade ou atitudes psicológicas (casa 8). Aprendendo a equilibrar disciplina, seriedade e trabalho (Saturno) com despreocupação e vivacidade (Mercúrio), sua vida se tornará mais fácil.

Mia Farrow, mãe e atriz; Janet Lynn, patinadora e campeã olímpica; William Wyler, diretor vencedor de dois Oscars; Richard Lamm, Governador do Colorado.

☿ ☍ ♄   MERCÚRIO EM OPOSIÇÃO A SATURNO

Trabalhador e frequentemente tímido, "A vida seria mais fácil se fosse menos difícil" poderia ser seu lema; como resultado, você pode ter sucesso em grandes organizações. Se Saturno ou Mercúrio estiverem na casa 8, acrescente a política como possível local.

Dr. Louis Berman, endocrinologista; Dr. Alexis Carrel, cirurgião vascular francês e prêmio Nobel; Willy Brandt, chanceler alemão; Frank Capra, diretor de cinema vencedor do Oscar.

> **ASPECTOS DE MERCÚRIO COM URANO – Mercúrio/Urano trabalhando juntos**
>
> A orientação mental de Mercúrio pode se tornar brilhante quando tocada por Urano. Urano como a oitava superior de Mercúrio, ambos funcionando no mesmo comprimento de onda, os dois planetas podem atingir faíscas mentais juntos.

☿ ☌ ♅   MERCÚRIO EM CONJUNÇÃO COM URANO

Você é individualista, único, inventivo, criativo e articulado; pode ser pensador progressista. Devido ao interesse por Astrologia, ciência, comportamento humano, psicologia e tecnologia, precisa de boa educação. Com aspectos desafiadores à conjunção, você pode ser excêntrico e, às vezes, sem tato. Sob circunstâncias certas, a conjunção pode levar à genialidade.

Jacques Brel, compositor belga; Clarence Thomas, juiz da Suprema Corte dos EUA; Gordon MacRae, ator e cantor de "Oklahoma" e "Carousel"; Charles Finley, empresário no ramo de seguros de beisebol.

☿ ⚹ ♅ MERCÚRIO EM SEXTIL COM URANO

Singular, empreendedor, eloquente e progressista, você não tem vergonha de expressar sua opinião e costuma lançar tendências.

Louis Braille, músico e inventor da leitura para cegos; Erik Satie, compositor francês; Vincenzo Bellini, compositor de ópera italiano; Henry Miller, escritor.

☿ □ ♅ MERCÚRIO EM QUADRATURA COM URANO

Mentalmente alerta e engenhoso, seu pensamento pode ser excêntrico e até brilhante. Você pode ser arrogante, nervoso, ousado e descontente, propondo conceitos às vezes fora dos padrões ou exagerados; pode prosperar em esquemas não convencionais.

Oliver Stone, roteirista e diretor de cinema vencedor do Oscar; Bart Jan Bok, professor de astronomia e autor de "A Via Láctea"; Shari Lewis, ventríloqua.

☿ △ ♅ MERCÚRIO EM TRÍGONO COM URANO

Original, talentoso, independente e, às vezes, brilhante e genial, você pode ser feiticeiro ou rebelde. Geralmente, tem memória excelente e pode se interessar por áreas como filosofia, psicologia, educação e literatura. Muitas vezes, fica impaciente e ressentido com a ignorância alheia.

Josephine Tey, dramaturga, escritora de mistério; Luis Álvarez, físico vencedor do Prêmio Nobel; Antoine de Saint-Exupéry; autor de "O Pequeno Príncipe"; Noam Chomsky, linguista, ativista político e filósofo.

☿ ⚻ ♅ MERCÚRIO EM QUINCUNCE COM URANO

Pensador abstrato e progressista, sua capacidade intelectual é enorme, mas esporádica. Embora um tanto egocêntrico, gosta de servir à humanidade; se exagerar, sua saúde poderá ser prejudicada. Temperamental e frequentemente nervoso, sua energia precisa de foco e saídas adequadas. Como suas ideias, muitas vezes, estão fora das "regras" do "convencional", você precisa ter clareza sobre quando e onde compartilhar esses conceitos.

Lee Iacocca, executivo da Chrysler; Leona Helmsley, mulher de negócios; Jack Haley Jr., produtor e diretor de cinema; John Cage, compositor moderno.

☿ ☍ ♅ MERCÚRIO EM OPOSIÇÃO A URANO

"Rebelde com causa", você gosta de desafiar autoridades e raramente aceita conselhos. Imaginativo e muitas vezes astuto, gosta de traçar os próprios e incomuns caminhos.

Sacha Vierny, cineasta francês; Garry Marshall, diretor de cinema; Chuck Mangione, pianista e líder de banda; Dino de Laurentiis, produtor e diretor italiano.

> **ASPECTOS DE MERCÚRIO COM NETUNO – Mercúrio/Netuno trabalhando juntos**
> A capacidade comunicativa e mental de Mercúrio é aprimorada pela capacidade imaginativa de Netuno. Porém, a qualidade ilusória de Netuno pode confundir o pensamento claro de Mercúrio. A combinação dos dois planetas pode conferir voz atraente e talento para se expressar por meio de estratégias. Mercúrio manifesta melhor as qualidades místicas de Netuno por intermédio das artes.

☿ ☌ ♆   MERCÚRIO EM CONJUNÇÃO COM NETUNO

Esta conjunção torna-o anormalmente sensível; você é sonhador, poético, gosta de música, de dançar, dos esportes aquáticos e de fotografia. Tem imaginação vívida e é visionário, mas pode sonhar demais. Tende a fugir de experiências desagradáveis por meio da fantasia e da ilusão. Evite os estimulantes artificiais, sobretudo as drogas e o álcool.

Tonya Harding, patinadora no gelo acusada de ferir a rival Nancy Kerrigan; Bruce Springsteen, cantor e compositor; Robert Shapiro, advogado de defesa de O. J. Simpson; Gian Carlo Menotti, compositor e fundador do Festival de Música de Spoleto.

☿ ⚹ ♆   MERCÚRIO EM SEXTIL COM NETUNO

Perspicaz e muito imaginativo, você pode ser um talentoso vendedor ou criar belas imagens. Com talentos multifacetados, você tem a oportunidade de pintar quadros com palavras, pincéis, o corpo ou a caneta.

Kurt Browning, campeão mundial canadense de patinação; Fred Astaire, supertalentoso ator, cantor e dançarino; Jimmy Connors, campeão de tênis; Dorothy Parker, humorista e autora de língua afiada.

☿ □ ♆   MERCÚRIO EM QUADRATURA COM NETUNO

Sua imaginação rica permite que se destaque no campo das vendas, a ponto de vender gelo a esquimós. Usada indevidamente, você pode ser um mentiroso consumado. Escrita, música, dança, pintura e teatro ou programas sociais o atraem. Você pode combinar o racional e o intuitivo em seu pensamento. Tenha cuidado para não cair em armadilhas.

William Walsh, corretor fiscal e advogado; Kurt Weill, compositor alemão de vanguarda; Amy Fisher, mulher que atirou na esposa do amante; Jack London, romancista e contista suicida.

☿ △ ♆   MERCÚRIO EM TRÍGONO COM NETUNO

Com inclinação criativa e artística, você costuma ter talento para atuar, para a música, para o jornalismo e para a redação de discursos. Carismático, tem a habilidade de encantar os outros. Na verdade, pode tecer imagens com palavras.

Bhagwan Shree Rajneesh, guru do "amor"; Gregory Peck, ator de cinema vencedor do Oscar; Nadia Boulanger, compositora francesa de música erudita e educadora musical; Alberto Moravia, escritor italiano.

☿ ⊼ ♆   MERCÚRIO EM QUINCUNCE COM NETUNO

Embora criativo e inspirado, você nunca está satisfeito com a forma de expressar esses talentos. Detesta a rotina, motivo pelo qual precisa encontrar um trabalho (sexta casa) que permita que expresse sua criatividade e use sua intuição arraigada (oitava casa). Como pode ser facilmente enganado, é preciso tomar cuidado para não ser atraído para negócios duvidosos.

Alan Alda, roteirista e ator, Ruth Rendell, autora de thriller *psicológico; Phyllis McGuire, cantora das "McGuire Sisters"; George Abell, astrônomo.*

☿ ☍ ♆   MERCÚRIO EM OPOSIÇÃO A NETUNO

Frequentemente fora da realidade na forma de pensar, você pode ver a vida por lentes cor-de-rosa. Tende a ser distraído e parece temer a competição. Dependendo do humor do momento, pode ser muito ingênuo ou astuto. Sua mente está aberta ao Universo e pode oferecer ótimos *insights* intuitivos e visões inspiradas ou voltar-se para a mentira e a fantasia.

Rebecca West, crítica literária e romancista inglesa; Sam Peckinpah, roteirista e diretor de filmes violentos épicos; James Earl Ray, assassino de Martin Luther King; Kitty Kelley, mexeriqueira e biógrafa não autorizada.

> **ASPECTOS DE PLUTÃO COM MERCÚRIO – Mercúrio/Plutão trabalhando juntos**
> A necessidade de se comunicar e articular de Mercúrio vai contra a de privacidade de Plutão. Essa pode ser uma combinação muito manipuladora. Plutão exerce controle sobre a leveza de Mercúrio, forçando-o a um raciocínio cada vez mais profundo.

☿ ☌ ♇   MERCÚRIO EM CONJUNÇÃO COM PLUTÃO

Sua mente é profunda, sutil, persuasiva e inclinada ao extremismo. Mentalmente engenhoso e persistente, você gosta de sondar e é fascinado pelo desconhecido. A curiosidade de Mercúrio, combinada com a profundidade de Plutão, pode conduzi-lo a campos de pesquisa, análise, cirurgia, química ou exploração. Frequentemente manipulador, você lida bem com questões de poder. Essa é uma combinação natural do detetive.

Jerry Garcia, guitarrista e líder da banda "Grateful Dead"; Lawrencia Ann "Bambi" Bembenek, ex-policial condenada pelo assassinato da esposa do ex-marido; Arthur Conan Doyle, médico espiritualista autor de "Sherlock Holmes"; Don Drysdale, lançador de beisebol e locutor esportivo.

☿ ✶ ♇   MERCÚRIO EM SEXTIL COM PLUTÃO

Por ser um comunicador incisivo, outras pessoas procuram seus conselhos. Oportunidades podem estar disponíveis em áreas como psicanálise, medicina, pesquisa e finanças.

Billy Joel, superastro de rock n' roll; Frank Gifford, locutor esportista e membro do Hall da Fama do Futebol; James Levine, pianista e maestro do Metropolitan Opera; Tammy Wynette, cantora de música country.

☿ □ ♇   MERCÚRIO EM QUADRATURA COM PLUTÃO

Você pode passar do zelo e do cuidado extremo à apatia, brigando e ralhando, raramente exibindo equilíbrio mental. Costuma assumir riscos desnecessários e pode se destacar nas áreas de pesquisa, investigação criminal, medicina ou psicologia. Um de seus maiores desafios é estar no controle, o que você acredita poder alcançar por meio do sucesso financeiro ou ao usar suas habilidades de comunicação para influenciar os outros.

Erik Menendez, assassino dos pais (com o irmão); Patti Davis, filha do presidente Reagan, romancista; George Stevens Jr., produtor e diretor de cinema; Oleg Cassini, estilista.

☿ △ ♇   MERCÚRIO EM TRÍGONO COM PLUTÃO

Diplomático e analítico, você é capaz de compreensão profunda e concentração e, em geral, usa seu poder de forma inteligente. Com habilidade para exercer influência sobre os outros, você pode desfrutar do papel de líder.

Aldo e Mario Andretti, gêmeos idênticos, pilotos de carros de corrida; Lyle Menendez, assassino dos pais (com o irmão); Wynonna Judd, cantora de música country.

☿ ⚻ ♇   MERCÚRIO EM QUINCUNCE COM PLUTÃO

Como seu senso de responsabilidade é superdesenvolvido, você pode assumir muitos deveres. Por outro lado, normalmente espera muito dos outros. Como gosta de estar no controle, tende a se envolver nos negócios de terceiros. Disposto a se comprometer com qualquer causa, é importante que escolha bem, para que não seja levado à tentação de impor-se aos outros. Tente não desenvolver hábitos compulsivos que possam levar à doença. Suas tendências manipulativas (Plutão) podem anular seu bom senso (Mercúrio). Você pode estar muito curioso (Mercúrio) sobre áreas escondidas ou assuntos tabu (Plutão).

Jimmy Swaggart, televangelista; Al Gore Jr., político; Glenn Close, atriz de cinema, teatro e TV; Ann Jillian, cantora e atriz grávida após lutar contra o câncer durante dezesseis anos.

☿ ☍ ♇ MERCÚRIO EM OPOSIÇÃO A PLUTÃO

Sua fala é incisiva, e você diz as coisas como são, mas também é capaz de demonstrar extraordinário tato e diplomacia. Gosta de converter os outros às suas ideias e convicções.

Marilyn Horne, contralto e estrela da ópera; Janis Joplin, cantora de rock; Sandy Koufax, jogador de beisebol; Faye Dunaway, atriz vencedora do Oscar.

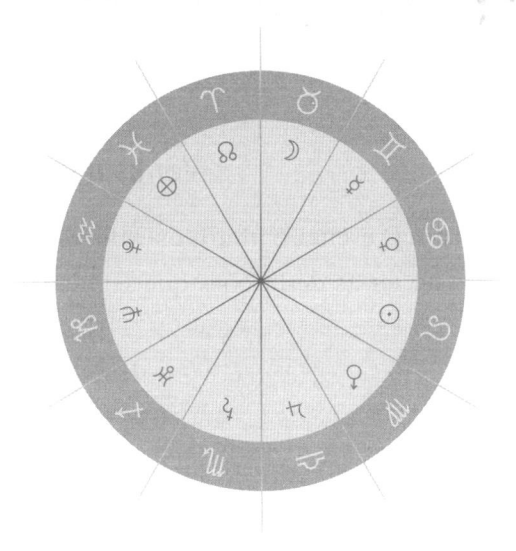

Módulo 11:
Vênus

Algumas sugestões

Antes de começar a ler o Módulo 11, gostaríamos de lhe fazer algumas sugestões.

1. Não tente assimilar tudo de uma vez.
2. Não pule planetas. Termine de aspectar e analisar um planeta antes de começar o seguinte. Não pule para Mercúrio antes de terminar o Sol e depois a Lua.
3. Para compreensão ainda melhor do que estamos tentando ensinar, volte ao mapa de Franklin D. Roosevelt e examine seus aspectos e suas posições por casa à medida que lê nosso texto mais detalhado.

Agora vamos para o Módulo 11: Vênus. Quando terminar este módulo, tente delinear a Vênus de Mozart em trígono com Marte. Nossa interpretação está no Apêndice, na página 458-459.

Vênus nos signos

Vênus representa o afeto, os valores e os impulsos sociais. Lembre-se disso ao ler as descrições que seguem.

♀ ♈	**VÊNUS EM ÁRIES**	
palavra-chave	*expressivo*	detrimento

Você é magnético e cheio de ideias. Inquieto, ardente e provocador, pode ser tirânico, e sua agressividade, muitas vezes, afasta os outros. Como é extrovertido e entusiasmado, destaca-se nas situações sociais. Sua perspectiva é alegre e positiva; você se apresenta bem e tende a ser criativo e artístico. Com aspectos desfavoráveis, é possível que seja inconstante, atire-se em um casamento prematuro ou apressado e até não tenha modos. Você precisa desenvolver maior compreensão dos sentimentos alheios.

Liza Minnelli, cantora e atriz de teatro e TV; Nat "King" Cole, líder de banda, pianista e cantor; Johnny Cash, astro dar música country; Margaret Truman Daniels, filha do presidente dos EUA e autora de sucesso.

♀ ♉	**VÊNUS EM TOURO**	
palavra-chave	*constante*	dignidade

Fiel e estável, sua percepção sensorial é altamente desenvolvida. Você adora ambientes luxuosos e requintados e tem um senso inato do valor dos objetos materiais. Embora seja sensual, expressa essa sensualidade de maneira passiva, deixando que as coisas venham até você. Com charme, boa aparência e provavelmente boa voz, o sexo oposto acaba vindo ao seu encontro. Você tem ligação íntima com a natureza, as flores e a jardinagem; também tende a se sair bem em qualquer campo artístico. Convencional e sociável, suas emoções são profundas. Quando se sente inseguro, é possível que se torne ciumento e possessivo. Com aspectos desfavoráveis, pode até ser bastante teimoso ou que se case tarde. Como gosta de boa comida, há tendência a engordar. Amante do conforto, você, ao mesmo tempo, gosta de deixar os outros à vontade.

Boy George, vocalista andrógino do "Culture Club"; Eric Clapton, cantor de blues e rock; Béla Bartók, compositor húngaro; Ann-Margret, atriz e dançarina.

♀ ♊ VÊNUS EM GÊMEOS
palavra-chave *inconstante*

Você é generoso, amistoso, desprendido e precisa de muita liberdade. Gosta que o parceiro seja intelectual e, se possível, que tenha senso de humor. Aprecia perambular pelo mundo e é literato, até mesmo poético. Falta permanência à maioria dos seus envolvimentos, e pode ser que você se case mais de uma vez. Seus valores em assuntos românticos podem ser bastante superficiais, sobretudo se você não tiver planetas fixos no restante do mapa. Você tem modos agradáveis, bom relacionamento com irmãos e vizinhos e destacado senso de família. Suas emoções se dão mais em nível mental que sentimental, e você floresce com a mudança e a variedade. Sua natureza é curiosa, e você quer experimentar muito do que a vida tem a oferecer.

Dorothy Hamill, patinadora no gelo e medalhista de ouro; John Gavinator, político, diplomata e ecologista; Eddie Albert, ator de cinema e TV; Bob Dylan, cantor, compositor e poeta.

♀ ♋ VÊNUS EM CÂNCER
palavra-chave *sensível*

Idealista e poético, você gosta das coisas boas da vida. Pode ser acomodado, mas raramente é esbanjador. Possui muita sensibilidade e se magoa com facilidade, mas tenta esconder os sentimentos mantendo-se ocupado ou fingindo não se importar. Você sabe desfrutar do lar e administrá-lo. Se não tiver uma casa para cuidar, vai tomar conta do mundo todo. A segurança financeira e doméstica é muito importante para você. É gentil e simpático, e exala um charme tranquilo. Com Vênus nessa posição, suas reações são instintivas e emocionais; em um relacionamento, você pode agir mais como mãe que parceiro. Gosta que o parceiro seja muito franco. Com aspectos desfavoráveis, a tendência ao sentimentalismo torna-se muito acentuada; pode se apegar demais às pessoas que ama, ou seus pais podem fazer objeções à pessoa que você escolheu. Ter certeza de ser amado pelo parceiro é essencial.

Liberace, showman, pianista mais bem pago do mundo; Henri Cartier-Bresson, fotógrafo; Morgana King, cantora; Charles Aznavour, cantor e compositor francês.

♀ ♌ VÊNUS EM LEÃO
palavra-chave *romântico*

Você é ardente, romântico e tende a ter comportamento teatral. Adora a vida e o amor. Pode ser um arrivista que gosta de dar festas suntuosas e adora gente elegante. É orgulhoso; gosta de ser notado e o centro das atenções. As roupas e a aparência são importantes para você, assim como as crianças; gosta de namoros dramáticos e excitantes. Tem grande necessidade de ser aplaudido; se não conseguir isso em casa, vai procurar em outro lugar. Sua boa percepção das cores lhe proporciona habilidade artística. As áreas de teatro, comunicação escrita e música o atraem. Você é caloroso, afetuoso e leal com quem acha que merece. Com aspectos desafiadores, pode ser ciumento, esnobe, anárquico e superpreocupado com sexo.

Whitney Houston, atriz e cantora; David Copperfield, mágico ilusionista; Erich Maria Remarque, autor e bon-vivant; *Yves Saint Laurent, estilista de alta-costura.*

♀ ♍ VÊNUS EM VIRGEM
palavra-chave *exigente* queda

Você é ordeiro e até impecável em relação à aparência pessoal e à abordagem. Ao analisar tudo que faz, é possível que destrua qualquer sentimento natural ou espontâneo. Com Vênus em Virgem, você pode se casar tarde ou ficar solteiro, mas tem um relacionamento muito bom com amigos e colegas. Tem dificuldade em doar-se emocionalmente; prefere compartilhar interesses profissionais ou intelectuais. Afável, retraído e tímido, sente simpatia pelos infelizes. Pode se tornar um bom médico ou enfermeiro e se interessa muito por saúde e higiene. Com aspectos desfavoráveis, essa posição, muitas vezes, se inverte. Em vez de se esconder do amor, você pode ficar obcecado por sexo; em vez de arrumado e limpo, pode se tornar desmazelado e grosseiro; em vez de trabalhador, ser preguiçoso e dissimulado.

Claude Bragdon, arquiteto, filósofo, místico e autor; Anjelica Huston, atriz, diretora e produtora; Patrick Swayze, dançarino, coreógrafo e ator; Johann Karl Zahn, arquiteto, arqueólogo e crítico de arte alemão.

♀ ♎ VÊNUS EM LIBRA
palavra-chave *conciliador*   dignidade

A harmonia, o casamento e todos os relacionamentos sociais são extremamente importantes para você, que gosta de companhia e de agradar aos outros. Bastante imparcial nos julgamentos, tem altos padrões de conduta social. Adora a beleza, o luxo e o estímulo intelectual, e sabe receber bem. Brigas e barulho podem deixá-lo nervoso, já que sua percepção auditiva é bem desenvolvida. Embora não seja guiado pelo dinheiro, aprecia o que ele pode comprar. Tem muitos talentos, mas a música, o desempenho em público, a pintura e a escultura são especialmente adequados ao seu temperamento. É atraente e se sente atraído pelo sexo oposto; na realidade, você ama o amor. Pode ser magoado com facilidade, mas dificilmente guarda rancor. Afável e gracioso, por dentro é eternamente jovem. Com aspectos desfavoráveis, tende a ser superficial ou efusivo, além de incapaz de viver de acordo com o que acredita.

Jim Henson, titereiro, produtor de TV e inventor de "Muppet"; Adolf von Hildebrand, escultor alemão e arquiteto; Lynn Anderson, campeã equestre e cantora; Bo Derek, atriz do filme "Mulher Nota 10".

♀ ♏ VÊNUS EM ESCORPIÃO
palavra-chave *intenso*   detrimento

Suas emoções são muito profundas, e seus desejos sexuais, fortes e passionais. Você tende a ser ciumento e misterioso e tem dificuldade de perceber os sentimentos dos outros. Também pode ser muito idealista, religioso e até místico. Como faz tudo com muita intensidade, sente-se desolado quando seus avanços são rejeitados, e o amor pode transformar-se facilmente em ódio. Mesmo seus gostos artísticos são coloridos por paixão e dramaticidade. Seu comportamento pode ser misterioso, e você raramente perde a dignidade. Com aspectos desafiadores, sente-se muito inseguro e pode vir a se preocupar com o sexo. Pode ser egoísta e até cruel.

Jodie Foster, atriz e diretora; "Rocket" Ismail, gênio do futebol; J. Paul Getty Sr., magnata; Gianni Versace, estilista italiano.

♀ ♐ VÊNUS EM SAGITÁRIO
palavra-chave *franco*

Emocionalmente idealista, você é descontraído, bem-humorado, sociável e até paquerador. Franco, amistoso, extrovertido, adora a liberdade. Tem muitos amigos e é verdadeiro nos relacionamentos pessoais. É honesto, e seus gostos e sua moral são tradicionais. Você prefere uma abordagem clássica em vez da ultramoderna. Gosta da vida ao ar livre e de esportes, viagens, prazeres, diversão e jogos. Gosta de pessoas comedidas ou interessadas em educação. Pode casar-se com um estrangeiro. Com aspectos desfavoráveis, tende a se tornar demasiado brincalhão, inconstante ou voltado ao prazer. Pode ser direto demais ao expressar seus sentimentos ou tentar impor suas crenças.

Art Buchwald, humorista, autor e jornalista; Pablo Casals, violoncelista, compositor e mentor do mundo da música; Barry Goldwater, candidato à presidência e senador; Mark Twain, escritor.

♀ ♑ VÊNUS EM CAPRICÓRNIO
palavra-chave *dedicado*

Como é basicamente inseguro, você pode partir em busca de *status* e de bens materiais a fim de compensar o senso de inadequação. Aparentemente frio e calculista na abordagem do casamento e das associações, tenta se proteger, já que teme a rejeição. Para você, é difícil demonstrar a ternura que realmente sente. Orgulhoso e reservado em público, pode parecer esnobe, mas é bem-sucedido. Com frequência, reprime as emoções e a sexualidade, mas no fundo é muito sensual e até lascivo. Vai devagar com os relacionamentos românticos e pode tanto escolher um parceiro mais velho e mais maduro quanto alguém muito mais jovem por quem se sinta responsável. Quando alguém consegue penetrar de sua enorme couraça, você é leal e dedicado. Com potencial de liderança, pode sair-se bem nos negócios. Com aspectos desafiadores, tende a se preocupar demais com a realização material e a ser emocionalmente distante e frio.

Mikhail Gorbachev, líder e reformador russo; Greg Allman, músico; Eric Severo, jornalista, autor e ensaísta; Hector Berlioz, compositor romântico, maestro e crítico francês.

♀ ≈ VÊNUS EM AQUÁRIO
palavra-chave *desprendido*

Você é sereno, tranquilo, calmo, amistoso, popular e altruísta. Prefere gostar de muitos a amar um só. Guia-se pelas próprias normas e regras, não se importando se são ou não socialmente aceitáveis. Suas atrações românticas frequentemente são súbitas, mas nem sempre duradouras. Seu parceiro precisa ser amigo além de amante, e você espera dele estímulo mental e muita variedade. Não é possessivo e foge de qualquer pessoa que queira amarrá-lo. É intuitivo e funciona bem com amigos e em grupo. Interessa-se por novas formas de arte, reformas sociais e empreendimentos técnicos. Com aspectos desfavoráveis, você pode ser altivo, frio, teimoso e adorar experiências sexuais excêntricas.

Jack Benny, comediante de rádio, teatro e TV; Marlene Dietrich, atriz; Sammy Davis Jr., dançarino, cantor e apresentador; Sam Peckinpah, diretor de cinema.

♀ ♓ VÊNUS EM PEIXES
palavra-chave *compassivo*   exaltação

Você é gentil, compassivo, prestativo e terno. Extremamente compreensivo, pode ser bastante espiritualista. É romântico e sensível. Precisa de amor e ternura, pois sem amor se sente perdido. Sua intuição é altamente desenvolvida, e você se relaciona bem com a arte, a poesia, a natureza e os animais. É criativo e pode inspirar a criatividade dos outros. Entretanto, a extrema sensibilidade pode deixá-lo vulnerável à mágoa. Sabendo disso, muitas vezes, sofre em silêncio ou pode se tornar muito reticente. Autossacrifica-se e se sente atraído pelos infelizes. Com aspectos desfavoráveis, tende a ser demasiado dependente em termos emocionais, ou pode forçar os outros a dependerem de você. Pode ser sentimental, hipersensível, não discriminador e irrealista. Tente usar seus talentos artísticos de alguma forma positiva e criativa.

David Letterman, apresentador de TV; Berthe Morisot, pintora impressionista francesa e modelo; Victor Hugo, poeta e romancista francês; Juliette Greco, dançarina.

Vênus nas casas

VÊNUS NA CASA 1
palavra-chave *charmoso*

Vênus na primeira casa proporciona beleza, harmonia, equilíbrio, elegância, intuição, gentileza, sorte e temperamento alegre. Você gosta de roupas bonitas, da vida social e adora que as pessoas o mimem. O início da vida é agradável. Gosta de ambientes belos e de um estilo de vida requintado. Pode ter muita lábia, gostar de música e de namorar. Tem facilidade em representar por causa da natureza expansiva. Com aspectos desfavoráveis, tende a ser do tipo "eu primeiro", preguiçoso e autoindulgente.

Heather Watts, bailarina principal; Bill Blass, estilista; Bill Clinton, 42º presidente dos Estados Unidos; Margaret Thatcher, primeira-ministra britânica.

VÊNUS NA CASA 2	
palavra-chave *materialista*	dignidade acidental

Você tem capacidade de ganhar dinheiro, gosta de se sentir contente e próspero e tem bastante sorte. Valoriza o *status* social e, portanto, sem dúvida, vai trabalhar duramente em prol do sucesso financeiro. Gosta de ganhar dinheiro de formas agradáveis e pode seguir uma carreira relacionada com artes, beleza, roupas ou flores. Tem capacidade de encantar os outros, e qualquer carreira que atenda às mulheres, inclusive as públicas, pode ser gratificante. Com aspectos desfavoráveis, tende a gastar mais do que ganha, já que gosta de se exibir. Também pode ser guloso ou mesquinho.

William F. Buckley Jr., editor/publisher; John Milton, poeta de "Paraíso Perdido"; Woody Allen, ensaísta, ator e diretor; Jean-Jacques Bernard, dramaturgo francês.

VÊNUS NA CASA 3
palavra-chave *agradável*

Você desfruta de um relacionamento agradável com os irmãos e pode ter tido um início de vida harmonioso. Para você, conciliar é fácil, e, em geral, é capaz de compreender o ponto de vista dos outros. Sua mente é refinada, e você sempre se expressa bem. Gosta de estudar, de passear e de viajar. Charmoso e intelectual, seu bom gênio granjeia a estima de todos. Artístico e criativo, pode dar um bom escritor; se não escrever livros, ao menos vai escrever cartas interessantes. Você não gosta de discutir; prefere atingir seus objetivos pela persuasão, não pela pressão. Com aspectos desfavoráveis, tende a ser inconstante, fingido e superficial.

Agatha Christie, escritora de mistério mundialmente reconhecida (67 livros); Mae West, roteirista e artista de vaudeville, atriz e símbolo sexual; Neil Diamond, cantor e compositor; Don Loper, dançarino, coreógrafo e estilista.

VÊNUS NA CASA 4
palavra-chave ***caloroso***

Você ama seus pais, que provavelmente gozam de boa situação financeira e social. Para você, é importante ter uma casa organizada. Gosta de receber, é sensível ao ambiente, aprecia móveis bonitos e se interessa por decoração, jardinagem, flores e artes. Pode se casar tarde, mas será bastante feliz. Na realidade, você desfruta de bom relacionamento com todos da família. É otimista por natureza, e com razão; se se pautar na própria ética, sempre estará cercado de amor e calor. Com aspectos desfavoráveis, você pode se tornar exigente, ditatorial e ciumento.

Lesley Stahl, âncora de TV e comentarista; Tony Randall, ator de TV e teatro; Michael Crichton, médico e romancista; Hew Lorimer, artista e escultor escocês.

VÊNUS NA CASA 5
palavra-chave *afetuoso*

Seus casos amorosos serão felizes, suas especulações serão bem-sucedidas e seus filhos lhe trarão contentamento. Artístico e criativo, você tem queda natural para representar e escrever, e também pode se destacar nos esportes. Atrai o sexo oposto, de modo que, provavelmente, vai ter muitos romances. Este é um bom posicionamento para lidar com crianças e adolescentes. Sua natureza é afetuosa, amante do prazer, sociável e apaixonada. Com aspectos desafiadores, tudo isso ainda se aplica, mas será mais difícil conseguir os resultados; será preciso mais esforço de sua parte.

Shirley Temple Black, atriz infantil, política e diplomata; Pat Boone, cantor e pregador fundamentalista cristão; Marty Robbins, cantor e compositor de música country; Christian Dior, estilista.

VÊNUS NA CASA 6
palavra-chave *prestativo*

Você gosta de prestar serviços e se dá maravilhosamente bem com colegas e colaboradores. Funciona melhor quando os outros respeitam seus hábitos. Gosta do trabalho artístico e, muitas vezes, se envolve profissionalmente com mulheres. Prefere tarefas nas quais não tenha de sujar as mãos. Está sempre pronto a ajudar os outros, de modo que este é um bom posicionamento para mediadores, conselheiros de todos os tipos, árbitros e trabalhadores da área da saúde. Sua saúde, em geral, é boa, e você se interessa por roupas e dieta. Com aspectos desfavoráveis, evite muito açúcar e amidos. Você tende a ser autoindulgente e a não estar disposto a fazer ajustes.

Eric Heiden, cirurgião ortopédico e medalha de ouro de speedskater; Petra Karin Kelly, ambientalista e fundadora do Partido Verde; Hugh Hefner, editor da revista "Playboy"; Clarence Thomas, juiz da Suprema Corte.

VÊNUS NA CASA 7
palavra-chave *harmonioso* dignidade acidental

Capaz de criar ambientes agradáveis, você será feliz no casamento. Popular com o público em geral, suas sociedades nos negócios caminham sem tropeços. Com mente íntegra, pode esperar ter sucesso em assuntos relacionados com a lei. Sua natureza é amorosa; se não se casar, será por opção, não por falta de oportunidade. Você tem muito traquejo social e acha fácil se dar bem com todo tipo de pessoa. Com aspectos desfavoráveis, tende a acumular ressentimentos. Isso pode levar ao complexo de perseguição.

Oliver Wendell Holmes, chefe de Justiça; Jack Kerouac e Ken Kesey, romancistas; Jean Harlow, atriz e símbolo sexual dos anos 1930.

VÊNUS NA CASA 8
palavra-chave *sensual*

Você vai lucrar muito por intermédio de um parceiro ou talvez se beneficie de seguros e heranças. Sua vida tende a ser longa, e sua morte, tranquila. Este é um bom posicionamento para os altos negócios, operações bancárias e a profissão literária. Você pode ter tendências espirituais; se as desenvolver, encontrará a felicidade e a paz de espírito. Seus relacionamentos sexuais são harmoniosos. Com aspectos desafiadores, você pode ter preguiça, falta de disciplina, demasiada sensualidade ou cometer excessos na comida e na bebida.

Edmond Rostan, poeta e dramaturgo francês, autor de "Cyrano de Bergerac"; Jeanne Moreau, atriz francesa; Hermann Hesse, autor de "Siddharta", jovem ganhador do prêmio Nobel; Jennifer Jones, atriz vencedora do Oscar.

VÊNUS NA CASA 9
palavra-chave **benéfico**

Você tem intuição aguda e gosta dos mais elevados aspectos culturais da vida. Amante do estudo, em geral tem boa educação. Vênus neste posicionamento suaviza o caminho de sua vida. Prudente, gentil, simpático e prestativo, seus gostos são artísticos e refinados. Pode ser que se case com um estrangeiro ou passe muito tempo viajando pelo exterior. Se se casar, provavelmente terá bom relacionamento com os sogros. Se os aspectos forem desafiadores, tenderá a ser preguiçoso e indiferente ou talvez ter demasiada inclinação missionária ou religiosa.

Vaclav Havel, presidente, dramaturgo e autor tcheco; David Bowie, cantor de rock, músico e ator; Marcia Clark, promotora no julgamento de O. J. Simpson; Ezra Pound, autoexilado, propagandista fascista e poeta.

VÊNUS NA CASA 10
palavra-chave **benquisto**

Você é ambicioso e deve ser bem-sucedido socialmente, encontrando no caminho muitas pessoas dispostas a ajudá-lo. Com frequência, um dos genitores o ajudará em termos profissionais. Você é popular, tem sorte e sucesso com o sexo oposto e pode acabar se casando mais por *status* que por dinheiro. É diplomata nato. Embora siga a onda e não seja, de fato, pioneiro, tem sucesso com o público. Com aspectos desfavoráveis, pode ser arrivista e não atingir os benefícios potenciais deste posicionamento.

Fernand Léger, principal cubista, muralista e artista francês; Madame Claude, famosa garota de programa francesa; Maurice Maeterlinck, poeta belga ganhador do prêmio Nobel; Paula Abdul, cantora e coreógrafa.

VÊNUS NA CASA 11
palavra-chave *amigável*

Você tem uma variedade de amigos, sobretudo do sexo oposto, que pode ajudá-lo muito na carreira e na vida pessoal. Tem relações no meio artístico e pode ser que se case com alguém de sua profissão. Sai-se bem trabalhando com clubes e organizações; talvez se envolva com filantropia. Tende a ser muito idealista e precisa ser mais realista para alcançar seus objetivos. Com aspectos desfavoráveis, é possível que escolha amigos errados e sofra desapontamentos por causa deles.

Jo King, aviador e operador de escola de voo; Sir Laurence Olivier, autor, produtor, diretor e ator; Tad Mosel, dramaturgo e roteirista vencedor do prêmio Pulitzer; Corin Redgrave, ator e irmão de Lynn e Vanessa.

VÊNUS NA CASA 12
palavra-chave *simpático*

Você é gentil, compassivo, caridoso, tem simpatia pelos outros e muitas vezes é profundamente inspirado. Gosta de lugares isolados e precisa de tempo para recarregar as baterias. Embora não tenha ambições muito fortes na vida, sente uma necessidade compulsiva de servir aos outros. Atraído pelo oculto, gosta de investigar os significados mais profundos da vida e do amor. Basicamente tímido e magoando-se com facilidade, pode ser que tenha casos amorosos secretos. É bastante resignado nas dificuldades. Com aspectos desafiadores, pode amar uma pessoa comprometida, sofrer reveses na vida amorosa ou vivenciar a frustração do divórcio.

Marge Champion, dançarina, atriz e coreógrafa vencedora do Emmy; Claude Debussy, pianista e compositor de "L'après-midi d'un Faune"; Piet Mondrian, artista holandês; River Phoenix, ator de cinema e TV.

Aspectos de Vênus

Qualquer aspecto de Vênus deve ser considerado como afetando a natureza amorosa.

- A conjunção enfatiza os afetos e a natureza amorosa.
- O sextil reflete a oportunidade de sentir amor e afeição.
- A quadratura desafia sua natureza romântica.
- O trígono empresta fluidez e suavidade ao sentimento de amor e de afeto.
- O quincunce sugere que é necessário um ajuste para concretizar seus sentimentos.
- A oposição mostra sua percepção, ou falta dela, de seus sentimentos em relação aos outros.

> **ASPECTO DE VÊNUS COM MARTE – Vênus/Marte trabalhando juntos**
>
> Quando Vênus (feminino) e Marte (masculino) estão conjuntos, funcionam como a essência erótica do mapa... sexual, romântica e galanteadora. O encanto de Vênus pode suavizar a direção de Marte e a aspereza; o tato (de Vênus) difunde a franqueza (de Marte), resultando em aptidão social.

♀ ☌ ♂   VÊNUS EM CONJUNÇÃO COM MARTE

Sensual e sexual, você alia charme e energia e se apresenta como verdadeiro romântico. Exige muito das pessoas que ama e sente-se descontente ou zangado quando elas não correspondem às suas expectativas. Gosta e precisa de atividades sociais e, embora possa parecer agressivo às vezes, trabalha bem com o público.

Merv Griffin, apresentador de talk show; *Sylvia Mars, terapeuta; Emilio Pucci, estilista italiano; Kris Kristofferson, ator, cantor e compositor.*

♀ ✶ ♂   VÊNUS EM SEXTIL COM MARTE

Pelo fato de exalar charme e magnetismo animal, você atrai sexual e socialmente outras pessoas. Oportunidades financeiras (sextil) acenam se você se esforça (Marte) em vez de ceder à atitude *laissez-faire* (Vênus).

Loretta Young, atriz de cinema (mais de 100 filmes) e apresentadora de TV; Johnny Carson, apresentador de TV; Harry Belafonte, ator, cantor e apresentador; Jacques Ibert, compositor francês de partituras de ópera e música de câmara.

♀ □ ♂   VÊNUS EM QUADRATURA COM MARTE

Impulsivo e, às vezes, excessivamente amoroso, sua natureza sexual é vigorosa e o desafia a se lançar ao jogo do amor até encontrar o parceiro certo. O impulso inato e a pressa de Marte podem diminuir sua faceta mais descontraída ou até o comportamento mais preguiçoso de

Vênus. Este pode ser o aspecto que o impulsiona (Marte) em direção ao acúmulo de bens materiais ativos (Vênus) ou à extravagância tola.

Tennessee Williams, dramaturgo de "Gato em teto de zinco quente"; Sean Penn, ator; Bruce Springsteen, cantor e compositor; Robert Doisneau, fotógrafo francês.

♀ △ ♂   VÊNUS EM TRÍGONO COM MARTE

Ardente no amor, sua natureza é afetuosa, calorosa, agradável e amante da diversão; você não gosta de pensar no pior lado da vida. Sua afabilidade, charme e motivação garantem o sucesso em muitas áreas, como financeira, amorosa, esportiva e musical.

William Travilla, figurinista de cinema e TV; Art Tatum, pianista de jazz; Howard Cosell, jornalista esportivo.

♀ ⚻ ♂   VÊNUS EM QUINCUNCE COM MARTE

Seu desejo de expressão sexual (Marte) pode entrar em conflito com sua possível autoindulgência (Vênus), levando, muitas vezes, a uma vida amorosa problemática ou a alguns problemas de saúde. Você terá mais sucesso se conseguir ajustar sua autoafirmação (Marte) à tendência à acomodação (Vênus).

Warren Beatty, ator e diretor; Rip Torn, ator de cinema, teatro e TV; Lynne Carter, artista; Alfonse d'Amato, político, senador de Nova York.

♀ ☍ ♂   VÊNUS EM OPOSIÇÃO A MARTE

Você expressa abertamente seus sentimentos, mas fica bastante magoado se o outro não corresponde (Vênus) a eles; em consequência, pode se retirar e esperar o momento certo para atacar (Marte). Tende a se dar melhor com membros do sexo oposto. Este aspecto é considerado o do grande amante.

Peter Bogdanovich, diretor e produtor de cinema; William Holden e Judd Hirsch, atores de teatro, cinema e TV; Dolly Parton, compositora e cantora.

> **ASPECTOS DE VÊNUS COM JÚPITER – Vênus/Júpiter trabalhando juntos**
> Essa combinação pode ser muito boa. Tanto Vênus como Júpiter tendem a um comportamento autoindulgente e são amantes do prazer. Júpiter aspira alto (ideais elevados, grande visão), e Vênus busca a beleza; juntos, realçam tudo o que tocam.

♀ ☌ ♃   VÊNUS EM CONJUNÇÃO COM JÚPITER

Amante da diversão, você é charmoso, generoso – até extravagante – e popular, sobretudo com o sexo oposto; adora ocasiões festivas e grandiosas. É um bom professor e excelente em relações públicas. Ama a verdade e a honestidade e, devido à visão um tanto ortodoxa, não gosta de vulgaridade. Ao não usar este aspecto da forma correta, você tende a se tornar preguiçoso, ganhar peso, ser autoindulgente, infiel e até hedonista.

Jerry Falwell, televangelista; Shelley Winters, autora e atriz duas vezes vencedora do Oscar; Julie Newmar, atriz e mulher de negócios; Jack Paar, apresentador de talk show.

♀ ✶ ♃　VÊNUS EM SEXTIL COM JÚPITER

Sua personalidade extrovertida e afetuosa deixa os outros à vontade; isso o torna popular. Tem capacidade de ganhar e de gastar muito dinheiro. Tem atração por parcerias, tanto nos negócios quanto conjugais, geralmente bem-sucedidas.

Ricky Nelson, músico e cantor; Dianne Feinstein, prefeita e senadora de São Francisco; Lord Tennyson, poeta inglês laureado autor de "Morte d'Arthur".

♀ □ ♃　VÊNUS EM QUADRATURA COM JÚPITER

Frequentemente, você é um jogador que gosta de correr riscos. Se não for precavido, pode extrapolar nas áreas financeira e dos negócios. A tendência ao comportamento permissivo e ao otimismo exagerado pode levá-lo para o caminho mais fácil; em vez de trabalhar duro, você poderá relaxar em diversas áreas, incluindo no amor. Seus relacionamentos tendem a funcionar melhor quando você tem liberdade e seu parceiro compartilha seus valores ou sua perspectiva religiosa.

Jack Nicholson, ator duas vezes vencedor do Oscar; Mel Lazarus, cartunista de "Momma"; Erwin Rommel, general alemão apelidado de "A Raposa do Deserto"; Sarah Ferguson, duquesa de York.

♀ △ ♃　VÊNUS EM TRÍGONO COM JÚPITER

Você tem forte senso ético, é generoso (Júpiter), caridoso, simpático e bom para lidar com pessoas (Vênus). Sabe o que quer na vida, tem altos ideais e aspirações, mas pode ser muito preguiçoso e/ou autoindulgente para ir atrás do que quer.

Ralph Edwards, apresentador de rádio e televisão; Oprah Winfrey, apresentadora de talk show, produtora e atriz; Arlene Dahl, atriz, romancista e astróloga; Don Henley, cantor da banda "Eagles".

♀ ⚻ ♃   VÊNUS EM QUINCUNCE COM JÚPITER

Com este aspecto, a tendência venusiana à autogratificação vai contra a necessidade jupiteriana de salvar a humanidade. Você se esforça para conseguir a aprovação dos outros e impressioná-los em vez de aprender a tirar proveito do talento para crescer e prosperar. Quando aprender a ajustar as tendências materiais às evoluídas ideias, sua vida terá mais significado.

Vittorio de Sica, diretor italiano; Albert (Al) Gore, jornalista, fazendeiro, político e vice-presidente; Franco Nero, ator italiano; Roseanne, comediante, atriz e estrela de séries de TV.

♀ ☍ ♃   VÊNUS EM OPOSIÇÃO A JÚPITER

Você pode ser vaidoso e até presunçoso; no entanto, é um grande amigo quando tudo vai bem. Adora cores brilhantes e é generoso. Se usar esses desafios positivamente, sua intuição florescerá, e você poderá se sair bem no trabalho de relações públicas, na política, no aconselhamento e nos meios de comunicação – ou seja, em qualquer atividade que envolva o trato com outras pessoas.

Renee 'Zizi' Jeanmaire, atriz e bailarina; Helen Reddy, cantora australiana de "I Am Woman"; Chico Marx, um dos Marx Bros, jogador e comediante; Maurice de Vlaminck, um dos "Fauves", artista francês.

> **ASPECTOS DE VÊNUS COM SATURNO – Vênus/Saturno trabalhando juntos**
> Quando os dois planetas mais diferentes do zodíaco se encontram, todos os aspectos são um pouco complicados. A tranquila Vênus nem sempre se harmoniza com o responsável Saturno. A natureza amante do prazer de Vênus não fica necessariamente confortável com o pendor autoritário de Saturno. Vênus quer brincar; Saturno quer trabalhar. Qualquer contato entre Saturno e Vênus pode ser expresso como um problema com um dos pais – na maioria das vezes, o pai – por excesso de expectativa ou falta de carinho.

♀ ☌ ♄ VÊNUS EM CONJUNÇÃO COM SATURNO

Para você, dever e felicidade se identificam. Seu julgamento é bom, mas você é muito cauteloso. Há grande necessidade de segurança, muitas vezes encontrada em um parceiro mais velho ou mais novo, de quem pode cuidar. Um dos genitores pode ter sido muito rigoroso e frio, e você pode ter medo de relações íntimas. Fiel no amor e bastante sério, costuma honrar seus compromissos e pode ser um parceiro muito dedicado. Autodisciplinado e trabalhador, você combina, com frequência, a inclinação artística de Vênus com a estrutura de Saturno.

Jack London, prolífico escritor de contos e romances; Leopold Stokowski, músico e maestro; Bill Gates, empreendedor visionário e fundador da Microsoft; Pietro Annigoni, pintor italiano de retratos famosos (Rainha Elizabeth II, JFK).

♀ ✶ ♄ VÊNUS EM SEXTIL COM SATURNO

Ao lidar com relacionamentos, seu lema poderia ser "O amor é sério, o amor é sincero – mas não necessariamente eterno". Talvez a jardinagem ou a música sejam um canal positivo para ajudá-lo a superar o sentimento de solidão. A integração de Vênus e Saturno oferece muitas oportunidades (sextil) para aproveitar (Vênus) o trabalho (Saturno) e ser bem recompensado.

Henri Matisse, pintor pós-impressionista, um dos Fauves; Dan Rather e Frank Reynolds, apresentadores e âncoras de TV; Twyla Tharp, dançarina inovadora e coreógrafa.

♀ □ ♄ VÊNUS EM QUADRATURA COM SATURNO

Seu tremendo impulso para o sucesso às vezes encobre sentimentos de inadequação. Devido à insegurança básica (Saturno) e à vulnerabilidade, você se protege camuflando seus verdadeiros sentimentos (Vênus) e se retrai. Mas, quando tem certeza do amor do outro, sua lealdade e constância vêm à tona. Você pode ter problemas com os pais, pois sente que não é amado o suficiente.

Mary Shelley, romancista/autora britânica de "Frankenstein"; Billy Joel, cantor de rock/compositor; Milton Berle, lendário comediante; Margery Allingham, prolífera/popular/detetive/escritora de histórias de mistério.

♀ △ ♄ VÊNUS EM TRÍGONO COM SATURNO

Sério, fiel e econômico, você pode obter vantagens através de parcerias, negócios e/ou pessoas mais velhas. A autodisciplina geralmente é fácil para você; por causa disso, você pode chegar ao topo e permanecer lá. A luz de Vênus parece se tornar mais confiável e produtiva quando em contato com Saturno, permitindo que você dê estrutura (Saturno) aos seus talentos criativos (Vênus).

Josephine Baker, artista e dançarina que conquistou Paris; Paloma Picasso, designer de joias; Arsenio Hall, ator, comediante e apresentador de talk show; *John Derek, diretor e produtor.*

♀ ⚻ ♄   VÊNUS EM QUINCUNCE COM SATURNO

Você é capaz de ganhar muito dinheiro, mas seu impulso para o trabalho árduo é, muitas vezes, uma supercompensação para seu medo da rejeição no amor. Isso o leva a querer brilhar em uma profissão ou carreira em que seja necessário menor envolvimento pessoal. São comuns a depressão e a autodepreciação, mas você as esconde atrás da dedicação ao trabalho, muitas vezes à custa do amor e da ternura. Realinhar seu tempo e sua energia entre amor e trabalho pode ser desafiador, mas você ficará satisfeito ao abrir espaço para ambos.

Guy de Maupassant, romancista e contista francês, suicida; Miles Davis, músico; Helen MacInnes, romancista de espionagem; Oriana Fallaci, fotojornalista.

♀ ☍ ♄   VÊNUS EM OPOSIÇÃO A SATURNO

Devido ao sentimento inato de inadequação, você teme a rejeição e a falta de aceitação e tende a ficar na defensiva. Como tem dificuldade de expressar seus verdadeiros sentimentos, precisa estar ciente de que pode ser amado sem exagerar e sem ter que se doar muito a um relacionamento. É possível que experimente questões de poder no amor. De modo construtivo, tente manter bom equilíbrio entre o cuidar e a carreira, a gentileza e os ganhos financeiros.

Charles Finley, empresário e dono do time de beisebol; *Kenny Rogers*, cantor pop de música country; *Richard Pryor*, ator e gênio dos quadrinhos; *Frank Sinatra*, cantor e ator.

> **ASPECTOS DE VÊNUS COM URANO – Vênus/Urano trabalhando juntos**
> Vênus busca amor e harmonia; Urano, liberdade e diversão. Vênus espera segurança; Urano, variedade e experimentação – os dois raramente se encontram, mas, quando o fazem, as faíscas voam. Por causa da ação e reação inesperadas de Urano, há empolgação no ar, independentemente do aspecto envolvido.

♀ ☌ ♅ VÊNUS EM CONJUNÇÃO COM URANO

Abençoado com uma personalidade brilhante e certo fascínio elétrico, você exala emoção e se recusa a ser desvalorizado. Onde a autenticidade é necessária, você funciona bem. Se tiver tendências artísticas, a originalidade marcará seu trabalho. Frequentemente envolvido em ligações múltiplas e incomuns, você acha difícil permanecer fiel a uma pessoa (a menos que Saturno seja forte), confundindo, muitas vezes, amizade com amor. Vênus em conjunção com Urano, mais que qualquer outra conjunção, depende do signo, da colocação na casa e de outros aspectos.

Elizabeth Taylor, estrela de cinema; *Camilla Parker-Bowles*, segunda esposa do príncipe Charles da Inglaterra; *Jawaharlal Nehru*, ativista pela independência da Índia e primeiro-ministro; *Bill Moyers*, jornalista e repórter.

♀ ⚹ ♅   VÊNUS EM SEXTIL COM URANO

Você tem personalidade magnética e inconvencional; tem muito entusiasmo pela vida e firma, com frequência, muitos acordos ou relacionamentos pouco ortodoxos. Deve explorar seu potencial criativo; seu carisma brilhante pode abrir muitas portas.

Fabio Lanzoni, modelo italiano e personalidade da TV; Newt Gingrich, porta-voz da Casa Branca; Simone Signoret, atriz francesa vencedora de Oscar e do Emmy; Tom Brokaw, apresentador de TV e jornalista.

♀ □ ♅   VÊNUS EM QUADRATURA COM URANO

Você pode desenvolver problemas com o sexo oposto, precipitando-se em relacionamentos e cansando-se deles com a mesma rapidez, mas sempre desfrutando do papel do flerte. Às vezes egoísta ou melindroso, ressente-se com a autoridade; gosta de ser diferente e está disposto a lutar pela independência ou liberdade. Frequentemente, choca os outros com sua linguagem ou seu comportamento fora do comum. Com muitos outros aspectos estressantes no mapa, é importante controlar as possíveis explosões emocionais.

Alice Cooper, cantor e astro do rock; Cheryl Crane, assassina do amante da mãe, Lana Turner; Julio Iglesias, cantor espanhol; Yannick Noah, campeão de tênis e cantor francês.

♀ △ ♅   VÊNUS EM TRÍGONO COM URANO

Sua abordagem única, inovadora e criativa pode proporcionar reconhecimento e sucesso. Extremamente atraente para o sexo oposto, seu romance e casamento repentinos podem nem sempre durar, mas serão muito divertidos enquanto durarem.

Nelson Mandela, líder sul-africano; Glenn Close, atriz e cantora; Jon Bon Jovi, astro do rock; Judith Krantz, autora de romances pop.

♀ ⚻ ♅ VÊNUS EM QUINCUNCE COM URANO

Socialmente temperamental, você pode ser a alma da festa num dia e acabar com a brincadeira no outro. A necessidade uraniana de se rebelar está em desacordo com sua necessidade de conforto do *status quo* social. Vênus ama cada relacionamento, enquanto Urano adora ser autônomo e independente, o que resulta, muitas vezes, em um dilema entre liberdade e proximidade, que exige que você faça alguns ajustes.

Cybill Shepherd, atriz de TV; Susan Sarandon, atriz de cinema, teatro e TV, vencedora do Oscar; Rush Limbaugh, apresentadora de rádio; Jean-Louis Barrault, ator, mímico e diretor de cinema e teatro.

♀ ☍ ♅ VÊNUS EM OPOSIÇÃO A URANO

Você tem tendência a ser mimado e está acostumado a fazer as coisas do seu jeito, mas consegue transmitir o que quer com muito charme. Um forte desejo sensual e um apelo magnético podem levá-lo a "atrações fatais" – mas, com frequência, você apenas seduz e vai embora. Deve aprender a equilibrar o desejo de amor com a necessidade de liberdade. Relacionamentos incomuns ou abertos, que acentuam a individualidade de cada parceiro, pode ser seu caminho.

Jimmy Hendrix, astro do rock; Jimmy Rodgers, cantor, compositor e empresário de música country; Mary McFadden, estilista; Elton John, cantor e compositor britânico.

> **ASPECTOS DE VÊNUS COM NETUNO – Vênus/Netuno trabalhando juntos**
> Juntos, Vênus e Netuno tecem um feitiço mágico ao criar a ilusão de beleza, encantamento e mística. A aplicação mais prática dessa combinação é experimentada por meio de um dos campos da arte, como a dança, a música, a poesia ou o cinema. Quando esses dois planetas se fundem, trazem à tona uma qualidade efêmera, evocando, na melhor das hipóteses, o comportamento intuitivo; na pior, o escapismo.

♀ ☌ ♆   VÊNUS EM CONJUNÇÃO COM NETUNO

Apreciador da beleza, da arte e da poesia, você adora a música e os animais. É um sonhador romântico pouco prático e deseja uma ocupação pacífica. Não vê os outros claramente e pode vivenciar muitos desapontamentos nos relacionamentos amorosos. Pode ser paquerador e, às vezes, confiar demais nos outros. Geralmente, tem propensão a seguir o caminho de menor resistência.

Harry Houdini, um dos maiores ilusionistas de palco do mundo; Andrew Wyeth, artista; Carla Bruni, cantora e modelo italiana; Werner Erhardt, ex-vendedor de carro, líder de movimento consciente e fundador da EST.

♀ ✶ ♆   VÊNUS EM SEXTIL COM NETUNO

Apreciador da beleza em todas as formas, você se sente atraído por pessoas e por estilo de vida refinados. Sua natureza criativa poderia se expressar bem na pintura, na fotografia ou em alguma forma de escrita. Pode haver também preferência por instrumentos de corda.

Les Paul, guitarrista e músico de jazz; Ann Landers, colunista; Richie Sambora, guitarrista do Bon Jovi; Salvador Dalí, artista espanhol excêntrico/surrealista.

♀ □ ♆   VÊNUS EM QUADRATURA COM NETUNO

Na via negativa, esse aspecto pode levá-lo ao escapismo; nesse caso, é importante se proteger do abuso de álcool e de drogas em geral. Charmoso e pouco prático, você tende a ver a vida através de uma névoa ou de lentes cor-de-rosa, mas pode usar a inclinação artística para ganhar a vida.

Françoise Gilot, artista, esposa de Jonas Salk, amante de Picasso e mãe de dois de seus filhos; Paul Gauguin, artista; Maharaj Ji, guru; Coco Chanel, designer de alta costura.

♀ △ ♆   VÊNUS EM TRÍGONO COM NETUNO

Artístico, você adora uma vida agradável e pode nascer em circunstâncias opulentas. Frequentemente bom ouvinte, pode ser sensitivo e imaginativo. Em geral, não se sente atraído pelo trabalho árduo ou rotineiro, mas poderia se sair bem no campo do serviço social.

Placido Domingo, cantor de ópera espanhol; Shari Lewis, marionetista/ventríloqua; Tommy Tune, dançarino/coreógrafo; Joseph Campbell; autoridade nas áreas de mitologia e simbolismo, autor e palestrante.

♀ ⚻ ♆   VÊNUS EM QUINCUNCE COM NETUNO

Sensível e vulnerável, criativo e artístico, você tem medo de ser impopular e fará tudo para que gostem de você. Cuidado para não desperdiçar seu grande talento artístico ao passar o dia devaneando. Para encontrar o parceiro perfeito (Vênus) que está procurando, é importante fazer ajustes e tirar os antolhos (Netuno).

Bob Mackie, estilista vencedor do Emmy; Harpo Marx, comediante de vaudeville, um dos irmãos Marx; John Ehrlichman, advogado e oficial do governo Nixon; José Greco, dançarino e professor de flamenco.

♀ ☍ ♆ VÊNUS EM OPOSIÇÃO A NETUNO

Você precisa aprender a lidar com seu extremo idealismo, suas emoções exageradas e a luta entre a intuição e os sentimentos. No entanto, seus talentos artísticos e criativos podem ser usados com grande sucesso se você se dedicar. Você é enganado com facilidade, inclusive financeiramente, mas sua capacidade visionária ou sexto sentido podem salvá-lo de situações difíceis. Quando não se sente reconhecido, tende a pôr a culpa nos outros, a colocá-los em pedestais e a lhes dar muito crédito.

William H. Masters, médico ginecologista e educador sexual; Eleanor Holm, campeã de natação; Prince, cantor pop; Kurt Russell, ator de cinema e TV.

ASPECTOS DE VÊNUS COM PLUTÃO – Vênus/Plutão trabalhando juntos

Quando os regentes naturais das casas 2 e 8 (casas do dinheiro) fazem aspecto entre si, há necessidade de equilíbrio entre os próprios recursos (segunda casa/Vênus) e os dos outros (oitava casa/Plutão). Aqui, os dois planetas mais eróticos se combinam: Vênus representando a sensualidade; Plutão, a sexualidade. Quando levado um passo longe demais, essa aliança pode resultar em irrefreável desejo sexual e até em obsessão.

♀ ☌ ♇   VÊNUS EM CONJUNÇÃO COM PLUTÃO

Seus sentimentos são profundos, e suas necessidades, exageradas. Seu amor pode ser fanático; seus desejos são tão intensos que os desapontamentos são inevitáveis. Sua personalidade é possessiva e magnética. Você combate todo tipo de injustiça e se compromete totalmente com a causa. Com o uso impróprio de aspectos discordantes para a conjunção, você poderá ser pego em algum tipo de corrupção ou sua moral poderá deixar muito a desejar.

Cathy Guisewite, cartunista criadora de "Cathy"; Barry Manilow, cantor e compositor; Olivia Newton John, cantora e atriz; Mario Cuomo, orador, advogado e governador do estado de Nova York.

♀ ✶ ♇   VÊNUS EM SEXTIL COM PLUTÃO

Você é criativo, engenhoso e tem forte percepção das cores. Devido à personalidade muitas vezes carismática ou memorável, as pessoas não se esquecem de você com facilidade.

Roman Polanski, produtor e diretor; Peter Max, artista pop e desenhista comercial; Christopher Reeve, ator de "Superman", de teatro e de TV"; príncipe Charles, herdeiro do trono britânico.

♀ □ ♇   VÊNUS EM QUADRATURA COM PLUTÃO

Sua sexualidade é forte e, às vezes, lasciva. Isso pode levá-lo a ficar paquerando e a criar muitas inibições psicológicas, que vão frustrar seus casos amorosos. O desafio dessa quadratura evidencia-se como um dos aspectos mais ávidos por dinheiro do zodíaco, refletindo a luta para ganhá-lo e mantê-lo ou um quase desprezo por ele – lutando, em vez disso, por causas e vítimas sociais. Você tentará superar qualquer desafio para encontrar seu caminho.

Goldie Hawn, atriz e comediante; Jerry Brown, governador e jesuíta; Harlan Jay Ell (filho), editor e escritor de ficção científica; Dennis William Etchison, contista, roteirista e autor de terror.

♀ △ ♇   VÊNUS EM TRÍGONO COM PLUTÃO

Devido à perspicácia para as finanças e à capacidade de liderança, você pode ser um ótimo banqueiro, contador, pregador ou político. Tem opiniões firmes desde criança e demonstra muita dedicação, intuição e honestidade.

John Heinz, senador, empresário e produtor de alimentos dos EUA; Príncipe Andrew, 2º filho da Rainha Elizabeth II; Paul Simon, músico, cantor e compositor; Marjoe Gortner, evangelista infantil e ator.

♀ ⚻ ♇   VÊNUS EM QUINCUNCE COM PLUTÃO

Seus relacionamentos com o sexo oposto nem sempre funcionam bem, às vezes a ponto de evitá-lo totalmente, reprimindo sua intensa natureza amorosa. A vida após a morte pode intrigar parte de sua natureza, enquanto a outra quer apenas ver a beleza e a diversão da vida. Para reconciliar as duas perspectivas diferentes, é necessário ajustar esses aspectos.

Michael Dukakis, candidato à presidência; Dack Rambo, ator de TV das novelas "Dallas" e "Another World"; Oliver Reed, ator britânico de teatro e cinema; Rod Stewart, cantor britânico de "Don't you think I'm sexy?".

♀ ☍ ♇ VÊNUS EM OPOSIÇÃO A PLUTÃO

Embora, frequentemente, você deseje muito a riqueza, a tendência à má gestão pode esgotar seus recursos. Às vezes obcecado pelo conceito do tipo de relacionamento "duas pessoas se fundindo em uma", você pode buscar mais do que seu parceiro pode ou deseja dar. A beleza de Vênus equilibrada com a força e a intensidade de Plutão pode agir como farol e atrair outras pessoas.

Michael Tilson-Thomas, compositor, maestro e pianista; Bridget Fonda; atriz; Laura Dern, atriz; Maurice e Barry Gibb, irmãos gêmeos e músicos do Bee Gees.

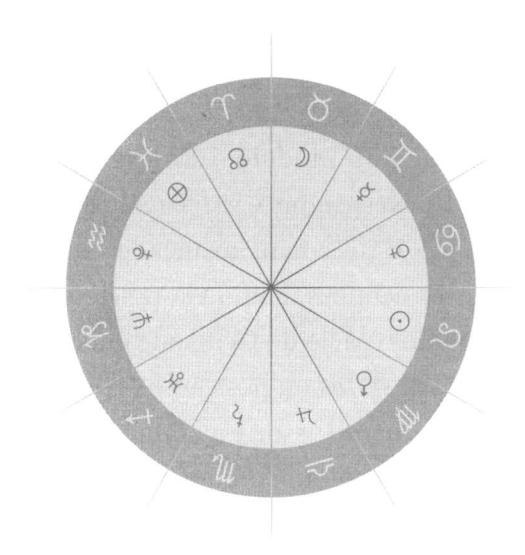

Módulo 12:
Marte

Alguns comentários gerais sobre este módulo

No Módulo 3, sugerimos algumas palavras-chave para os nodos lunares. Por que não os mencionamos desde então? A razão é que queremos que você saiba o máximo possível sobre Astrologia, de modo que, quando pegar outro livro de Astrologia, saberá pelo menos o significado dos símbolos ☊ (Nodo Norte) e ☋ (Nodo Sul). Mas agora estamos lidando com o refinamento astrológico; os nodos são como a cereja do bolo; não são planetas, mas lugares imaginários no espaço. Não que não sejam importantes; são muito úteis em interpretações mais profundas, detalhadas ou metafísicas, mas estão além do escopo da Astrologia básica, e neste livro vamos lidar apenas com o básico. Assim que estiver familiarizado com o básico, você estará pronto para os refinamentos. Quando estiver mais avançado, aprenderá sobre os nodos lunares e sua interpretação por signo e casa.

O mesmo vale para o Ascendente e o Meio do Céu. Como mencionado antes, o Ascendente representa a maneira como as pessoas o veem, bem como o modo que você quer ser visto – em outras palavras, o pacote em que você se embrulha. O Meio do Céu tipifica sua carreira, e no Módulo 5 fornecemos algumas palavras-chave para a casa 10. Neste ponto, isso é realmente tudo de que você precisa saber. Quando estiver mais avançado, aprenderá sobre o Ascendente em maiores detalhes, como ele reflete sua disposição e individualidade, enquanto o Meio do Céu pode indicar possibilidades de carreira, bem como seu *status* ou posição na comunidade.

Enquanto isso, esperamos que perceba quantas informações você pode determinar com o conhecimento que já adquiriu.

Agora, por favor, prossiga com o Módulo 12 e, depois de estudar Marte em mais detalhes, analise Marte em quincunce com Saturno de Mozart. Nossa interpretação pode ser encontrada no Apêndice, na página 462.

Marte nos signos

Marte mostra o impulso sexual e em que área você gasta sua energia. A palavra-chave para Marte nos diferentes signos indica o tipo de energia despendida.

♂ ♈	**MARTE EM ÁRIES**	
palavra-chave	*dinâmico*	dignidade

Você é vigoroso, independente, dominador, autocrático e corajoso. A rotina o cansa, e você tem dificuldade em conciliar. Agressivo e cheio de iniciativa, gosta de conduzir sua vida. Seu entusiasmo é contagiante, e, muitas vezes, você é líder em sua comunidade. Chegará ao sucesso se aprender a canalizar a energia e a desenvolver a paciência e a compreensão harmoniosa. Sexualmente, é vigoroso e ardente. Com aspectos desafiadores, pode ser que não controle seus desejos, tenha gênio esquentado e seja irritável.

Orson Welles, ator, roteirista, diretor e produtor vencedor do Oscar e do Emmy; Jack Nicklaus e Nancy Lopez, jogadores de golfe; Joe Namath, ator e jogador de futebol.

♂ ♉ MARTE EM TOURO
palavra-chave *dogmático*

Você é obstinado, prático, determinado e muito confiante. Depois de estabelecer um curso de ação, dificilmente se desvia dele. Tem boa capacidade de ganhar dinheiro e é muito cuidadoso quanto à forma de gastá-lo. Embora julgue os outros com muita severidade, luta contra uma injustiça até o fim. Sua resistência é grande, e você pode não ter impulso nem mobilidade. Às vezes, pode ser muito autoindulgente. Como um artesão habilidoso, você é bom em negócios. Sexualmente, é prático e sensual, mas precisa tomar cuidado para não ser ciumento e possessivo.

Virginia Johnson, terapeuta e pesquisadora do sexo; dra. Margaret Sanger, pioneira no controle de natalidade e ativista; Sugar Ray Robinson, boxeador e filantropo; Donald Budge, celebrado pela devastadora tacada campeã.

♂ ♊ MARTE EM GÊMEOS
palavra-chave *espontâneo*

Sua mente está sempre ativa, e você tem muita destreza e habilidade manual. Observador, argumentativo e excitável, é muito esperto, ativo e inquieto. Precisa desenvolver a disciplina e a concentração. Tem necessidade de aventuras e tende a se espalhar em muitas direções ao mesmo tempo. Tem grande senso de liberdade e de justiça. É eloquente e direto. Sexualmente, alterna entre relacionamentos profundos e superficiais. Esse posicionamento, muitas vezes, requer mais de um parceiro para a realização completa.

Bobby Darin, ator e cantor; Raphael de Urbino, artista, pintor e arquiteto; Jimmy Doolittle, aviador e piloto acrobático; Cecil Rhodes, político, fundador das "Bolsas de Estudo Rhodes", financista e rei do diamante.

♂ ♋ MARTE EM CÂNCER
palavra-chave ***temperamental*** queda

Marte, representando o fogo de Áries, não está muito confortável em Câncer, signo de água. Portanto, nesse signo, a agressão marciana tende a aparecer como um tipo de combatividade amuada. Na verdade, dependendo dos aspectos, você pode ceder muito aos outros, porque não gosta de brigar e fica desconfortável em se afirmar. Pode se sentir, ainda, totalmente frustrado após suprimir muita raiva e se tornar extremamente briguento, sem vontade de apresentar os próprios pontos de vista. Fogo e água produzem vapor, portanto é muito mais sábio encontrar uma válvula de escape para liberar as emoções (vapor). Marte em Câncer pode levar à separação precoce da mãe, mas esta também pode ser grande nutridora e protetora.

Ogden Nash, poeta, letrista e autor de canções humorísticas; Wayne Gretzky, atleta do ano e recordista de hóquei; Ferdinando Marcos, presidente filipino; Bruce Babbitt, governador do Arizona e secretário do interior do presidente Clinton.

♂ ♌ MARTE EM LEÃO
palavra-chave ***ardente***

Generoso, amante da diversão, simpático e dinâmico, você exala grande magnetismo pessoal. Franco e generoso no amor, caloroso e expressivo sexualmente, sente forte atração pelo sexo oposto. É voluntarioso e precisa aprender a desenvolver a percepção dos detalhes e o senso de humildade. Você tende a ver tudo em larga escala; dificilmente lhe falta autoconfiança, embora seja um pouco vulnerável às opiniões alheias. As pessoas que têm Marte nesse posicionamento são muito atraentes no sexo. Com aspectos desfavoráveis, evite ser dominador e muito egoísta.

Vanessa Brown, rainha da beleza, cantora e atriz; Maureen Connolly e Tracy Austin, campeãs de tênis; Frank Lloyd Wright, arquiteto estadunidense.

♂ ♍ MARTE EM VIRGEM
palavra-chave *disciplinado*

Você é frio, científico e lógico. Adora trabalhar e fica entusiasmado quando acha que pode ajudar em uma boa causa. Como é meticuloso e cuidadoso, gosta da rotina e consegue executar bem as tarefas mais monótonas. No sexo, é romântico, embora não necessariamente platônico. Às vezes, pode parecer que você não tem paixão nem imaginação. Tem pouca paciência com exibicionismos sociais. Sua tendência é trabalhar duro, e o excesso de trabalho às vezes pode causar doenças. Este é um bom posicionamento para carreiras na área médica, e você pode se dar bem como jardineiro. Com aspectos desfavoráveis, evite ser demasiado crítico, calculista ou desconfiado.

Daryl Dragon, músico de Soft Rock, pai da quimiterapia; Paul Ehrlich, vencedor do prêmio Nobel; Corazon Aquino, presidente filipino; Benjamin Spock, pediatra.

♂ ♎ MARTE EM LIBRA
palavra-chave *estratégico* — detrimento

Você é charmoso, generoso, amável, cooperativo e persuasivo. Gosta de receber e de ser sociável e se interessa por ideias novas. Tenta imediatamente reparar situações que acha injustas. Pode ser que confunda os próprios desejos e ambições com os dos outros. Sexualmente, é afetado por estímulos externos, como música, luzes suaves e ambientes bonitos. Pode se apoiar demais nos outros, precisando desenvolver a capacidade de ficar sozinho. Os aspectos desarmônicos podem torná-lo preguiçoso, ou você pode achar que todos devem seguir suas normas.

Ann Landers, colunista de jornal; Roy Campanella, jogador de beisebol; John Foster Dulles, secretário de Estado; Natalie Cole, cantora pop, filha de Nat "King" Cole.

♂ ♏ MARTE EM ESCORPIÃO
palavra-chave *explosivo* — dignidade

Você é forte e autodisciplinado. Autoconfiante, é eficiente, digno e enérgico e raramente age sem saber o que é certo para você. Idealista, investigador e firme, é leal e espera lealdade dos outros. Faltam-lhe versatilidade e capacidade de relaxar. É um planejador e um estrategista sem igual, mas tem atitude "tudo ou nada" que torna difícil conciliar. Sexualmente, é forte, poderoso e misterioso; se não dirigir bem esse impulso, pode se tornar excessivamente ciumento.

Henry Miller, autor; Jonas Salk, microbiologista e pesquisador de vacinas; Martin Scorcese, diretor e produtor de cinema; Knute Rockne, lenda do futebol.

♂ ♐ MARTE EM SAGITÁRIO
palavra-chave *entusiasta*

Sua força interior se baseia numa boa filosofia de vida. Você age com grandes explosões de energia, mas tem pouca resistência. Muitas vezes, adota novas ideias sem investigação prévia cuidadosa. Cheio de vida e vigor, você pode ser defensor de causas e é bastante patriótico. Tem senso natural de ritmo, harmonia e tempo. Como é galante, generoso e brilhante, sua animação é bem recebida em qualquer reunião social. Sexualmente, é expansivo e explorador. Com aspectos desfavoráveis, tende a não ter persistência e a passar por alguns perigos em viagens.

François Voltaire, filósofo, escritor, poeta e historiador; Joan Baez, cantora folk; Itzhak Rabin, primeiro-ministro israelense; Tiffany Chin, esquiadora.

♂ ♑ MARTE EM CAPRICÓRNIO
palavra-chave *autoritário*   exaltação

Você é atraente, orgulhoso, prático e bem coordenado. Lógico e bom organizador, almeja o sucesso e está disposto a trabalhar para consegui-lo. Por ser tão prático, raramente age por impulso; desse modo, se dá bem nos negócios. O autocontrole e a autodisciplina são suas palavras-chave. Este posicionamento frequentemente faz que seja mais admirado que amado pelo sexo oposto. Pode ser separado de um dos genitores, em geral o pai, e se Marte estiver aflito pode haver perigo de ossos quebrados. Forte e persistente sexualmente, precisa aprender a desenvolver o senso de humor, a humildade e a ternura.

James Hoffa, líder trabalhista desaparecido; Vovó Moses, artista iniciada na pintura aos 78 anos; Sir Clement Attlee, líder trabalhista britânico; Bob Richards, estrela do atletismo olímpico e clérigo ordenado.

♂ ♒ MARTE EM AQUÁRIO
palavra-chave *elétrico*

Você tem princípios elevados e visão muito moderna. Geralmente é habilidoso e pode ser desinteressado e intelectual. Em geral, este posicionamento favorece mais o pensamento que a ação. Você é um líder que encara os desafios com serenidade e elegância. Raramente trabalha bem se não estiver no comando e despreza a tradição que não esteja fundamentada na lógica. Sexualmente, é experimental e inovador, mas pode carecer de toque pessoal. Com aspectos desafiadores, pode ser bastante revolucionário e sentir necessidade de derrubar a ordem estabelecida.

Nicolau Copérnico, astrônomo e astrólogo; Hugh Hefner, editor da "Playboy"; Howard Hughes, milionário recluso, industrialista e projetista de aviões; Farrah Fawcett, atriz.

♂ ♓ MARTE EM PEIXES
palavra-chave *inquieto*

Suas emoções são imprevisíveis, e pode ser que você seja muito enérgico. Como é receptivo e simpático, os outros facilmente se aproveitam de você. A excessiva sensibilidade pode tolher sua autoconfiança ou sua atitude decidida, e você precisa desenvolver a iniciativa e a segurança em si mesmo. Tenta evitar qualquer tipo de confrontação. Aparentemente tranquilo, seu comportamento esconde uma inquietação interior. Em geral, você é tímido, agradável e até preguiçoso. No sexo, é muito romântico e sensual. Os aspectos desfavoráveis podem revelar tendência ao alcoolismo ou a problemas com drogas.

Erich Fromm, professor, psicanalista e autor de "Arte de Amar"; Francisco Franco, ditador espanhol; Johnnie Cash, superastro de música country; Steven Cauthen, jóquei vencedor de 900 corridas.

Marte nas casas

MARTE NA CASA 1
palavra-chave *enérgico*   dignidade acidental

Como você é confiante, arrogante, combativo, ativo e impetuoso, pode ter tendência a se acidentar. Sua grande força física e energia dinâmica fazem que entre de cabeça nas situações; é preciso controlar a impaciência e aprender a usar, de maneira construtiva, suas energias. Como é prático e empreendedor, tem boa capacidade organizacional. Se Marte tiver aspectos desafiadores, você poderá ter cicatrizes na cabeça ou no rosto, e há o risco de haver violência em sua vida.

Michael Milken, financeiro e filantropo; Cheryl Tiegs, top model; Marshall Ferdinand Foch, comandante-chefe das Forças Aliadas morto em um acidente de carro com a Princesa Grace de Mônaco.

MARTE NA CASA 2
palavra-chave *engenhoso*

Você é ambicioso, empenhado em melhorar a situação financeira, geralmente ganha bem, gasta com liberalidade e é muito generoso. Se suas expectativas não forem satisfeitas de imediato, poderá ficar muito impaciente. Tem tendência a se envolver em planos de enriquecimento fácil. Este é um bom posicionamento para engenheiros, mecânicos e qualquer outra atividade marciana, como o trabalho militar ou governamental. Com aspectos desfavoráveis, sua voz pode ser alta e dissonante, e você pode ser incapaz de manter suas posses, envolvendo-se em frequentes crises financeiras.

Tim Richmond, piloto de carros de corrida; Ruby Dee, atriz e ativista dos direitos civis; John Saul, mestre em histórias de terror; Federico Fellini, autor, cenógrafo e diretor de cinema italiano.

MARTE NA CASA 3
palavra-chave *impaciente*

Você é impulsivo, argumentativo, inquieto e direto. Ligeiro na réplica, é vigoroso defensor da família. O raciocínio correto é muito importante para você. É curioso e agressivo; pode se impor demais e não ter tato, ser impaciente ou muito crítico. Tem muitas boas ideias, mas, com frequência, não presta atenção aos detalhes por ser muito ativo, nervoso e inquieto. Se Marte estiver em aspecto com Urano, você será inventivo. Com aspectos desfavoráveis, pode ser que seja filho único ou talvez tenha grandes altos e baixos no início da vida.

Lance Ito, juiz e advogado; Vincent Bugliosi, advogado e escritor; Charles Lindbergh, aviador; Rockwell Kent, artista e ilustrador.

MARTE NA CASA 4
palavra-chave *autoconfiante*

Você tem pronunciada necessidade de segurança e, em geral, é patriota. Por causa de um genitor dominador ou de algum conflito em família, provavelmente vai se sair melhor distante do lugar onde nasceu. Este posicionamento de Marte indica, com frequência, histórico militar ou inúmeras mudanças de residência durante a infância. Você precisa modular suas fortes emoções e aprender a autodisciplina. Se Marte receber aspectos desfavoráveis, tenha cuidado com fogo em casa. Algumas pessoas com essa colocação preferem não se casar.

James Oliver Huberty, assassino em massa de 21 pessoas; Lucrécia Bórgia, intrigante filha de Rodrigo e irmã de César; George Patton, General da Segunda Guerra Mundial; Joseph Goebbels, ministro da propaganda nazista.

MARTE NA CASA 5
palavra-chave *ardente*

Você é atlético, impulsivo e inconstante. Adora competir, mas é mau perdedor. Trabalha bem com crianças e pode ser excelente disciplinador. Sociável e promotor nato, pode tender a ser autoindulgente e, de vez em quando, temerário. É muito sexual, romântico e idealista. Com aspectos desafiadores, não jogue e seja muito cauteloso com especulações. Seus filhos podem lhe causar certa infelicidade, mas, em geral, essa é uma boa casa para Marte.

Eleanora Duse, atriz italiana de teatro; Roger Staubach, quarterback; Hal Holbrook, ator de TV e de cinema; Helen Wills, campeã de tênis e autora.

MARTE NA CASA 6
palavra-chave *vigoroso*

Você trabalha física e mentalmente com afinco, mas, caso exija demais de si mesmo, poderá ficar doente. Espera muito dos que trabalham com você; pode ser que os outros achem seu ritmo muito rápido. A não ser que aprenda a controlar o gênio, pode ter dificuldade em se dar bem com os colegas de trabalho. Sua grande vitalidade pode se manifestar como capacidade atlética. Com aspectos desfavoráveis, há tendência a dores de cabeça, acidentes, febres e queimaduras.

Kareem Abdul-Jabbar, jogador de basquete e milionário; Hector Berlioz, compositor e maestro francês; Carol Burnett, atriz de teatro, cinema e TV vencedora do Emmy; Willian Styron, vencedor do Prêmio Pulitzer/autor de "A Escolha de Sofia".

MARTE NA CASA 7
palavra-chave *ativo*

Você é uma pessoa controvertida, com personalidade forte e necessidade de se autoafirmar. Pode atrair ataques verbais e dificuldades legais, sobretudo se Marte fizer aspectos tensos. É comum casar-se cedo ou depressa, escolhendo um parceiro dominador; se não tiver visão madura, isso poderá levar à separação ou ao divórcio. Gosta de fazer as coisas do seu jeito, e tudo vai bem quando você consegue. Importa-se com a opinião do público e do parceiro.

Charlie Chaplin, ator, comediante, compositor, roteirista e cineasta, casado várias vezes; Kevin Costner, ator e diretor; Susan Atkins, membro da gangue de Charles Manson; Sydney Pollack, diretor do filme "Tootsie" e produtor.

MARTE NA CASA 8
palavra-chave *ardoroso*   dignidade acidental

Lascivo e sensual, sua vida sexual é muito importante para você. Com frequência, é necessário lidar com o dinheiro alheio, às vezes em função pública. Você se interessa por questões psíquicas e pela vida após a morte, e pode pesquisar essas áreas. Este é um bom posicionamento para políticos, cirurgiões, investigadores, psicólogos e psiquiatras. Você pondera sobre a morte, e essa ideia não o assusta; sua morte pode ser repentina. Se Marte receber aspecto de Netuno, evite envolver-se com fenômenos psíquicos.

Marilyn Monroe, símbolo sexual e atriz de cinema; John F. Kennedy, presidente, vítima de assassinato e amante das mulheres; Roberta Close, supermodelo, atriz e apresentadora; Suzette H. Elgin, escritora de ficção científica/fantasia.

MARTE NA CASA 9
palavra-chave *aventureiro*

Independente, entusiasmado e, muitas vezes, autodidata, você é curioso e se interessa por estudos sérios. Embora possa ser bastante cético, em algum ponto da vida provavelmente vai se envolver com religião, beirando o fanatismo. Sua mente é bastante inquieta; se não puder viajar fisicamente, vai viajar muito pelo pensamento. Se Marte receber aspectos desfavoráveis, você poderá ter complicações com viagens ao exterior ou problemas com os sogros.

Pierre Boulez, compositor e maestro francês; Judith Krantz, autora de romances best-sellers; *Wilhelm Canaris, almirante alemão chefe da Inteligência; General Brent Scowcroft, oficial do governo, diretor do Conselho de Segurança Nacional.*

MARTE NA CASA 10
palavra-chave *impetuoso*

Se ocupar função pública, provavelmente você será alvo de controvérsias. É ativo, persistente e altamente motivado, e o ímpeto de sua personalidade pode torná-lo excelente executivo. Trabalha com afinco para chegar a uma posição de destaque. Se os aspectos forem desfavoráveis, proteja sua reputação. Pode ser que tenha algum problema com o pai, possivelmente uma separação. Este é um bom posicionamento para carreiras nas áreas militar, mecânica ou de engenharia.

Christopher Boyce, espião que vendeu o código da CIA aos soviéticos; Elmo Zumwalt Jr., almirante da Marinha dos EUA; Dennis Nilsen, assassino em série escocês; Lee Trevino, autodidata e golfista profissional.

MARTE NA CASA 11
palavra-chave *explorador*

Você trabalha com afinco para atingir seus objetivos, sejam eles materiais ou espirituais. É líder social e promotor nato; faz amigos com facilidade, mas pode perdê-los por ser muito abusado ou exigente. É enérgico e entusiasmado, mas com aspectos difíceis pode ser melindroso, demasiado sensível e facilmente frustrado. Precisa desenvolver a cautela e a integridade no trato com os outros. Muito de sua energia se dirige atividades criativas.

Jerry Rubin, ativista político, um dos "Sete de Chicago"; Cass Elliott, trágica cantora do "The Mamas and the Papas"; Stephen Breyer, advogado da "Liberdade de expressão, livre escolha" e juiz da Suprema Corte; Margaret Thatcher, primeira mulher na história da Grã-Bretanha a se tornar primeira-ministra.

MARTE NA CASA 12
palavra-chave *rebelde*

Você trabalha e luta pelos menos privilegiados, e daria um bom administrador de hospital ou prisão. Como sabe manter segredo, também se sairia bem como investigador ou detetive. Este posicionamento indica alguma associação com a lei. Esta é uma casa desfavorável para Marte, pois sua energia fica limitada. Com aspectos desafiadores, pode ser que reprima suas fortes reações emocionais. Algumas vezes, você tende a ir de encontro ao sistema, o que pode produzir mágoas, autodestruição e acidentes.

Oliver North, político e militar acusado de conspiração; Mick Jagger, vocalista do "The Rolling Stones"; David Koresh, líder de culto suicida com vários seguidores no rancho "Branch Davidian"; Arthur Conan Doyle, autor de "Sherlock Holmes", médico e espiritualista.

Aspectos de Marte

Qualquer aspecto de Marte acentua as energias, a ação e a agressividade.

- A conjunção enfatiza a energia aplicada.
- O sextil proporciona a oportunidade de expressão da energia positiva.
- A quadratura desafia-o e traz à tona sua agressividade.
- O trígono dá fluxo e suavidade à força motivadora e à energia que você gera.
- O quincunce mostra que algum tipo de ajustamento é necessário antes que a energia encontre um canal produtivo.
- A oposição confere percepção de suas motivações ou das motivações dos outros.

ASPECTOS DE MARTE COM JÚPITER – Marte/Júpiter trabalhando juntos

Quando o incandescido, vigoroso e muscular Marte encontra o descontraído e espirituoso Júpiter, as faíscas da diversão podem voar, ou, pelo menos, Marte pode colocar Júpiter em alta velocidade. Embora ambos os planetas sejam francos, o *savoir-faire* de Júpiter ameniza a aspereza de Marte. A coordenação física e um bom senso de ritmo sugerem que esportes e outras atividades ao ar livre são essenciais quando esses dois se reúnem.

♂ ☌ ♃   MARTE EM CONJUNÇÃO COM JÚPITER

A energia e o entusiasmo quando combinados pode originar ambição e riqueza. Autoconfiante e bom para tomar decisões rápidas (Marte), você tem talento especial para fazer bons julgamentos de negócios (Júpiter). Adicione a isso a boa sorte inata (Júpiter) e o grande senso de fazer as coisas na hora certa (Marte), e, mais que nunca, você estará no caminho para o sucesso. Sua inquietação e coragem capacitam-no a enfrentar qualquer adversário. Para você, é fácil colocar-se no centro das atenções.

Charles de Gaulle, presidente francês, chefe da Resistência Francesa ("O Estado sou eu"); Gloria Vanderbilt, designer têxtil e de moda; Oliver Stone, polêmico diretor de cinema e roteirista; Santa Teresa de Ávila, autora e reformadora.

♂ ✶ ♃   MARTE EM SEXTIL COM JÚPITER

Você é otimista e entusiasmado. Com pontos de vista amplos, tem vocação para ser bom líder ou gerente. Júpiter dá a direção, e Marte proporciona a energia. Mesmo que nunca fique rico, sempre terá uma fonte de renda estável.

Doris Day, atriz e cantora; Willie Shoemaker, jóquei estadunidense; Tom Seaver, arremessador, vencedor do prêmio Cy Young; Ludwig Edinger, neurologista alemão e pesquisador de anatomia cerebral.

♂ □ ♃   MARTE EM QUADRATURA COM JÚPITER

Você é um trabalhador diligente e incansável, mas é dispersivo e pode tornar-se impaciente se não obtiver resultados imediatos. Tende a exagerar e quer aprender tudo na mesma hora, mas, muitas vezes, acaba se tornando "pau para toda obra e mestre de ninguém". Ao lançar-se à vida com tamanha avidez, seu maior problema pode ser a exaustão física. Com frequência, você se define questionando os próprios valores e crenças.

Nancy Kerrigan, patinadora olímpica; Lenny Bruce, comediante e comentarista social mordaz; David O. Selznick, cineasta e produtor de "E o Vento Levou", vencedor do Oscar; General Stonewall Jackson, líder confederado atingido em batalha.

♂ △ ♃   MARTE EM TRÍGONO COM JÚPITER

Você pode ter a mente aberta, ser leal, orgulhoso e autoconfiante; é possível que se interesse por esportes, política e viagens. Como está seguro das próprias crenças, tende a ser um verdadeiro idealista. Sua coordenação física possivelmente o levará a se atrair por esportes.

Steve Wozniak, fundador da Apple; Felix Adler, educador, filósofo e reformador ético; Bobby Riggs, lenda do tênis, jogador mais jovem a entrar no Hall da Fama Gale Sayers.

♂ ⚻ ♃   MARTE EM QUINCUNCE COM JÚPITER

No trabalho, você tende a se comprometer a fazer mais do que pode e depois tem dificuldade em manter suas promessas. Filantrópico, simpático e gentil, sente necessidade de cuidar dos outros, quer eles queiram, quer não.

Franco Zeffirelli, diretor e cenógrafo italiano vencedor do Oscar; Rollo May, pioneiro da psicologia existencial, autor e palestrante;

George Sand, pseudônimo da escritora Amandine Dupin; Rainer Fassbinder, ator e diretor de cinema.

♂ ☍ ♃   MARTE EM OPOSIÇÃO A JÚPITER

Se não desenvolver a disciplina, é possível que você desperdice seus talentos por conta da energia impulsiva mal direcionada. Tende a exagerar em quase tudo: sexo, zelo missionário e atividades físicas. Esta oposição de Marte e Júpiter tende a se manifestar como descontentamento ou ressentimento na via negativa. Na via positiva, você está disposto a agir pela fé e a assumir grandes riscos.

Daphne du Maurier, escritora e dramaturga; Richard Allen Davis, assassino de Polly Klaas; Björn Borg, campeão de tênis; Steve Smith, atleta, especialista em salto em altura.

ASPECTOS DE MARTE COM SATURNO – Marte/Saturno trabalhando juntos

Uma vez que estamos lidando com dois planetas masculinos, o princípio do pai torna-se muito significativo nessa combinação. Marte simboliza ação e unidade; Saturno, autoridade e limitações. Marte se ressente das restrições e resiste ao respeito de Saturno pela disciplina. Essa não é a combinação mais fácil de energias, mas, quando bem aplicados, esses aspectos podem ser a marca registrada da realização.

♂ ☌ ♄   MARTE EM CONJUNÇÃO COM SATURNO

Embora tenha boa capacidade organizacional, você vive um conflito entre a inibição (Saturno) e a ação (Marte). Acha difícil controlar seu fluxo de energia, pois é como dirigir com um pé no freio e outro no acelerador. Entretanto, seu senso de economia e seu bom senso capacitam-no a tomar atitudes sólidas. No mapa masculino, a figura paterna desempenha papel influente. Se essa conjunção for desafiada por aspectos difíceis, você poderá desenvolver complexo de perseguição, problemas sexuais ou alguma dificuldade física relacionada ao signo da conjunção. Esta pode ser uma excelente posição para um empresário ou para qualquer atividade que combine confiança e competência.

Bruno Pontecorvo, físico nuclear ítalo-britânico desertado para a ex-União Soviética; James Jones, romancista; "Mad Anthony" Wayne, general revolucionário estadunidense; Fran Tarkenton, quarterback do Minnesota.

♂ ✶ ♄   MARTE EM SEXTIL COM SATURNO

Há muitas oportunidades para você por conta do ímpeto (Marte) e da persistência (Saturno) para chegar até o topo da montanha. Disciplinado e organizado, você prospera com trabalho árduo e a sensação de realização que ele traz.

Helmut Kohl, chanceler da Alemanha Ocidental de longa data; Nelson Mandela, advogado, autor, líder sul-africano; Debbie Reynolds, cantora, dançarina, artista e empresária; Christa McAuliffe, professora e astronauta.

♂ □ ♄   MARTE EM QUADRATURA COM SATURNO

Com a insegurança inata de Saturno sendo confrontada pela constante provocação de Marte, você pode alternar entre apatia e agressividade. Este aspecto talvez indique alguma dificuldade física, um problema de saúde ou, em especial nos homens, um desconforto sexual decorrente de algumas complicações na relação entre pai e filho. O desafio de conquistar a paz entre a vontade pessoal (Marte) e os limites representados pelas regras sociais (Saturno) pode levá-lo a lutar contra autoridades, contra o tempo e contra as leis, até que aprenda a trabalhar dentro da estrutura do que é possível.

Camille Paglia, controversa ensaísta e crítica de arte; Eva Perón, atriz argentina e líder política; Roseanne Barr, atriz, escritora e apresentadora vencedora do Emmy; Josef Mengele, médico nazista de Auschwitz, conhecido como "Anjo da Morte".

♂ △ ♄ MARTE EM TRÍGONO COM SATURNO

A eficácia desses dois planetas trabalhando juntos dá a você bom *timing*. Você sabe como seguir em frente, quando lutar e quando correr. Carreira, posição na comunidade e respeito pelo próximo são muito importantes para você, que está disposto a lutar para subir a escada do sucesso.

Ramsey MacDonald, reformador britânico e primeiro-ministro trabalhista; Paddy Ashdown, político e líder britânico do novo Partido Liberal; Eve Denise Curie, pianista e autora, filha de Pierre e Marie; Gene Tunney, campeão de boxe do Hall da Fama.

♂ ⚻ ♄ MARTE EM QUINCUNCE COM SATURNO

Você tem dificuldade de cooperação, talvez em decorrência de alguma confusão de identificação sexual ou, possivelmente, porque se sente humilhado (Marte) pelo pai (Saturno). Ou pensa que os outros são mais talentosos e capazes que você, ou pode presumir, de forma arrogante, que é o único que sabe a forma adequada de lidar com as coisas.

Seu *timing* pode precisar de ajustes – nem desistir cedo demais, nem bater de frente com tudo e com todos.

Eleanor Roosevelt, autora e primeira-dama; Kim Campbell, canadense, primeira mulher a se tornar primeira-ministra; Mark Chapman, assassino de John Lennon; Jean Genet, dramaturgo e poeta francês.

♂ ☍ ♄   MARTE EM OPOSIÇÃO A SATURNO

É possível que você tenha lidado com a perda precoce de um dos pais, não necessariamente em decorrência da morte, mas talvez por conta do divórcio ou por um dos pais não ter estado atento às suas necessidades. Em um mapa masculino, esse aspecto sugere possíveis dificuldades com o modelo apresentado pela figura paterna. No mapa feminino, pode ser difícil corresponder às expectativas do pai. É importante que você desenvolva a própria força, integrando-a com a dos pais e com a das figuras de autoridade. O sucesso material (Saturno) pode trazer claro entendimento da expressão de desejos pessoais (Marte).

Sergio Leone, roteirista e diretor de cinema italiano, criador de "Spaghetti Western"; Brigitte Bardot, atriz; Samuel Dash, advogado e conselheiro-chefe das audiências do caso Watergate; Alois Alzheimer, neurologista e pesquisador de senilidade.

ASPECTOS DE MARTE COM URANO – Marte/Urano trabalhando juntos

O fogo de Marte é aceso pela eletricidade ígnea de Urano, produzindo alta tensão em diferentes níveis – mental, emocional e físico. Marte, que vai aos trancos e barrancos, é exacerbado pela necessidade de variedade de Urano, resultando, com frequência, em falta de foco e continuidade. Por outro lado, Marte pode prosperar na singularidade e qualidade "fora das paredes" de Urano.

♂ ☌ ♅   MARTE EM CONJUNÇÃO COM URANO

Obstinado, um tanto intolerante e bastante determinado a ser "diferente", você trabalha de acordo com as próprias regras e raramente se submete a qualquer restrição. Pode ser volátil e corajoso; floresce na excitação e está em seu melhor em tempos de perigo. Qualquer ocupação que requeira grande energia e coragem, como esportes (paraquedismo), exploração (espeleologia) ou aventura no espaço é ideal para você, contanto que perceba que deve adotar medidas de segurança.

Joe Frazier, pugilista de peso-pesado e campeão olímpico; Lucky Luciano, gângster; Huey Newton, ativista Pantera Negra e vítima de assassinato; Anna Freud, psiquiatra, psicóloga e autora, filha de Sigmund Freud.

♂ ✶ ♅   MARTE EM SEXTIL COM URANO

Único na abordagem, você expressa entusiasmo e energia criativa. Pode escolher um estilo de vida boêmio ou badalado, contanto que possa ser quem deseja.

Art Carney, ator de teatro, cinema, TV e radialista vencedor do Oscar; Nanette Fabray, atriz desde os 7 anos, deficiente auditiva e cantora; rei Juan Carlos da Espanha, indicado pelo ditador Franco; Ruth Rendell, romancista de suspense psicológico.

♂ □ ♅   MARTE EM QUADRATURA COM URANO

Embora seja voluntarioso e contraditório, se aprender a se controlar um pouco, você será líder e poderá ir longe. É dado a acidentes e sujeito a assumir riscos, por isso é importante que aprenda a reconhecer suas limitações para não sofrer da síndrome de "super-homem".

Emmylou Harris, cantora e guitarrista de música country, folk e alternativa; Mary Decker Slaney, estrela olímpica detentora de recorde mundial; Haile Selassie, imperador etíope; Josip Broz Tito, presidente vitalício da Iugoslávia.

♂ △ ⛢ MARTE EM TRÍGONO COM URANO

O tremendo impulso e a atitude positiva lhe permitem se dar bem em negócios concluídos às pressas. Você se sairá bem em qualquer campo que envolva liberdade, originalidade, inventividade, sem muita rotina. Seu forte impulso sexual pode se expressar tanto impulsiva quanto romanticamente.

Ernie Banks, jogador de beisebol na lista do Hall da Fama; Vladimir Nabokov, romancista russo-estadunidense de "Lolita"; Antonio Gaudí, famoso arquiteto espanhol art nouveau; *Steve Allen, autor de 17 livros, compositor de mais de três mil canções e humorista.*

♂ ⚻ ⛢ MARTE EM QUINCUNCE COM URANO

Quando é frustrado, você age irrefletidamente e desafia os outros. Precisa aprender a pensar antes de falar, pelo menos para diminuir o prazer de chocar ou de alienar outras pessoas. Vulnerável à crítica pública, você precisa desenvolver a paciência e aprender a ouvir as ideias de terceiros. Suas explosões esporádicas de energia devem ser direcionadas a canais produtivos. Sua perspectiva única pode ajudá-lo na resolução de problemas e novas soluções.

Peter Uberroth, comissário de beisebol, multimilionário e coordenador olímpico de 1984; Cathy Rigby, ginasta campeã olímpica; Nikola Tesla, engenheiro elétrico, inventor da corrente AC-DC; George Lincoln Rockwell, assassino racista.

♂ ☍ ♅   MARTE EM OPOSIÇÃO A URANO

Independência ao agir é seu *modus operandi*, e você precisa encontrar uma saída para os impulsos individualistas. Nervoso e tenso, é imperativo direcionar sua energia para o trabalho em vez de desperdiçá-la freneticamente. Você tem tendência a numerosos e, às vezes, imprudentes casos de amor; portanto, o casamento ou um modo de vida ordenado pode ser um desafio.

Oscar Hammerstein, compositor prolífico, colaborador de Richard Rodgers; Gaetano Badalamenti, chefe da Máfia; Sir Robert Muldoon, primeiro-ministro da Nova Zelândia; Surya Bonaly, campeã olímpica de patinação no gelo da França.

ASPECTOS DE MARTE COM NETUNO – Marte/Netuno trabalhando juntos

Marte é um signo de fogo; Netuno, de água. Juntos eles produzem vapor, que pode levar a uma explosão (Marte) ou banhar suavemente os sentidos (Netuno). Uma alternativa seria o impulso de Marte estimular a arte de Netuno a obter resultados produtivos. As aspirações vagas e sonhadoras de Netuno podem impulsionar a atividade de Marte.

♂ ☌ ♆   MARTE EM CONJUNÇÃO COM NETUNO

Como você é imaginativo, intuitivo e amante das sensações, seu entusiasmo, embora ilimitado, nem sempre é controlado. Às vezes, é difícil encontrar uma saída positiva para sua natureza impaciente ou energética (Marte). Em outras ocasiões, o desejo de evasão (Netuno) pode levar ao uso de drogas ou a problemas com a bebida. Uma carreira na área das artes tende a ser uma saída positiva para o lado criativo de Netuno e o vigor de Marte. Essa também é uma excelente combinação para movimentos graciosos, como dança e patinação artística.

Benjamin Britten, compositor de partituras de ópera para o cinema; Gene Roddenberry, aviador, policial, produtor e criador de "Star Trek"; Carl Sagan, cientista, astrônomo e autor; Erik Satie, pianista dos cafés parisienses, compositor excêntrico e místico.

♂ ✶ ♆   MARTE EM SEXTIL COM NETUNO

Amoroso, afetuoso e instintivo, você pode se dar bem em qualquer campo netuniano, como atuação, música, pintura, navegação ou petróleo. Vigoroso e animado, tende a se destacar em todos os tipos de esportes, se não como profissional, certamente como amador.

Candice Bergen, fotojornalista, atriz e estrela de TV de "Murphy Brown"; Susan Badders, esgrimista campeã olímpica; Cindy Nelson, esquiadora campeã; Don Schollander, nadador e campeão olímpico.

♂ □ ♆   MARTE EM QUADRATURA COM NETUNO

Impulsivo, você não perde tempo com entrelinhas e detalhes, tornando-se vulnerável ao engano ou à trapaça. Assim, pode cair facilmente nas armadilhas do escapismo (drogas, álcool) se não conseguir superar a decepção ou a tendência à desilusão. Na via positiva, seu magnetismo potencial e o carisma com talentos artísticos podem levá-lo direto ao topo da montanha.

Sharon Tate, atriz e vítima de assassinato da gangue de Manson; River Phoenix, ator e vítima de overdose; Michele Morgan, atriz francesa de cinema; Fernando Collor de Mello, presidente do Brasil acusado de corrupção, extorsão e envolvimento com drogas.

♂ △ ♆   MARTE EM TRÍGONO COM NETUNO

Sua visão e intuição, bem como sua capacidade criativa, podem permitir que alcance grandes alturas. Simpático e inspirador, você, muitas vezes, procura o melhor nos outros. Seu *insight* e intuição o colocam em boa posição em áreas como as artes, lidando e cuidando de pessoas e em esportes que envolvam o uso dos pés.

Fernand Léger, pintor cubista e muralista; Tai Babilonia, patinadora artística; Mistinguett, dançarina, atriz e usuária de drogas e álcool; Paul Valéry, importante poeta simbolista francês.

♂ ⚻ ♆   MARTE EM QUINCUNCE COM NETUNO

Este aspecto mostra tendência ao exagero e a ambições pouco realistas, que podem ser difíceis de concretizar. Você fica exposto à decepção nos relacionamentos pessoais porque espera o melhor de todos. Seu impulso sexual natural e saudável pode fazer que superidealize o parceiro.

Rosalyn Sumners, patinadora olímpica; Richard Chamberlain, "Dr. Kildare", astro de TV e cinema; Marlon Brando, ator rebelde de teatro e cinema; Oscar Arias-Sanchez, presidente da Costa Rica e vencedor do Prêmio Nobel da Paz.

♂ ☍ ♆ MARTE EM OPOSIÇÃO A NETUNO

Marte e Netuno, fogo e água, produzem vapor. O vapor é mais bem liberado através do trabalho duro – caso contrário, você pode explodir. Com fortes necessidades sexuais (Marte), você pode se atirar com vigor, mas sem pensar muito, em situações que o deixam em águas profundas e quentes (Netuno).

Roger Revelle, pioneiro pesquisador chefe do aquecimento global do Scripps Oceanography Institute; Margaux Hemingway, modelo e atriz com problemas com bebida e bulimia; Jose Greco, dançarino de flamenco; Frida Kahlo, pintora mexicana.

ASPECTOS DE MARTE COM PLUTÃO – Marte/Plutão trabalhando juntos

O assertivo e agressivo Marte combina bem com o possessivo e poderoso Plutão. Por outro lado, Marte, sempre aberto e direto, entra em conflito com a manipulação e sutileza de Plutão. Ambos os planetas apreciam a atividade sexual e podem se destacar como líderes e empresários.

♂ ☌ ♇ MARTE EM CONJUNÇÃO COM PLUTÃO

Altamente volátil, você precisa aprender a controlar seu forte ímpeto sexual, bem como a necessidade de estar sempre no comando. É um grande trabalhador com qualidades regenerativas e capaz de lidar com qualquer situação devido à grande resistência, mas seus objetivos podem se tornar obsessivos. Se expressar positivamente a energia dessa conjunção, pode ser dinâmico e corajoso; se expressar negativamente, pode ser cruel, brutal e sádico.

Natalie Wood, atriz popular; general Norman Schwarzkopf, "Stormin' Norman", comandante na Guerra do Golfo Pérsico; Jay

Schroeder, quarterback do L. A. Raiders; Ernest Anthony, sequestrador, assassino e suicida.

♂ ✷ ♇   MARTE EM SEXTIL COM PLUTÃO

Você usa positivamente sua energia emocional e física, e, em geral, acha fácil controlar as situações por meio da força física, da inteligência e dos poderes de persuasão.

Dwight Stones, atleta campeão olímpico; Ercole Baldini, italiano medalhista olímpico em ciclismo; Steve Forbes, herdeiro do império da revista Forbes *e primeiro candidato à Presidência da República; Gennadiy Burbulis, secretário de Estado de Boris Yeltsin.*

♂ □ ♇   MARTE EM QUADRATURA COM PLUTÃO

Quando está com raiva ou frustrado, você tende a recorrer à violência física, o que pode devastar seus relacionamentos pessoais. Questões de controle relacionadas a problemas sexuais e materiais podem exigir atenção e cuidado. Suas atitudes sexuais exigem que dê vazão aos sentimentos e aos instintos criativos. Você pode sofrer a influência daqueles que lhe são próximos ou queridos.

Muhammad Ali, lendário boxeador, campeão mundial e olímpico; Charles Stuart, assassino da esposa grávida que se suicidou para evitar acusações; Linda Fratienne, artística vencedora olímpica; Roman Polanski, diretor, produtor ator e roteirista.

♂ △ ♇   MARTE EM TRÍGONO COM PLUTÃO

Tendência a se precipitar à ação (Marte) é temperada pela persistência (Plutão). Seu impulso sexual intenso (Plutão) atrai (Marte), com frequência, o sexo oposto. Você pode se envolver profundamente e se comprometer em consertar os erros da sociedade.

Dustin Hoffman, ator de cinema, teatro e TV vencedor do Oscar; Judith Resnik, pianista clássica, cientista, pesquisadora, astronauta e a segunda mulher no espaço; Jim Ryun, estrela do atletismo; Carol Cady, campeã de arremesso de peso e lançadora de disco.

♂ ⚻ ♇   MARTE EM QUINCUNCE COM PLUTÃO

No trabalho, você é compulsivamente agressivo e dominador; isso pode gerar conflito e falta de cooperação por parte dos colegas. Não deixe os outros exigirem demais de seu tempo e esforço. Seu inconsciente tende a flertar com a morte ou o perigo, e você deve ser controlado. A forte necessidade de reconhecimento deve ser canalizada positivamente por meio de posições de liderança, aplicando seu talento ao humor sarcástico através da literatura ou da mídia.

William G. Bonin, motorista de caminhão e assassino em série de 21 garotos; Jeremy Boorda, Almirante Chefe de Operações Navais; Bill Bixby, ator de cinema e diretor de TV; Constantino Rocca, campeão italiano de golfe.

♂ ☍ ♇   MARTE EM OPOSIÇÃO A PLUTÃO

Vigoroso e agressivo, você sabe se impor. Precisa controlar a tendência a tratar os outros com rudeza. Sua necessidade de controlar (Plutão) pode ser expressa de modo positivo por meio de esportes e de outras atividades físicas (Marte). Você pode aprender mais sobre si mesmo ao compartilhar poder, posses e prazeres.

Susan Estrich, advogada, conselheira política e professora de Harvard; Pete Rose, ex-jogador popular da liga principal de beisebol por 24 temporadas; Al Unser , piloto de corrida, primeiro a ganhar a Tríplice Coroa dos EUA; Bobby Fischer, campeão de xadrez.

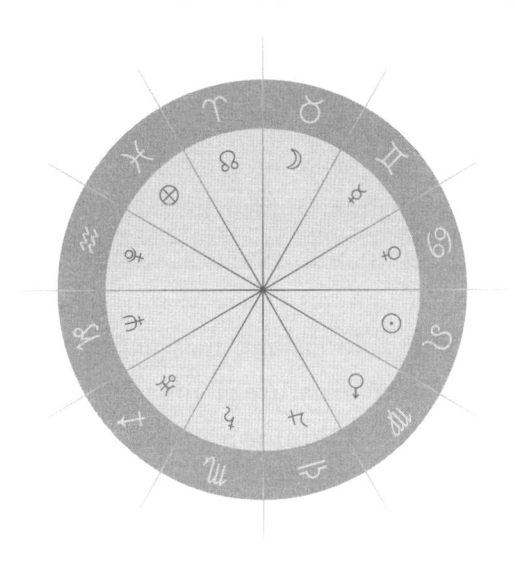

Módulo 13:
Júpiter

Comentários importantes sobre este módulo

Até agora você analisou e leu cinco planetas do mapa astrológico de Mozart. Se seguiu o procedimento de conferir nossas palavras-chave e explicações; se foi discriminativo em relação às palavras e frases; se procurou nossas respostas no Apêndice e refletiu sobre a razão de termos omitido determinadas palavras e frases, deve ter entendido os princípios envolvidos na análise e interpretação de mapas. Provavelmente, você está achando o processo cada vez mais fácil à medida que avança.

Todavia, antes de se sentir muito seguro como astrólogo, vamos enfatizar novamente uma das mais importantes facetas da Astrologia: o **livre-arbítrio**. Existe um antigo e belíssimo aforismo que diz tudo: Os astros impelem, não compelem! O mapa astrológico mostra seus traços, suas características e seus potenciais básicos, mas o que você faz com eles depende totalmente de sua escolha, de sua atitude e de seu livre-arbítrio. Aplicando isso ao mapa de Wolfgang Amadeus Mozart, vimos que ele não só tinha talento musical como também poderia ter sido professor ou líder religioso (Lua em Sagitário). Obviamente, devido ao que conhecemos sobre sua vida pública, ele não fez uso desses talentos, empenhando-se em tocar piano e compor.

Com o Sol, Mercúrio e Saturno na casa 5, o tema do ensino é repetido algumas vezes. Mozart aceitou alguns alunos não por causa do amor pelo ensino, mas para ganhar alguns dólares extras para compensar a natureza um tanto perdulária (Júpiter na casa 2). Poderia ter sido um professor muito eficiente, com o amor pelos filhos (casa 5 forte) e a capacidade de se expressar de forma não convencional (Aquário), bem como diligente (Saturno na quinta casa). Em vez disso, incorporou as mesmas posições planetárias para se expressar de modo incomum, criativo e artístico. Isso é o que queremos dizer com LIVRE-ARBÍTRIO!

Não podemos adivinhar as opções de vida de uma pessoa; ninguém sabe quais potenciais alguém vai refletir ou que oportunidades se apresentarão. Tudo o que sabemos é aquilo com que nascemos: o que é fácil e o que é difícil para você; o que é bom e o que pode machucá-lo. O restante depende de cada indivíduo, de suas opções e de seu livre-arbítrio.

Agora vamos continuar com o Módulo 13. Depois de estudá-lo, interprete o Júpiter de Mozart em quincunce com Urano. Nossas respostas estão no Apêndice, na página 461.

Júpiter nos signos

Júpiter representa o princípio da expansão no mapa; assim, as palavras-chave indicam os tipos possíveis de crescimento e expansão.

♃ ♈ JÚPITER EM ÁRIES
palavra-chave ***entusiasmado***

Você é corajoso, combativo, ardente, generoso, tem capacidade executiva, talento para a liderança e forte desejo de liberdade de ação.

É capaz de analisar e aprender com os erros, bem como de inovar nos campos da filosofia e da educação. Pode ser egocêntrico demais e deve canalizar essa tendência para o "eu primeiro" em atividades que sirvam de inspiração aos outros. Com aspectos que produzem tensão, você costuma ser precipitado, impetuoso, obstinado e até convencido de que sua verdade é "a" verdade.

Jim Bakker, televangelista que caiu em desgraça por causa de escândalo sexual; Clarence Darrow, famoso advogado trabalhista e criminal no julgamento de "Scopes"; Perry Ellis, designer de moda e vítima de aids; Ed Burke, campeão de lançamento de martelo.

4 ♉ JÚPITER EM TOURO
palavra-chave *evidente*

À vontade com as transações financeiras, você pode ser um mestre quando se trata de investimentos e finanças. Pode se sair bem tendo o próprio negócio ou trabalhando com o dinheiro dos outros, talvez como corretor de ações ou banqueiro, ou em qualquer campo que exija paciência e estrutura (Touro). Com bons aspectos, você tem profunda compreensão do verdadeiro valor da vida. Gosta dos luxos que o dinheiro pode comprar. De tranquila teimosia, não gosta de ser apressado e se preocupa com a justiça e a religião ortodoxa. Se Júpiter estiver aflito em seu mapa, seus gostos caros podem levá-lo ao comodismo, à dissipação e à preguiça.

John Lennon, o "Beatle", músico, vítima de assassinato; Sir Christopher Wren, arquiteto britânico da Catedral de São Paulo; João XXIII, papa que trouxe a Igreja Católica para o século XX; Patricia Schroeder, advogada/congressista.

♃ ♊ JÚPITER EM GÊMEOS
palavra-chave *flutuante* — detrimento

Você é autodidata, diplomático e de mente aberta; por causa da grande originalidade e vivacidade, pode se tornar a pessoa das ideias em alguma organização. Embora seja basicamente alegre e amante da diversão, tem um lado temperamental que pode se manifestar quando menos se espera. Expressa seus talentos de diversas formas: pode ser dono de uma butique, escrever ou ensinar filosofia ou gerir um negócio. A separação dos irmãos e mais de um casamento são fortes possibilidades com aspectos desafiadores. Você precisa evitar ser um esnobe intelectual e aprender a controlar a inquietação.

Igor Stravinsky, compositor russo de vanguarda; Lena Horne, lendária cantora e atriz; James Whistler, pintor; Tommy Manville, financista milionário.

♃ ♋ JÚPITER EM CÂNCER
palavra-chave *generoso* — exaltação

Sua elegância, simpatia e serenidade mostram sua aptidão para relações públicas. Como gosta do contato com todo tipo de gente, você também pode se sobressair no trabalho de vendas. Júpiter em Câncer indica bons antecedentes familiares e profundo amor pelas crianças; sua tendência é formar um lar estável e compartilhá-lo com amigos e parentes. Cuidado para não se tornar muito sentimental ou envolvido com a família; controle também a tendência a comer demais. Você lida bem com o dinheiro e pode ter lucros com imóveis.

John Wayne, astro do cinema de Hollywood; Harry S. Truman, 33º presidente dos Estados Unidos; Lynn Redgrave, membro da ilustre família britânica teatral; Andrew Carnegie, industrial e filantropo.

♃ ♌ JÚPITER EM LEÃO
palavra-chave *exuberante*

Prestativo e ambicioso, você é capaz de lidar com quase todas as situações e pode se sair bem na área política. Como tem ânsia de se destacar e atingir objetivos, age enquanto os outros sonham. Sua personalidade é dramática e colorida, e você é um entusiasta das coisas boas da vida. Seus muitos talentos fazem de você um homem público ou um artista nato. Com aspectos desafiadores, pode ser convencido ou arrogante e fazer tudo em demasia. Sua saúde, em geral, é boa, mas você tende a desenvolver problemas cardíacos e/ou de sobrepeso se não lidar bem com a energia de Júpiter.

Diana Ross, atriz e cantora; Gustav Mahler, compositor romântico/moderno ridicularizado durante a vida; Walter Reuther, líder trabalhista e presidente da United Auto Workers; Henri Cartier-Bresson, fotojornalista francês.

♃ ♍ JÚPITER EM VIRGEM
palavra-chave *zeloso*

Você é capaz de conseguir a cooperação dos outros e impõe altos padrões para tudo que faz. É estudioso nato, com ideais elevados, e precisa estar atento à tendência de esperar demais dos outros. É analítico, prático e gentil, mas pode ser limitado na parte afetiva. A preocupação de Virgem com os detalhes pode conflitar com a expansividade natural de Júpiter; assim, é possível que você faça tempestade em um copo d'água. Limpeza e ordem são importantes, exceto se Júpiter tiver aspectos difíceis; nesse caso, é possível que você seja desleixado, preguiçoso, insatisfeito e boêmio. Você se sai bem nas áreas de saúde mental, educação, nutrição ou hospitalar.

Barry Goldwater, senador e candidato presidencial; Ethel Waters, cantora e atriz de cinema e teatro; Simon Wiesenthal, arquiteto caçador de nazistas; Guglielmo Marconi, inventor italiano do transmissor sem fio e ganhador do prêmio Nobel.

♃ ♎ JÚPITER EM LIBRA
palavra-chave *hospitaleiro*

Você é elegante, sincero e doméstico. Aprecia seu tempo de lazer e seus prazeres e tende a deixar o restante de lado. A capacidade artística, o bom gosto e a excelente conversa tornam-no muito popular. Preocupa-se com a justiça, e os outros confiam em seu julgamento. Você precisa de companhia. Refinado e idealista, talvez deteste o trabalho manual. Com aspectos desfavoráveis, há tendência a tomar decisões éticas no lugar dos outros e de querer ser tudo para todos. Algumas vezes, tem critérios duplos e pode ter problemas legais.

Gertrude Stein, autora do verso "Uma rosa é uma rosa é uma rosa"; Richard "Mr." Blackwell, crítico da lista das "Dez Mulheres mais Malvestidas"; William F. Fallon, extravagante advogado criminal; Paul Cézanne, artista e "pai" do impressionismo.

♃ ♏ JÚPITER EM ESCORPIÃO
palavra-chave *perseverante*

Ativo, você tem muita fé em si mesmo e gosta de impor sua vontade aos outros. Gosta de uma vida luxuosa e provavelmente vai ganhar o suficiente para isso. Corajoso e fiel, aborda a vida com profunda compreensão e se interessa pelo místico e pelo oculto. Suas crenças e padrões são intensos e radicais. Você é perspicaz e pode ter poderes magnéticos de cura. Arqueologia, música, medicina, finanças empresariais, impostos e seguros são áreas que podem atraí-lo. Com aspectos desafiadores, você precisa aprender a lidar com trapaças e maus investimentos e, possivelmente, com a perda de uma herança.

Dalai-lama, líder de todas as seitas budistas tibetanas; Billy Sunday, jogador de beisebol; David Letterman, apresentador de talk show; *Marquesa de Pompadour, amante francesa do Rei Luís XV.*

♃ ♐ JÚPITER EM SAGITÁRIO
palavra-chave *equilibrado* — dignidade

Você é capaz de detectar as oportunidades e aproveitá-las. Como é sociável, precisa estar no meio de gente e aprecia jovens e animais. Gosta de tornar a vida dos outros mais alegre. Geralmente é diretor ou gerente; raras vezes é subordinado; enxerga longe e, com frequência, é um pensador profundo. Apreciador do luxo, é capaz de gastar dinheiro como lhe der na cabeça. Otimista e desembaraçado, você se sente atraído pela vida ao ar livre, pela religião e pelos esportes. Aspectos desfavoráveis podem torná-lo de mente estreita, arbitrário, imprudente e indiscriminado.

Alice Cooper, extravagante astro do rock; Roy Orbison, cantor de música country, pertencente ao Hall da Fama do Rock and Roll; Jeremy Irons, músico, ator britânico de palco/TV/cinema; Barbara Hutton, órfã aos 4 anos, herdeira de Woolworth.

♃ ♑ JÚPITER EM CAPRICÓRNIO
palavra-chave *prudente* — queda

Você é honrado, puritano e austero. Ambicioso, precisa de uma carreira que proporcione segurança financeira. É conservador e poderia dirigir, com sucesso, um negócio próprio, mas também pode trabalhar em uma grande empresa. Tem paciência e dedicação para alcançar a riqueza, mas ao contar os centavos pode deixar passar grandes oportunidades. Você abomina o desperdício e a extravagância e tem altos padrões morais, destacando-se nos negócios agrários. Na via negativa, esse posicionamento de Júpiter pode torná-lo avarento, intolerante, demasiado ortodoxo e mártir. Você tem propensão a atribuir alto valor ao sucesso dentro do sistema.

Sylvia Porter, colunista financeira estadunidense; Bill Cosby, humorista de TV/sitcom/comediante; Martin van Buren, 8º presidente dos Estados Unidos; rei Carlos XII da França, auxiliado por Joana d'Arc.

♃ ≈ JÚPITER EM AQUÁRIO
palavra-chave *tolerante*

A inspiração é seu guia, e você tem grande necessidade de ajudar os outros. Não gosta de trabalho rotineiro. É muito respeitador do ponto de vista alheio e receptivo a novas ideias. Justo, atencioso, sociável e estudioso, é bastante político e tem abordagem imparcial e democrática da vida. Não faz distinções de raça, classe ou religião. Pode se sair bem em qualquer carreira por causa da boa capacidade de julgamento, do intelecto e da originalidade. Os aspectos desafiadores tendem a torná-lo sem tato, intolerante, pouco realista e revolucionário.

Rodolphe Peugeot, executivo automotivo francês; John Steinbeck, ganhador do Prêmio Nobel de Literatura e do Pulitzer; Sissy, atriz e cantora de música country; Édouard Manet, mestre dos pintores impressionistas.

♃ ♓ JÚPITER EM PEIXES
palavra-chave *imaginativo*

Você é gentil, tranquilo, amistoso e modesto. É naturalmente atraído pelos outros e tenta ajudá-los. Por causa da natureza empática e do sereno desembaraço de atitudes, é popular. Luta pelos não privilegiados e, de vez em quando, é compassivo demais. Daria um bom médico, enfermeiro ou veterinário. Não é ambicioso no sentido material e precisa de períodos de solidão. Com aflições, esse posicionamento tende a causar o autossacrifício, a fuga das responsabilidades e o superemocionalismo.

Benjamin Spock, pediatra e autor de livro para bebês; Leonardo da Vinci, multigênio/pintor/inventor/escultor/engenheiro/arquiteto; Abrahan Lincoln, advogado, vítima de assassinato e presidente dos EUA; Frank Lloyd Wright, titã da arquitetura dos Estados Unidos.

Júpiter nas casas

JÚPITER NA CASA 1
palavra-chave *animado*

Tolerante, alegre e otimista, você adora viajar e ficar ao ar livre. Seu temperamento gentil e animado atrai a ajuda dos outros. Lógico e elegante, tem bom senso de humor, tremenda força vital e interesse pelos esportes (nos quais você geralmente se destaca). É um tipo executivo. Na via negativa, Júpiter tende a torná-lo demasiado amante da diversão, acomodado, preguiçoso, extravagante, convencido e impaciente; também pode ter problemas de peso.

Sarah Ferguson, ex-duquesa de York, amante da diversão; Jay Leno, ator, comediante e apresentador de talk show; *Margaret Mead, curadora do Museu de Etnologia, autora e antropóloga; A. J. Foyt, campeão de corridas de automóveis.*

JÚPITER NA CASA 2
palavra-chave **próspero**

Você tem sorte nas finanças porque é capaz de fazer muito com pouco. Este é um posicionamento excelente para negócios, mas o tipo de negócio depende da casa regida por Júpiter e pelo signo em que ele estiver colocado. Bancos, ações, viagens, vendas, importação, exportação e seguros podem ser boas áreas. Você tem um otimismo interior que agrada e atrai os outros. Com aspectos desfavoráveis, há tendência a ser exibicionista perdulário e ter perdas financeiras por causa da atitude descuidada em relação ao dinheiro.

Madonna, atriz/autora/cantora pop/"The Money Girl"; Lauren Hutton, primeira modelo a negociar contrato exclusivo de longo prazo/atriz/apresentadora de TV; Burt Bacharach, músico/compositor de filmes/pianista vencedor do Oscar; Peter Ueberroth, empresário/coordenador olímpico/comissário de beisebol.

JÚPITER NA CASA 3
palavra-chave **otimista**

Seu sucesso vem da área educacional ou da escrita e das comunicações. Você é espirituoso e descontraído. Tem bom relacionamento com parentes, com grande intercâmbio. É prático; tem altos ideais; sua intuição é forte, e você tem muito senso comum. Como sua mente é inquieta, você precisa de um trabalho não rotineiro. Com aspectos desfavoráveis, você fala demais, é imprudente e dado aos exageros.

Jimmy Carter, agricultor de amendoim/governador, 39º presidente dos EUA; Eddie Rickenbacker, mais célebre ás da aviação da Primeira Guerra Mundial/chefe da Eastern Airline/aviador; J. A. Jance, escritor de mistério/autor infantil; Lotte Lehmann, professora/autora/cantora de ópera.

JÚPITER NA CASA 4
palavra-chave *leal*

Você é devotado ao lar e à família e recebe, com frequência, ajuda dos pais. Faz sucesso no lugar de nascimento e pode esperar uma vida sossegada na velhice. Gosta de espaços abertos; talvez apreciasse viver em uma grande casa na colina. Sua personalidade generosa e desembaraçada precisa de ambientes espaçosos e agradáveis. Com aspectos desafiadores, é possível que você seja avarento e guloso e sofra a perda da influência dos pais. Algumas vezes esse posicionamento indica um lar conturbado na infância.

Newt Gingrich, polêmico presidente da Câmara/político; dr. Norman Shumway, cirurgião cardíaco/pioneiro em transplantes; princesa Margaret Rose, irmã da Rainha Elizabeth II; John L. Lewis, líder trabalhista/presidente da United Mines Works.

JÚPITER NA CASA 5
palavra-chave *alegre*

Você adora a fama e faz tudo em grande estilo. Esportes, crianças, atividades criativas e romance são apenas alguns dos seus inúmeros interesses. Tem sorte em especulações e jogos, principalmente se Júpiter estiver bem aspectado. Este posicionamento pode indicar família grande; seus filhos serão bem-sucedidos e lhe trarão benefícios. Esse é um bom posicionamento para quem se dedica ao ensino, à publicação e ao divertimento. Na via negativa, você tende a ser excessivamente ousado, imprudente e sensual.

Waylon Jennings, famoso cantor de música country; Paul Dukas, compositor de "Sorcerer's Apprentice"; Joe Adonis, chefe da Máfia/jogador condenado por quebrar as leis de jogos de azar de Nova Jersey;

Loretta Lynn, caçula de oito filhos/irmã de Crystal Gayle, cantora de música country.

JÚPITER NA CASA 6
palavra-chave *filantrópico*

Por conta da perspectiva alegre e afortunada, você sempre consegue trabalho e, geralmente, é bem pago. Tem boa capacidade organizacional, é generoso e se dá bem com os colegas. A saúde é boa, e você tem grandes poderes de recuperação. Se Júpiter estiver aflito, é possível que você tenha tendência a tumores, problemas de fígado e de peso, ou pode ter atitude arrogante que afasta os outros.

Julia Child, bem-sucedida chef de programa de culinária na TV/autora de livros de receitas/cozinheira gourmet; Liza Minelli, vencedora do Oscar/Tony/Emmy/dançarina/cantora; Frank Capra, vencedor de cinco Oscars/diretor de cinema; Carlo Benetton, produtor de moda esportiva/anúncios de vanguarda da consciência social.

JÚPITER NA CASA 7
palavra-chave *notável*

Esse posicionamento, em geral, indica casamento e/ou sociedade feliz. A não ser que os aspectos sejam muito desfavoráveis, Júpiter na sétima casa dificilmente conduz ao divórcio. Pode haver boa sorte em assuntos legais e tendência a se casar com alguém com segurança financeira. Você tende a esbanjar afeto com aqueles que ama. Se Júpiter fizer aspectos difíceis, tenha cuidado para não ser otimista demais ao lidar com os outros. Suas expectativas excessivamente altas em relação ao parceiro amoroso ou de negócios podem levar a dificuldade em se comprometer ou, reciprocamente, a atrair parceiros relutantes ou incapazes de compromisso.

Jacqueline Kennedy Onassis, ex-primeira-dama; Phyllis Schlafly, advogada/autora/ativista antifeminista/ultraconservadora; George Westinghouse, inventor/fabricante automotivo/fundador da General Electric; Hope Cooke, marajá de Sikkim.

JÚPITER NA CASA 8
palavra-chave *lúcido*

Você é engenhoso e sabe cuidar do dinheiro alheios. Pode se dar bem na área contábil, em bancos ou na gerência empresarial. Este posicionamento promete vida longa e morte tranquila. A atitude perante a vida e a morte é boa. Pode ser que obtenha dinheiro através de sociedades ou heranças. Você é emotivo e tem forte impulso sexual. Com aspectos desfavoráveis, tende a ser extravagante, desonesto e a não ter bom senso.

William Simon, financiador/Secretário do Tesouro; Jimi Hendrix, usuário de drogas e alcoólatra/morreu aos 28 anos/astro do rock; Robert Ripley, autor/cartunista de "Believe It or Not"; Princesa Grace de Mônaco, bela e muito sexy/teve seu encontro marcado em Monte Carlo.

JÚPITER NA CASA 9
palavra-chave *ortodoxo*   dignidade acidental

Você é fiel, tolerante, devotado, ambicioso e interessado em religião e filosofia. Gosta de viver no exterior, se dá bem com estrangeiros e, sem dúvida, deverá viajar. A educação superior é uma necessidade, e você tem aptidão para línguas, literatura e publicações, assim como para fazer palestras e falar em público. Seus defeitos são a arrogância e o exibicionismo, mas Júpiter nessa casa geralmente funciona de forma positiva.

Timothy Leary, líder do culto às drogas e guru; Mary MacArthur, ativista social escocesa/líder sindical/reformadora; Evalyn Walsh McLean, ex-proprietária da Hope Diamond; George Stephanopoulos, Diretor de Comunicação da Casa Branca (sob Clinton).

JÚPITER NA CASA 10
palavra-chave *bem-sucedido*

Por causa da capacidade de liderança, da autoconfiança e da lealdade, essa colocação é excelente para o sucesso nos negócios e/ou na política. Você pode ter muitas oportunidades para se elevar socialmente, sendo muito ativo. O forte senso de justiça indica que se sairia bem na área do direito. Seus padrões morais são elevados. É orgulhoso, materialista e ambicioso; consegue reconhecimento cedo na vida. Com aspectos desfavoráveis, é possível que seja arrogante e insolente.

Helen Gurley Brown, autora/editora-chefe da Cosmopolitan; *George Gershwin, compositor de "Rapsódia em Azul"; Roberto Rossellini, líder na Segunda Guerra Mundial/diretor de cinema/produtor; Alan Dershowitz, autor/advogado criminalista/defensor de Claus von Bülow e de O. J. Simpson.*

JÚPITER NA CASA 11
palavra-chave *benevolente*

Você estabelece seus objetivos e geralmente os alcança com mínimo de esforço. Sociável e amante do prazer, tem muitos amigos e conhecidos prestativos. Você se sai bem em grandes organizações, grupos, clubes ou igrejas. Tem bom discernimento; sua intuição é forte, e você pode se beneficiar de viagens. Provavelmente, sua família é grande, e você é devotado a ela. Na via negativa, você tende a se aproveitar dos amigos ou até a ser sanguessuga.

Traci Lords, ex-atriz de cinema e vídeo pornô, anfitriã popular; Martha Washington, primeira-dama; Bob Wilson, produtor musical milionário; William Walsh, advogado/político/criminoso fiscal.

JÚPITER NA CASA 12
palavra-chave *caridoso*

O posicionamento de Júpiter na casa 12 oferece muita proteção; é como ter um anjo no ombro. Você é gentil, hospitaleiro e gosta de doar anonimamente. Bastante engenhoso em momentos difíceis, está sempre disposto a ajudar os outros. Precisa sentir que as pessoas precisam de você, dependendo muito da reação delas. O sucesso geralmente chega na meia-idade. Este posicionamento é bom para o trabalho nos campos da medicina, da pesquisa, da poesia, da dança, da representação ou do trabalho social. Na via negativa, você pode ser autoindulgente, indeciso e também agir com pressa, com pouca noção de tempo.

Galileu Galilei, astrólogo/astrônomo/físico/gênio; Cecil Beaton, celebridade imortalizada/fotógrafo/designer teatral; Marjorie Merriweather Post, filantropa/empresária; Elizabeth Montgomery, atriz de palco/cinema/TV atriz.

Como estamos deixando os planetas pessoais (Sol, Lua, Mercúrio, Vênus, Marte) e movendo-nos para os transicionais (Júpiter, Saturno) e para os transcendentais (Urano, Netuno, Plutão), a aplicação de aspectos tem que ser vista de forma diferente: Júpiter e Saturno são a transição do instintivo (planetas pessoais) ao civilizado (planetas de transição ou sociais); portanto, todos os aspectos desses dois planetas podem levar mais tempo para serem notados, ter efeito tardio na vida e, muitas vezes, parecerem menos óbvios a um observador externo ou ao astrólogo iniciante.

Aspectos de Júpiter

Qualquer aspecto a Júpiter acentua a expansão, o raciocínio filosófico e a proteção.

- A conjunção enfatiza a expansão.
- O sextil oferece oportunidade de avanço.
- A quadratura o desafia a crescer.
- O trígono faz que seja fácil para você agir positivamente.
- O quincunce exige reorganização do princípio de proteção.
- A oposição estipula que você aprenda a equilibrar o otimismo e a realidade.

> **ASPECTOS DE JÚPITER COM SATURNO – Júpiter/Saturno trabalhando juntos**
>
> Enquanto Júpiter significa expansão e crescimento, Saturno descreve consolidação e limitação. Saturno simboliza foco e disciplina; Júpiter alcança as estrelas e se diverte enquanto "alcança". Júpiter pode ser muito otimista, e Saturno, muito pessimista, mas quando trabalham juntos podem atingir o meio-termo e mover montanhas.

♃ ☌ ♄   JÚPITER EM CONJUNÇÃO COM SATURNO

Esta conjunção mostra a integração de forças motrizes fundamentais: postura, idealismo (Júpiter) e trabalho árduo (Saturno); assim, suas visões (Júpiter) podem se tornar realidade (Saturno). Por meio da educação (Júpiter), você pode aprender a jogar de acordo com as regras (Saturno). Seu sistema de crenças, seja ele qual for, tende a ser estruturado e um tanto ortodoxo. Quando há aspectos desafiadores a essa conjunção, você pode tentar contornar a lei e, em algum momento, perderá posição na comunidade.

Roy Campanella, treinador/apanhador do Hall da Fama do beisebol; Gene Roddenberry, aviador/produtor de TV/cinema, criador de "Star Trek"; Linda Marshall, executiva da área de cosméticos/perfumista/autoridade em cuidados com a pele/maquiagem; Frank Lorenzo, estrategista financeiro/explorador de sucesso no maior conglomerado de companhias aéreas.

♃ ✶ ♄   JÚPITER EM SEXTIL COM SATURNO

Você pode aplicar seu interesse ou conhecimento do passado, ontem (Saturno), olhando para o futuro, amanhã (Júpiter), exibindo talento para os negócios e bom senso.

Rick Barry, superastro do basquete; Kirk Kerkorian, especulador/empresário; Byron R. White, acadêmico de Oxford; Rhodes, juiz da Suprema Corte dos EUA; general Brent Scowcroft, diretor do Conselho de Segurança Nacional.

♃ ☐ ♄   JÚPITER EM QUADRATURA COM SATURNO

Como é incapaz de reconhecer suas limitações, você segue em frente, devagar e firme, em presença da adversidade (via positiva), ou acha que nunca é reconhecido de verdade (via negativa).

Leroy Cooper, um dos sete astronautas originais de "Apollo"; Donald Trump, empreendedor imobiliário/acumulou fortuna de US$ 1 bilhão com um hotel decadente, 45º presidente dos Estados Unidos;

Sally Struthers, atriz de cinema/TV de "Tudo em Família"; Paul Gauguin, artista/deixou a família e o país para pintar no Taiti.

♃ △ ♄   JÚPITER EM TRÍGONO COM SATURNO

Porque é capaz de definir metas realistas, você geralmente usa seu idealismo e sua natureza orientada a uma causa de forma disciplinada e construtiva. Assim, com frequência, é capaz de alcançar o sucesso material que deseja. A tradição astrológica descreve Júpiter em trígono com Saturno como um dos aspectos mais afortunados do zodíaco.

Marvin Mitchelson, advogado patrimonial; Marcia Clark, promotora pública do julgamento de assassinato de O. J. Simpson; Leonard Cohen, favorito dos "filhos de flores", poeta/cantor folk; Hank Aaron do beisebol, o "Hammerin".

♃ ⚻ ♄   JÚPITER EM QUINCUNCE COM SATURNO

Já que você alterna entre cautela (Saturno) e expectativas irrealistas (Júpiter), os outros podem esperar muito de você e você deles. Tenha cuidado para não deixar o zelo missionário (Júpiter) assumir o controle de sua abordagem religiosa (Saturno). Antecipando menos e ajustando-se ao que os outros querem de você, terá mais sucesso e menos dores de cabeça.

Colette, escritora francesa de livros ligeiramente picantes; Pearl Buck, ganhador dos prêmios Nobel e Pulitzer de Literatura/autor de "The Good Earth"; Boris Becker, superastro do tênis, o campeão mais jovem do século aos 17 anos; Vassily Kandinsky, um dos criadores originais da arte não objetiva/pintor russo.

♃ ☍ ♄   JÚPITER EM OPOSIÇÃO A SATURNO

Embora seja prático e cuidadoso (via positiva), você pode não ter metas e ter dificuldade (via negativa) em reconhecer seus objetivos e seguir em frente.

George Washington, comandante-chefe do Exército dos EUA, primeiro presidente dos EUA; Frank Gifford, apresentador de esportes/ Hall da Fama do futebol; Eliane de Vilder, saltadora holandesa; John Jaula, professor/compositor vanguardista.

ASPECTOS DE JÚPITER COM URANO – Júpiter/Urano trabalhando juntos

A integração de Júpiter e Urano oferece possibilidades únicas: abordagem "excêntrica" (Urano) da religião (Júpiter); filosofias (Júpiter) vanguardistas (Urano); modernização (Urano) da educação superior (Júpiter); revolução ou ruptura (Urano) das leis (Júpiter) são algumas das maneiras como esses planetas parecem trabalhar juntos.

♃ ☌ ♅   JÚPITER EM CONJUNÇÃO COM URANO

Você é impaciente e não gosta de restrições. No entanto, tem profundo respeito por conhecimento e pode prosperar se combinar idealismo a conhecimento e a busca pelo que há de novo.

Jonas Salk, primeiro desenvolvedor de vacina contra poliomielite/ imunologista; George Antheil, chocou nos anos 1920 por seu jazz e ritmos hi-tech em música/compositor sinfônico; Hans Arp, pioneiro/um dos fundadores do dadaísmo; Emilio Pucci, escultor francês, alta-costura italiana.

♃ ⚹ ♅ JÚPITER EM SEXTIL COM URANO

Apesar de se recusar a se alinhar às convenções, sua natureza exuberante oferece muitas oportunidades de sucesso.

Robert F. Kennedy, procurador-geral/senador/autor/vítima de assassinato; Wilhelm Messerschmitt, engenheiro/projetista alemão; Jimmy Connors, simpático campeão de tênis; Yogi Berra, lendário apanhador do beisebol.

♃ □ ♅ JÚPITER EM QUADRATURA COM URANO

Entusiasmado, independente e franco, você se sente mais confortável ao começar do alto, mas seu sucesso depende da preparação adequada. Esse aspecto sugere que você não deve se envolver com especulações ou jogos; na verdade, precisa aprender a ser moderado em tudo que faz.

Jean Piaget, psicólogo/pesquisador do pensamento infantil; William H. Rehnquist, chefe do Supremo Tribunal de Justiça; príncipe Aly Khan, destacado playboy internacional/esportista; Mary McFadden, chique/socialite/favorece homens mais jovens/estilista.

♃ △ ♅ JÚPITER EM TRÍGONO COM URANO

Original, inventivo, criativo, idealista e um pouco extravagante, você pode alcançar qualquer objetivo que definir para si mesmo, desde que ninguém coloque em risco sua independência.

Elvin Hayes, atacante enigmático do basquete; Max Ernst, dadaísta/ surrealista/artista; Suzanne de Passe, produtora executiva/presidente da "Motown"; Michael Milken, inventivo/estelionatário/negociante/ filantropo do junk bond.

♃ ⊼ ♅   JÚPITER EM QUINCUNCE COM URANO

Demasiado otimista, raramente você dá atenção suficiente aos detalhes, motivo pelo qual pode se deixar levar por objetivos futuristas ou irrealistas ou por esquemas excêntricos. A menos que seja muito criativo, a persistência torna-se importante para alcançar o sucesso.

Uri Geller, artista/vidente; Martha Graham, coreógrafa/expoente da dança moderna; Andre Courrèges e Pierre Cardin, designers da alta--costura francesa.

♃ ☍ ♅   JÚPITER EM OPOSIÇÃO A URANO

Você critica os códigos aceitos e tenta fazer algo para mudá-los; entretanto, pode ser que dê um passo maior que a perna. Depois de encontrar a própria direção, em vez de olhar para o que os outros fazem ou dizem, você pode mover montanhas.

Gloria Steinem, ativista/palestrante/autora/feminista; Nancy Reagan, atriz/esposa de político/aficionada por Astrologia/primeira-dama; Robert Forman Six, executivo estadunidense de companhia de transportes aéreos, um dos mais originais artistas contemporâneos; Paul Klee, pintor suíço.

> **ASPECTOS DE JÚPITER COM NETUNO** – Júpiter/Netuno trabalhando juntos
>
> Júpiter, o exagerado, encontra Netuno, o sonhador, para produzirem fabulosos contos de fadas. Júpiter, o idealista e visionário, alinha-se com Netuno, o artista criativo que produziu obras de arte fantásticas, composições musicais e filmes. Júpiter religioso pode ser elevado à iluminação por meio do contato com Netuno.

♃ ☌ ♆   JÚPITER EM CONJUNÇÃO COM NETUNO

Você tem imaginação fértil, que pode se expressar em vários campos criativos. Tome cuidado para não deixar a imaginação criar apenas grandes ilusões. Simpático e idealista, também pode ser atraído pela vida religiosa. Com aspectos desfavoráveis para esta conjunção, pode ser que viva em um mundo isolado de fantasia. Na via positiva, você pode se destacar em alguns campos dos esportes, onde a mobilidade é essencial.

Hank Ketcham, criador/cartunista de "Dennis, o Pimentinha"; Scott Hamilton, vencedor olímpico e ganhador da medalha de ouro/astro da patinação no gelo; duque de Windsor, rei que abdicou por amor; Suzanne Farrell, bailarina.

♃ ⚹ ♆   JÚPITER EM SEXTIL COM NETUNO

Instintivo e perceptivo, você tem a oportunidade de usar essas habilidades de forma benéfica, não só de maneira criativa, mas também financeiramente.

Charlie Mingus, compositor/líder de banda/Q.I. elevado/músico de jazz; Arthur Rimbaud, baleado em uma briga de namorados por Verlaine/poeta; Billy Mitchell, oficial do Exército/levado à corte marcial por insubordinação/aviador; Björn Borg, gigante do tênis.

♃ □ ♆   JÚPITER EM QUADRATURA COM NETUNO

Você é criativo e talentoso, mas precisa desenvolver a autodisciplina e canalizar as energias para um rumo produtivo, e não explodir em situações fora de proporção.

Vaclav Havel, presidente/autor/dramaturgo tcheco; Theodore Roosevelt, político/26º presidente dos EUA/vencedor do Prêmio Nobel da Paz; Ivana Trump, empreendedora da moda; Harry B. Warner, engenheiro químico/executivo de negócios.

♃ △ ♆   JÚPITER EM TRÍGONO COM NETUNO

Você quer chegar à Lua sendo bem-sucedido em qualquer campo no qual se concentrar. Seus sonhos podem ser orientados não apenas para os campos artísticos ou musicais, mas para as finanças.

Agatha Christie, autora prolífica de romances policiais e de mistério (de 67 livros); Heather Watts, versátil prima-bailarina; Eddie Arcaro, jóquei/vencedor da Tríplice Coroa; Peter Max, artista/pintor germano-americano.

♃ ⚻ ♆   JÚPITER EM QUINCUNCE COM NETUNO

Esse aspecto mostra que é necessário um ajuste entre suas emoções, seu intelecto e sua expressão criativa. Você precisa aprender a diferenciar entre as obrigações reais e as imaginárias, principalmente em relação ao serviço prestado aos outros. Integrados, seus ideais podem impulsioná-lo na busca por seus sonhos.

Wiley Post, aviador a dar "a primeira volta ao mundo"; Jean Cocteau, artista/diretor/poeta/romancista francês; princesa Ira von Fürstenberg, atriz/realeza; Pierre Boulez, frequentemente controverso/ maestro/compositor francês.

♃ ☍ ♆   JÚPITER EM OPOSIÇÃO A NETUNO

Propenso a exagerar, você tende a explodir com frequência, o que pode deixá-lo exaurido, legal e financeiramente. De alguma forma revolucionário, pode ser excessivamente emocional ou idealista nos envolvimentos pessoais. Perspectivas visionárias podem ser um ponto forte e uma fraqueza, dependendo de como você as persegue.

Elizabeth Clare Prophet, autoproclamada guru; Mistinguett, rainha francesa das music halls; Fidel Castro, líder comunista cubano; Randy Shilts, autor de "And The Band Played On"/vítima da aids.

ASPECTOS DE JÚPITER COM PLUTÃO – Júpiter/Plutão trabalhando juntos

Júpiter, amante do prazer, alinha-se bem com o impulso sexual de Plutão. A predileção de Júpiter por crescimento e expansão é auxiliada pela capacidade de transformar de Plutão. Por outro lado, o otimista Júpiter é frustrado pelas necessidades obsessivas de Plutão. Júpiter faz leis; Plutão as quebra!

♃ ☌ ♇   JÚPITER EM CONJUNÇÃO COM PLUTÃO

Forte e obstinado, você tolera pouca interferência ao perseguir seus ideais. Este é, com frequência, o aspecto do magnata dos negócios; portanto, você tem talento para os negócios bancários, o mercado de ações ou outras áreas financeiras que tendem a trazer muito dinheiro.

Bill Gates, fundador/bilionário da Microsoft aos 40 anos; Marcel Dupré, boxeador francês; Roberto Capucci, estilista italiano; Ernie Banks, home run do beisebol atingindo o shortstop.

♃ ✶ ♇   JÚPITER EM SEXTIL COM PLUTÃO

Frequentemente abençoado com grande habilidade organizacional, você é conhecido pela capacidade de dirigir atrás e na frente das cenas.

Althea Flynt, editora/cofundadora da revista Hustler/*vítima da aids; Lee Radziwill, irmã fashionista de Jackie 'O'/socialite; Bob Dylan, cantor de voz grave/poeta de protesto; Jane Ellen Brody, repórter do N. Y. Times, autora de cinco livros sobre nutrição.*

♃ □ ♇   JÚPITER EM QUADRATURA COM PLUTÃO

Dogmático, exagerado e arrogante, você pode ser aventureiro ou jogador, aquele que promulga ou defende a lei ou criminoso.

Camilla Parker-Bowles, mulher que se interpôs entre a princesa inglesa Di e o príncipe Charles; Robert Mapplethorpe, artista muito polêmico/fotógrafo/vítima de aids; Sanjay Gandhi, filho de Indira/político; Massimo Troisi, diretor de cinema/ator italiano.

♃ △ ♇   JÚPITER EM TRÍGONO COM PLUTÃO

Sua natureza intensa encontra saída fácil por meio da criatividade ou dos empreendimentos nos negócios, transformando a indolência e a indulgência em êxtase e sucesso.

Jean Houston, psicóloga, pesquisadora sexual; Ted Danson, casado três vezes/"Sam", o bartender de Cheers/*ator de TV e cinema; Brandon Lee, ator/especialista em artes marciais/vítima de explosão/filho de Bruce; Jack Nicklaus, jogador de golfe/empresário/designer de campo de golfe/quatro vezes vencedor do "Masters".*

♃ ⚻ ♇ JÚPITER EM QUINCUNCE COM PLUTÃO

O zelo religioso (Júpiter) pode ser pervertido pela forte necessidade de poder (Plutão) ou pode se tornar maldirecionado ao excesso sexual. Controlador, você pode tentar impor suas ideias e seus ideais aos outros, sem levar em consideração o interesse deles. Quando realisticamente visto, seu desejo de crescer e expandir (Júpiter) tende a ser auxiliado pelo impulso e pela capacidade de Plutão de transformar.

Antonin Scalia e Stephen Breye, juízes da Suprema Corte; Jerry Rubin, um dos "Chicago 7"/hippie que se tornou banqueiro de risco; Princesa Diana, ex-mulher do príncipe Charles/mãe dos príncipes Harry e William.

♃ ☍ ♇ JÚPITER EM OPOSIÇÃO A PLUTÃO

Dificilmente você concorda com os códigos impostos. Coloca-se como a própria lei e depois acha difícil aceitar as consequências. Tornando-se consciente (oposição) de onde está sua maior força (Plutão), você pode desarmar os outros (Júpiter).

Mark Spitz, nadador/sete medalhas de ouro olímpica/dentista; Cybill Shepherd, modelo/atriz comediante de TV/cinema; Saddam Hussein; general iraquiano/implacável ditador; Paula Abdul, coreógrafa, bulímica/dançarina de sucesso/cantora.

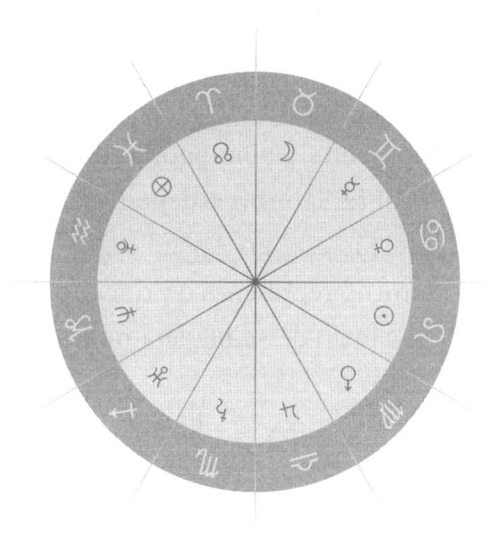

Módulo 14: Saturno

Comentários importantes sobre este módulo

Você gostou de interpretar Júpiter no mapa astrológico? Esperamos que sim. Quanto mais você praticar, mais fácil se tornará a interpretação. Antes de examinarmos o reino de Saturno, aqui estão mais algumas reflexões que parecem ajudar nossos alunos a compreender os princípios básicos da Astrologia.

Um fator muito importante em um mapa é o signo em que o planeta está colocado. A Lua em Sagitário funciona de maneira muito diferente da Lua em Câncer ou em Capricórnio. Uma faceta igualmente importante é a casa em que o planeta cai. A Lua em Sagitário na sexta casa é bem diferente da Lua em Sagitário na quinta. Em terceiro lugar, em ordem de relevância, vêm os aspectos. A Lua em quadratura com o Sol vai funcionar de modo diferente da Lua em trígono com o Sol.

Depois de entender realmente as palavras-chave e as frases-chave para os signos, os planetas, as casas e os aspectos, elas se tornarão, para você, uma segunda natureza. Interpretar será fácil, e a única coisa que vai impedi-lo de se entediar é a maravilhosa percepção de que não há duas pessoas iguais.

Mantenha o bom padrão do seu trabalho, estude nossas observações sobre Saturno e depois analise o Saturno de Mozart. Nossa interpretação está no Apêndice, na página 462.

Saturno representa o princípio do aprendizado. As lições aprendidas por meio desse planeta nunca são esquecidas.

Saturno nos signos

♄ ♈	**SATURNO EM ÁRIES**	
palavra-chave	*engenhoso*	queda

Depende de você desenvolver os muitos recursos de que dispõe para fortalecer seu caráter. Esse é um posicionamento difícil, porque Saturno impõe atrasos ao impulso e à energia de Áries. Você é egocêntrico e acha difícil reconhecer os direitos dos outros. Se canalizar adequadamente essa energia, vai combinar iniciativa com disciplina e ser muito persistente. Poderá, então, usar a inventividade de maneira vantajosa, assumindo o controle de forma positiva. Seus muitos medos inconscientes lhe dão forte desejo de segurança. Esta colocação pode indicar um complexo de pai ou um parceiro ciumento. Embora seu *timing* não seja dos melhores, você tem grande capacidade de raciocínio e adora um debate. Com aspectos desfavoráveis, tende a ser superficial, defensivo e impaciente, sentindo constante necessidade de se justificar. Precisa aprender a ter tato e a cooperar com os outros. O exercício físico é recomendado.

Béla Bartók, compositor húngaro inovador; Douglas MacArthur, comandante Supremo das Forças Aliadas no Pacífico 1942/controverso general; Mary Baker Eddy, fundadora/líder religiosa da Igreja da Ciência Cristã; John L. Lewis, líder trabalhista/presidente da United Mine Workers.

♄ ♉ SATURNO EM TOURO
palavra-chave *fidedigno*

Você tem grande necessidade de segurança financeira e emocional e sente-se mais feliz quando os assuntos cotidianos estão em ordem. Sua natureza é caracterizada por paciência, disciplina, determinação, praticidade e adesão a princípios. Você aborda a vida com atitude realista. Pode carecer de espontaneidade, mas está disposto a trabalhar com afinco pelo sucesso. Os altos negócios, a política e as artes são campos que o atraem. Econômico, você adquire bens materiais pela utilidade. Sua resistência física é grande, assim como sua teimosia. Você é possessivo em relação a quem ama. Só vai encontrar a paz interior quando seus valores se tornarem mais evoluídos ou aprender a usar seu potencial criativo. Os aspectos desafiadores tendem a levar à avareza, ao materialismo excessivo ou à falta de interesse pelo amor e pela beleza.

Pat Nixon, zelosa/modesta/ex-primeira-dama; Ulysses S. Grant, fazendeiro/18º presidente dos EUA, o general; Stan Kenton, músico/maestro/compositor de jazz progressivo; Bernardo Bertolucci, ganhador de nove Oscar/diretor do filme "O Último Imperador"/poeta.

♄ ♊ JÚPITER EM GÊMEOS
palavra-chave *científico*

Você é adaptável, sistemático e lógico porque consegue se distanciar e abordar os assuntos de maneira fria e racional. Tem grande capacidade de raciocínio para resolver problemas e escrever. Esse posicionamento de Saturno é excelente para os campos mental, intelectual, científico ou matemático. O ensino, a pesquisa, a engenharia e o secretariado são boas possibilidades de carreira. Você gosta de estudar e vai continuar aprendendo a vida toda. É importante que cultive uma abordagem honesta nos relacionamentos. Saturno acrescenta disciplina a Gêmeos, tornando mais práticas as funções mentais. Fisicamente, seu ponto fraco é o pulmão; você não deve fumar. Há tendência à tensão nervosa quando você exige demais da sua resistência. Aspectos desfavoráveis podem fazer que você seja muito crítico e, às vezes, desconfiado. Por outro lado, pode ser que você seja tímido, tenha problemas para se expressar ou raciocínio lento.

Franz Kafka, romancista/contista austríaco; Maynard Keynes, influente economista/especialista financeiro; Dante Alighieri, poeta da "Divina Comédia"; Boz Scaggs, músico/cantor/instrumentista.

♄ ♋ SATURNO EM CÂNCER
palavra-chave *cônscio da segurança* detrimento

Inibido na demonstração de amor e das emoções, é possível que você se sinta isolado e tímido. A vida familiar na infância pode ter carecido de ternura, ou você pode ter sido um pouco problemático; talvez isso tenha deixado marcas. Apesar disso, você tem espírito de clã e se sente responsável pela família. No intuito de preservar uma aura de dignidade, esconde os pensamentos e sentimentos íntimos. Embora chore muito, escondido; tudo que os outros veem é sua melancolia. Embora precise de aprovação e amor, sua vida doméstica talvez seja instável. Seus sentimentos são facilmente feridos, entretanto você não tem compreensão pelos demais; por mais que queira ajudar os outros, frequentemente fracassa. Para alcançar objetivos materiais, tende a ser bastaste astuto e capaz. Está sujeito à tensão nervosa e deve tomar cuidado para não engordar por causa da retenção de líquido. Aspectos desafiadores podem causar hipersensibilidade, retração de envolvimentos íntimos e atitude defensiva, até que aprenda a ter abordagem positiva da vida.

Charles Hard Townes, vencedor do Prêmio Nobel/físico eletrônico; Jackie Gleason, astro do seriado de TV "The Honeymooners"/ator bon vivant/comediante/compositor; Robert Shaw, fundador/maestro do coral; Sally Priesand, primeira professora rabina de hebraico nos EUA.

♄ ♌ SATURNO EM LEÃO
palavra-chave **seguro de si**

Você é bastante motivado para obter reconhecimento pessoal e controle e busca a liderança a qualquer custo. Exige atenção e respeito e é teimoso. Como pai, vai impor disciplina rígida. Precisa cultivar atitudes melhores em relação ao amor, ao romance, aos filhos e às questões de expressão criativa. De vez em quando, não tem senso de humor, mas tem vitalidade mental e excelente capacidade para áreas como educação, gerência e entretenimento. Às vezes é tão cauteloso e reservado que se esquece de aproveitar a vida, sobretudo se Saturno formar aspectos desfavoráveis. Isso pode levar a desapontamentos na vida amorosa, problemas com os filhos, perdas por especulações e problemas com as costas.

Greg Allman, superastro/cantor/guitarrista/músico do rock viciado em drogas; Edith Sitwell, escritora empírica/poetisa; Emmaline Pankhurst, sufragista/ativista social presa; Roberto Assagioli, psiquiatra/parapsicólogo/inventor italiano da "Psicossíntese".

♄ ♍ SATURNO EM VIRGEM
palavra-chave **prudente**

Você é prático, cuidadoso e trabalhador; sua atitude é moral e consciente. Você age com eficiência, correção e precisão; estimula a si mesmo e aos outros. Tem sucesso em medicina, pesquisa, estratégia e trabalho de arquivo. Às vezes, as pessoas não gostam do fato de você dar tanta atenção aos detalhes, à pontualidade e a coisas insignificantes; isso pode fazer que pareça bastante austero. Precisa desenvolver senso de humor e tentar superar a tendência a se preocupar demais. Depois que aprender a distinguir o que é importante do que não é, você vai longe. Tem muito a oferecer ao mundo. Aspectos desfavoráveis podem levá-lo à tendência a resmungar, ao medo do desconhecido e a problemas digestivos.

Earl Warren, governador da Califórnia/Chefe de Justiça da Suprema Corte; Dwight D. Eisenhower, mentor da invasão da Normandia/general/34º presidente dos EUA; Sir Thomas Mor, decapitado pelo rei Henrique VIII/canonizado como santo; Giulietta Masina, atriz italiana Chaplinesca.

♄ ♎ SATURNO EM LIBRA
palavra-chave *razoável*

Apesar da atitude disciplinada, responsável e séria, você é agradável, filosófico e tem grande senso de justiça e imparcialidade. Este é um bom posicionamento para advogados, juízes e mediadores, assim como para planejamento organizacional, acordos de negócios e trabalho governamental. Pode indicar casamento tardio ou associação com pessoa séria. O casamento exige paciência e trabalho aplicado; a relação com os outros é uma das lições a serem aprendidas com Saturno em Libra. Ciente da estrutura social, frequentemente você chega à posição de honra e riqueza. Diplomático e dotado de tato, trabalha bem em conjunto, já que prefere a cooperação à competição. Aspectos desfavoráveis podem torná-lo exigente, intolerante, sem capacidade de perdoar e pouco sincero. Pode ser que tenha problemas com os rins.

Henry Kissinger, político/vencedor do Prêmio Nobel da Paz/ Secretário de Estado; Jack Benny, superastro do palco/TV/cinema/comediante; Camille Claudel, artista/escultora/amante de Rodin; George Bush, político/diretor da CIA/41º presidente dos Estados Unidos.

♄ ♏ SATURNO EM ESCORPIÃO
palavra-chave **_resoluto_**

Você tem personalidade magnética e senso de humor ferino. Pode se sair bem nas finanças, no ocultismo ou em qualquer área que requeira boa capacidade de réplica. Exige muito de si mesmo e dos outros, e sua natureza perfeccionista não tolera a preguiça ou a falta de disposição para trabalhar. Tem força de vontade, energia e intensidade em altas doses, mas precisa aprender a reagir mais calmamente à vida e aos problemas. Sua abordagem é sutil, meticulosa, persistente e determinada. Você tem grande motivação para o sucesso e ego forte. É orgulhoso e cheio de recursos, mas guarda profundo ressentimento quando acha que alguém foi injusto com você. Seus desejos são poderosos, e você é capaz de amar e odiar profundamente. Com aspectos desafiadores, pode ser calculista, ciumento e vingativo. Se sua atitude mental não for boa, você poderá ser rancoroso, reservado e ter medo da dependência. Este posicionamento tende a provocar pedras nos rins, constipação ou artrite.

Richard Burton, ator romântico/com voz doce; Johann W. von Goethe, maior escritor da Alemanha/poeta gênio literário/autor de "Fausto"; Marie Curie, pesquisadora/única a receber os Prêmios Nobel de Física e Química; Edith Cavell, executada pelos alemães/patriota/ enfermeira.

♄ ♐ SATURNO EM SAGITÁRIO
palavra-chave *majestoso*

Saturno em Sagitário sugere que você tem abordagem séria em relação à religião, à filosofia e à educação superior e tenta aderir a códigos morais íntegros e rigorosos. Independente e capaz, busca a verdade e a justiça. Intelectualmente, é disciplinado e tem bons poderes de concentração. Suas conquistas se dão com trabalho árduo e aplicação. Interessa-se pelo oculto, tanto espiritual como filosoficamente. Sua reputação é muito importante para você, que se orgulha de seu valor intelectual e se ofende quando acusado injustamente. É direto, e sua aguda intuição e sua boa capacidade científica indicam que pode trabalhar bem com pessoas sofredoras ou deficientes. Pode ser um bom professor, pregador ou líder político. O exercício físico, para ativar a circulação, é importante. Com aspectos desfavoráveis, tende a ser intransigente, indeciso, rebelde ou ressentido, e a tentar impor seu fervor religioso aos outros.

Mohandas Gandhi e Martin Luther King, líderes religiosos e de direitos civis; Barbara Walters, jornalista/personalidade da TV; Jo (Lavina) King, aviadora/operadora de escola de voo/autora.

♄ ♑ SATURNO EM CAPRICÓRNIO
palavra-chave *organizador*   dignidade

Você ambiciona poder, prestígio e autoridade. Esse é um bom posicionamento para política, negócios, ciência ou qualquer carreira que envolva respeito público. Como é persistente, previdente, cuidadoso, prático e bom organizador, pode facilmente concretizar sua grande necessidade de realização. É possível que tenha aparência fria e austera porque se cerca de uma aura de dignidade. Capaz de acatar as ordens dos superiores, espera o mesmo comportamento dos subordinados. Provavelmente precisou lutar, no início da vida, para obter segurança, estando disposto a trabalhar arduamente. Por isso, acha que todos deveriam conseguir o que querem por esforço próprio. Com bons antecedentes, valoriza a família, o orgulho e a honra. Dependendo dos aspectos, você pode alcançar tanto a máxima evolução e compreensão ou o auge do materialismo e o egoísmo. Tem tendência a não ter sensibilidade e precisa desenvolver a tolerância e o senso de humor. Sua visão é prática, séria e cumpridora do dever, mas tente evitar se tornar um lobo solitário ou uma pessoa de atitudes e crenças muito rígidas. Com aspectos desafiadores, pode ser que você não tenha escrúpulos para alcançar seus objetivos nem autoconfiança. Também pode ser egoísta, ditatorial, solitário ou arrogante. Fisicamente, tome cuidado com os ossos e as articulações.

Adlai Stevenson, candidato à presidência/intelectual/governador; Rudolf Bing, empresário gerente geral da ópera metropolitana; Abigail Pierpont Johnson, rica corretora de investimentos; H. Ross Perot, industrial/candidato à presidência/bilionário.

♄ ♒ SATURNO EM AQUÁRIO
palavra-chave *justo*

Você tem grande poder de concentração, e seu pensamento é democrático e científico. Tem facilidade para imaginar abordagens inventivas e originais, assim como para compreender a matemática abstrata e os símbolos. É ambicioso, trabalhador e imparcial. Sua atitude em relação às pessoas e aos relacionamentos é responsável, e você é leal na amizade. Trabalha bem em grupos ou organizações, desde que possa se sentir livre e independente em tudo que fizer. Os relacionamentos sociais são importantes para você, mas os outros podem não entender sua abordagem racional, interpretando-o como frio e reservado. Com aspectos desfavoráveis, pode ser que seja egoísta e não goste de fazer nada que não lhe agrade. Orgulho intelectual demais e falta de gratidão podem torná-lo um solitário consumado. Para superar essas tendências, precisa de tempo para reflexão profunda. Fisicamente, é preciso manter as forças vitais e a circulação em bom funcionamento.

Greta Garbo, atriz/reclusa/autora da famosa frase "Eu quero ficar sozinha"; Gertrude Stein, patrona das artes com a amante Alice Toklas em Paris/autora; Jerry Falwell, televangelista/líder da direita religiosa; Joseph Campbell, mitologista/estudioso/autor.

♄ ♓ SATURNO EM PEIXES
palavra-chave *acolhedor*

Imaginativo – às vezes até demais –, você tende a viver no passado e pode ter dificuldade em lidar com o presente. É muito compreensivo, humilde e disposto a trabalhar em prol dos desfavorecidos. Sua percepção dos outros é bem desenvolvida, mas você carece de autopercepção, tendendo a subestimar seu valor. Precisa de sossego e isolamento para descobrir suas inúmeras capacidades; poderia se sair bem nas áreas de literatura, pesquisa ou metafísica. Talvez lhe agrade trabalhar nos bastidores ou em uma grande instituição, como um hospital, uma universidade ou uma repartição governamental. Você leva a vida muito a sério e reage emocionalmente. Acautele-se contra a autopiedade, que pode levá-lo à depressão, e tente praticar o desligamento emocional. Aspectos desfavoráveis tendem a levar a preocupações excessivas, doenças psicossomáticas e tendências neuróticas.

Edgar Cayce, "O Profeta Adormecido"/psíquico; Jean Auel, romancista da cultura da era do gelo; Anne Morrow Lindbergh, aviadora/poetisa/autora; Charles Gounod, organista/compositor francês da ópera "Fausto" e música sacra.

Saturno nas casas

SATURNO NA CASA 1
palavra-chave ***inibido***

Você é reservado, sério, consciencioso, paciente e aristocrático. Deseja ter poder, mas pode ter sofrido limitações durante a infância; possivelmente era muito tímido, mas agora quer seguir em frente. Tem sensação de insegurança ou inadequação pessoal, mas isso o incentiva no sentido de grandes realizações. Tem muitas responsabilidades, e, com frequência, esse posicionamento indica que começou a trabalhar cedo. Na juventude, foi muito maduro, mas vai rejuvenescer à medida que o tempo passar. Se Saturno estiver muito próximo ao Ascendente, pode indicar que seu nascimento foi difícil para sua mãe. Com maus aspectos, você tende a seguir pela vida não se sentindo amado; pode ser egoísta e sofrer de depressão.

Mick Jagger, superastro/cantor britânico da banda "The Rolling Stones"; Leslie van Houten, membro da gangue de Charles Manson; Wilhelm Mengelberg, maestro holandês/simpatizante do nazismo; C.C. Beck, cartunista/criador de "Capitão Marvel".

SATURNO NA CASA 2
palavra-chave *econômico*

Você se preocupa com o dinheiro que ganha com o próprio suor. É sensível e ordeiro em todas as questões financeiras, e o sucesso chegará devagar. Talvez tenha nascido em meio a grande riqueza e seja mesquinho demais para dividi-la, ou pode ter vindo de um ambiente de pobreza e supercompense tornando os bens materiais seu único objetivo. Você precisa aprender uma lição a respeito dos valores; a paz mental vem de dentro, não de fora. Entretanto, se Saturno estiver bem aspectado, este é um bom posicionamento para investimentos em imóveis.

Barbra Streisand, superestrela/cantora/atriz/diretora; Jessica Lange, vencedora de dois Oscar/atriz; Clint Eastwood, político/diretor/ator; Philip Roth, autor egocêntrico de "Portnoy's Complaint".

SATURNO NA CASA 3
palavra-chave *cuidadoso*

Você é paciente, realista e tem tato. Provavelmente teve alguns problemas com irmãos e cresceu sentindo-se sozinho. Este posicionamento de Saturno pode indicar falta de boa educação ou de amor no lar durante a infância. Correspondente hábil, você fala bem e sua mente é penetrante e capaz de boa concentração. Seus pulmões não são fortes, e você tem medo não fundamentado do novo. Os aspectos desfavoráveis podem fazê-lo sentir-se discriminado ou levá-lo a sentimentos de inadequação ou depressão.

Graham Greene, dramaturgo/poeta/estilo de vida dissoluto/autor britânico; Noel Coward, sofisticado diretor/compositor/ator/autor britânico; Connie Francis, isolada após o estupro/cantora; Oliver Wendell Holmes, eloquente juiz da Suprema Corte.

SATURNO NA CASA 4
palavra-chave *convencional*

Preocupado com a velhice, você tem muitas responsabilidades no lar, o que pode incluir até tomar conta de parentes idosos. Existe a possibilidade da perda prematura de um dos genitores ou de dificuldades com um deles. Você é muito ligado à família e pode se apegar demais ao passado. Embora pareça independente, tem medo de deixar os pais; entretanto, será muito mais feliz longe do local de nascimento. Você se sente inadequado e inseguro, mas esses sentimentos fazem que se esforce em dobro em tudo que faz, o que pode levá-lo a grandes realizações. Orgulha-se dos antecedentes familiares, adora antiguidades e é bem-sucedido nos negócios com terras ou imóveis. Aspectos desarmônicos podem levar a problemas digestivos por causa de excesso de preocupação e de emocionalidade. Uma boa atitude espiritual tende a ajudá-lo a superar muitos desses sentimentos limitadores. Você pode trabalhar de casa ou em negócios de família.

Judy Garland, lendária/altamente talentosa/suicida/atriz de "O Mágico de Oz"; Ernest Hemingway, aventureiro/ganhador dos prêmios Nobel e Pulitzer/vítima de suicídio/autor; Herbert von Karajan, eminentemente talentoso/austríaco/pró-nazista/maestro; Renee "Zizi" Jeanmaire, bailarina/atriz/cantora francesa.

SATURNO NA CASA 5
palavra-chave *distante*

Você tende a ser frio e inibido, o que pode levar a rejeições no amor ou a problemas com os filhos; esses problemas se devem, principalmente, à sua incapacidade de entendê-los. É difícil para você se expressar com criatividade, a menos que aprenda a se doar e a cuidar dos outros. Se meditar, vai fazer isso muito bem e sabiamente. Pode ser um bom professor e um bom disciplinador. Sente-se atraído por pessoas mais velhas e por aquelas que têm visão séria e determinada da vida. Com aspectos desafiadores a Saturno, você pode ser tímido, ter dificuldades psicológicas ou sexuais ou desperdiçar seus talentos e potenciais. Entretanto, se usar bem este posicionamento, ele poderá conduzir ao amor profundo, à lealdade, à criatividade e a grandes realizações científicas.

k. d. lang, ativista dos direitos dos animais/compositora/cantora; Marlene Dietrich, eternamente intrigante/por 40 anos/bissexual/atriz germano-americana; Robert Joffrey, dançarino/coreógrafo/fundador do balé; Carl Orff, compositor alemão de "Carmina Burana".

SATURNO NA CASA 6
palavra-chave *eficiente*

Exigente, cuidadoso, eficiente e confiável, você leva o emprego a sério. Pode se sobressair no trabalho governamental, na comunicação escrita ou em áreas que envolvam matemática ou ciência. Algumas vezes, julga-se indispensável e exige demais de si mesmo à custa da saúde. Uma doença crônica pode atormentá-lo. Embora pareça quieto e inseguro, conhece seu valor. Precisa aprender a vender seu peixe e se autoafirmar. Sua visão básica é conservadora, o que não se reflete necessariamente em sua aparência ou na maneira de se vestir. Com aspectos desfavoráveis, você tende a se preocupar ou a se queixar demais.

Max Baer Sr., campeão mundial peso-pesado/boxeador; Shirley Babashoff, campeã olímpica de natação e medalhista de prata; Johannes Brahms, pianista alemão/notável compositor; Charlie Daniels, músico de country-rock/líder de banda.

SATURNO NA CASA 7
palavra-chave *fiel*

Você pode vivenciar dificuldades ou desapontamentos no casamento ou nas associações, ou ter grande diferença de idade em relação ao parceiro. Tem problemas para se relacionar com os outros. Não é aconselhável se casar antes de ter chegado a um acordo consigo mesmo e com o mundo exterior. Sua atitude em relação ao sexo oposto é de cautela, não sem razão, já que pode ter sido rejeitado por quem escolheu. Responsável e maduro nas atitudes, você direciona sua vontade de se realizar para áreas que envolvam o público. Com aspectos desafiadores, um revés ou uma queda podem seguir-se ao sucesso e à aceitação. Embora seja comunicativo e sociável, precisa de algum tempo sozinho para recarregar as baterias. Se não reservar um tempo para isso, sua saúde poderá ser prejudicada. Os aspectos desfavoráveis tendem a torná-lo solitário.

Lee Iacocca, executivo do setor automotivo/reconhecido por apontar o dedo ao espectador e pronunciar a frase: "Se você encontrar um carro melhor, compre"; William K. Estes, professor/psicólogo comportamental; Sylvester Stallone, diretor/produtor/ator de "Rocky" e "Rambo"; Joseph Biden, senador/Comitê Judicial.

SATURNO NA CASA 8
palavra-chave *solícito*

Sempre pronto a aceitar a responsabilidade de cuidar do dinheiro do parceiro, você pode lidar com as finanças de terceiros, talvez em bancos ou investimentos. O dinheiro não chega facilmente até você, trabalhador que, quando ganha dinheiro, sabe conservá-lo. Você tem abordagem séria do sexo e também se interessa por assuntos psíquicos e psicológicos. A vida após a morte desperta sua curiosidade, e você vai dispor de muitos anos para refletir sobre isso, porque, provavelmente, vai viver até idade avançada. Tem boa cabeça para assuntos legais, heranças, impostos e política. Com aspectos desfavoráveis, pode ser que seja inibido e tenha atitudes e apetites sexuais bizarros.

Liberace, pianista mais bem pago do mundo/showman/vítima da aids; Jean Harlow, rainha do sexo dos anos 1930/atriz de cinema de "The Platinum Bombshell"; Peter Lynch, assistente financeiro/gerente de fundos mútuos; Michael Douglas, vencedor do Oscar/ator do filme "Atração Fatal"/símbolo sexual.

SATURNO NA CASA 9
palavra-chave ***ponderado***

Ortodoxo na abordagem, você desconfia de novas ideias; no entanto, é sério e deseja conhecer tudo nos mínimos detalhes. Saturno na casa 9 estabiliza suas faculdades superconscientes; você pode ser um bom professor, cientista ou metafísico. É possível ter sucesso também com publicações, política, oratória ou pregação. Apesar de ficar fascinado com pessoas e países estrangeiros, seu relacionamento com eles pode não ser bom. Quando jovem, sua filosofia era dogmática, mas com a idade você se tornou mais sábio e mais tolerante. Tem senso de humor incomum, e sua mente é profunda, meditativa e reflexiva. Com aspectos desafiadores, pode ser fanático, intolerante e ter mau relacionamento com os sogros.

*Walter Annenberg, colecionador de arte/filantropo/editor milionário; Gianni Agnelli, diretor do Império Fiat/*jet setter *internacional; Otis Chandler, editor de jornal estadunidense; William Inge, crítico de teatro/jornalista/dramaturgo/suicida.*

SATURNO NA CASA 10
palavra-chave *correto*   dignidade acidental

Você gosta da responsabilidade, precisa dela e aceita-a. Ambicioso, exige respeito e está determinado a vencer, tendo excelente capacidade para os negócios. Também é autoconfiante, organizado e perseverante. Talvez lhe falte a imagem do pai na vida, ou talvez tenha tido problemas com um dos genitores. Você se sente responsável pela família e assume resolutamente as obrigações. Com aspectos desfavoráveis, pode ser que seja arrogante e implacável na consecução dos objetivos. Talvez tenha complexo napoleônico ou perca posição por causa de um escândalo.

Pablo Picasso, artista versátil/vanguardista/mestre; Sir Laurence Olivier, diretor/um dos maiores atores do século; Emily Dickinson, considerada, com frequência, a melhor poetisa dos EUA; F. Lee Bailey, advogada durona/extravagante no caso do "time dos sonhos" de O. J. Simpson.

SATURNO NA CASA 11
palavra-chave *constante*

É possível que você tenha muitos amigos mais velhos, por quem se sinta muito responsável. É tão sensível e reservado que pode achar difícil se aproximar de quem quer que seja. A necessidade de ser respeitado pelos pares é maior que a de ser amado. Você compensa as inseguranças íntimas com o trabalho dedicado e os envolvimentos permanentes. Entretanto, a lealdade a amigos e causas é inabalável. Os aspectos desafiadores podem frustrar muitos de seus desejos e fazer que sofra de solidão. Ou pode se tornar exibicionista.

Você dá afeto, mas não consegue aceitá-lo tranquilamente; muitas vezes, você se retrai.

Leo Buscaglia, professor/autor de livros sobre o amor; Antal Dorati, compositor húngaro/maestro; Rick Barry, locutor esportivo/do Hall da Fama/ jogador de basquete; Loni Anderson, estrela de sitcom de teatro/TV/cinema/casada três vezes.

SATURNO NA CASA 12
palavra-chave *circunspecto*

Morbidamente sensível, você tem tendência a se isolar ou a viver com constante desejo de retrair-se. Gosta da solidão; a criatividade flui quando trabalha sozinho, mas isolamento demais pode levar à solidão e ao medo. Como se preocupa com a respeitabilidade e os costumes aceitos, você tende a manter os problemas guardados no íntimo. Isso pode levar à atitude "a vida está contra mim". É preciso que cultive visão otimista e esperança no futuro. Abandone as atitudes egocêntricas e aprenda a servir a humanidade ou as pessoas próximas. Com aspectos desfavoráveis, seu pai pode ter desaparecido bem cedo de sua vida. Se Saturno fizer muitos aspectos tensos e estiver mal colocado, podem ocorrer problemas de audição.

Peggy Lee, vencedora do Oscar como compositora/arranjadora/ sempre popular cantora; Sylvia Plath, poetisa/romancista/sofreu colapso nervoso/suicida; Bruno Pontecorvo, físico nuclear ítalo-britânico/desertado para a ex-União Soviética; Bedrich Smetana maestro/compositor/ perdeu a audição aos 50 anos e ficou louco.

Aspectos de Saturno

Qualquer aspecto de Saturno indica uma lição a ser aprendida; esses aspectos envolvem a capacidade de se concentrar, de se tornar disciplinado e de dar forma e substância à vida.

- A conjunção enfatiza esses princípios.
- O sextil proporciona a oportunidade de aprender.
- A quadratura desafiam você a ser bem-sucedido.
- O fluxo do trígono permite que desenvolva a disciplina.
- O quincunce ensina a ajustar-se às limitações e aos atrasos.
- A oposição ajuda a tornar-se consciente da necessidade de aceitar responsabilidades.

> **ASPECTOS DE SATURNO COM URANO – Saturno/Urano trabalhando juntos**
> Se usada positivamente, essa combinação pode ser uma das mais emocionantes que você poderia desejar. O realista, pé no chão, tradicional e focado Saturno, quando trabalha da maneira extravagante, imaginativa, excêntrica e clarividente de Urano, pode criar realidades a partir de uma louca ou muito desejada ideia. Juntos, esses planetas podem misturar o passado (Saturno) e o futuro (Urano) no hoje. Quando não são bem trabalhados, podem lutar entre si. É quando o conservadorismo de Saturno tenta limitar o voo futurista de Urano, conseguindo, assim, pouco.

♄ ☌ ♅ SATURNO EM CONJUNÇÃO COM URANO

Seu lema é: "Vou cuidar das minhas coisas". Você é voluntarioso e autoconfiante. Se Saturno for o mais forte dos dois planetas, você terá autodisciplina; se Urano for o mais forte, você poderá ter visão mais utópica, às vezes até demais. Uma vez que essa conjunção envolve o transicional Saturno com o transcendental Urano, é possível ver os efeitos logo no início. Na infância, a cautela de Saturno pode conter Urano ou a habilidade uraniana de se desapegar pode ajudar o saturnino a levar a vida menos a sério. Só quando você amadurecer a verdadeira natureza da conjunção poderá vir à tona; então você vai entender e respeitar a tradição (Saturno), mas estará aberto para o futuro (Urano). Normalmente, você é impaciente com mentes medianas e superficiais e admira aqueles que alcançaram o sucesso.

Muhammad Ali, campeão peso-pesado de 16 anos/vencedor de medalha de ouro olímpica/autor da frase "Eu sou o maior"/boxeador; Charles "Lucky" Luciano, gângster/suposto arquiteto da Máfia moderna; William Faulkner, romancista/vencedor dos prêmios Nobel e Pulitzer/criou uma realidade sombria em seus livros; F. Scott Fitzgerald, o soberbo romancista da "era do fracasso".

♄ ✶ ♅ SATURNO EM SEXTIL COM URANO

Prático e intuitivo, com abordagem concreta para problemas complexos, tem talento para trazer à realidade qualquer conceito intelectual; você deve ter inúmeras chances de sucesso.

Anatole France, vencedor do Prêmio Nobel/defensor de Dreyfuss/autor; Jack Teagarden, criador de tendências/trombonista/líder de banda de jazz; Katherine Mansfield, poeta/escritora da Nova Zelândia; Judy Resnick, segunda mulher no espaço/astronauta.

♄ □ ♅ SATURNO EM QUADRATURA COM URANO

Individualista ao extremo, você é capaz de ser radical, um pouco drástico e ter atitude de "sei tudo". Uma vez que aprenda a superar o sentimento de frustração ou, às vezes, de raiva, vai se tornar um trabalhador responsável e progressista. Pode até usar positivamente a falta de tato ao desenvolver uma maneira inusitada de se dirigir ao público.

John Russell Lowell, professor de Harvard/editor/poeta; L. Ron Hubbard, autor/fundador de Dianetics and Scientology; Robert Wagner, ator de cinema/TV/anfitrião/marido da atriz Natalie Wood, que morreu afogada; Will Durant, vencedor do prêmio Pulitzer/autor/historiador/educador.

♄ △ ♅ SATURNO EM TRÍGONO COM URANO

Você tem iniciativa, força de vontade e determinação ilimitada. Prático e intuitivo, precisa de liberdade e se dispõe a trabalhar por ela. O agudo discernimento e a compreensão que tem dos outros vão lhe proporcionar muitas realizações. Você respeita o dinheiro, mas não se subordina a ele. Tem bastante bom senso e se aborrece com as pessoas que não usam a cabeça; é investigador nato.

Martina Navratilova, supertenista tcheco-americana; Ralph Abernathy, ativista de direitos civis/clérigo/autor; David Packard, executivo de negócios/fundador da Hewlett-Packard; Risë Stevens, mezzo-soprano/cantora de ópera/ quarenta anos de carreira.

♄ ⚻ ♅ SATURNO EM QUINCUNCE COM URANO

Como seu lado saturnino tem forte necessidade de fazer a coisa certa, você está disposto a ir a extremos (Urano) para consegui-la. Frequentemente, sente-se dividido entre, de um lado, a tradição e a formação e, de outro, os novos conceitos modernos. Conciliar essas duas necessidades torna-se uma de suas tarefas de aprendizagem. À medida que amadurece e descobre como organizar a vida, você pode se sair bem em promover suas ideias inventivas e em dar forma a conceitos abstratos. Ter sucesso na área de escolha é, com frequência, mais importante para você que o amor ou o casamento.

Steve Allen, humorista/compositor/escritor de 17 livros/personalidade da TV; James Jones, romancista best-seller de "Daqui até a Eternidade"; Isadora Duncan, pioneira de dança moderna/estilo de vida livre/dissidente social; André Gide, jogou fora os tabus sociais e religiosos/vencedor de Prêmio Nobel/romancista francês.

♄ ☍ ♅   SATURNO EM OPOSIÇÃO A URANO

Às vezes apreensivo em relação a tomar decisões, você busca aprovação antes de se afirmar. A fim de esconder qualquer sentimento real de insegurança, pode agir agressivamente com as autoridades. Tornando-se consciente do dilema interno para permanecer estável, seguro e imutável *versus* o desejo de ser independente, desimpedido e aventureiro, talvez seja necessário encontrar alguma solução intermediária para satisfazer às suas necessidades.

Iris Murdoch, casada aos 37 anos/poeta prolífica/romancista/filósofa irlandesa; Jennifer Jones, atriz vencedora do Oscar por "A Canção de Bernadette"/casada três vezes/duas com homens importantes mais velhos; Leonard Bernstein, carismático/loquaz/maestro/compositor/pianista megatalentoso; Dorothy Kate Haynes, escritora escocesa de terror e fantasia.

> **ASPECTOS DE SATURNO COM NETUNO** – Saturno/Netuno trabalhando juntos
>
> Muitas vezes chamamos essa união incompreendida de "a assinatura do arquiteto". Usado da maneira mais positiva, a habilidade organizacional de Saturno dá forma à tendência de Netuno à visualização; simplificando, Saturno fornece substância para sonhos netunianos. A abordagem menos positiva pode resultar em algum tipo de dissipação, planos concretos que se dissolvem em nada; um bom exemplo de Saturno em conjunção com Netuno foi a derrubada do "Muro de Berlim". Saturno representa o princípio da solidificação; Netuno, a liquidação de regras. Saturno exige clareza de pensamento e ação responsável. Netuno se orgulha de seguir sua intuição, seu lado mais místico e intangível. Saturno representa o envelhecimento e a sabedoria que vem com ele; Netuno personifica o *glamour*, o carisma e a ilusão. Esses diversos fatores opostos nem sempre são fáceis de reconciliar, a menos que a disciplina e o pensamento organizado de Saturno explorem a veia criativa de Netuno.

♄ ☌ ♆   SATURNO EM CONJUNÇÃO COM NETUNO

Você é bom planejador, tem excelente tino comercial e capacidade matemática e política. Com aptidão para dar forma criativa a suas ideias, pode ser muito artístico, principalmente se Netuno for mais forte. Pode desconfiar dos outros e questionar tudo, sempre agindo com base na lógica e no raciocínio. Se Saturno vencer, você pode se tornar cético; se Netuno for o vencedor, você poderá ser enganado muitas vezes. Na via negativa, poderá desenvolver natureza dividida, angustiada, ou se envolver com projetos não práticos.

Sir Alexander Fleming, vencedor do Prêmio Nobel/descobridor da penicilina; Jessica Mitford, autora mordaz/irônica de "American Way of Death"; Georges Braque, um dos criadores de arte moderna, destacado cubista e fauve; Lesley Visser, locutora esportiva/repórter de campo.

♄ ✶ ♆ SATURNO EM SEXTIL COM NETUNO

À medida que amadurece, seu idealismo inato (Netuno) pode encontrar seu senso saudável de responsabilidade (Saturno), combinação maravilhosa que oferece muitas oportunidades de sucesso nos negócios e nos campos artísticos.

John MacLeod, fisiologista escocês/isolador de insulina/vencedor do Prêmio Nobel; Lucille Ball, sitcom de 25 anos de "I Love Lucy"/atriz de TV/cinema/comediante amada; Ladybird Johnson, primeira-dama dos EUA/promoveu o embelezamento natural; Bill Clinton, bolsista de Rhodes/governador de Arkansas/42º presidente dos EUA.

♄ □ ♆ SATURNO EM QUADRATURA COM NETUNO

Você pode ser astuto e criativo ou exatamente o contrário – ingênuo e sem ambição. Talvez assuma a culpa no lugar dos outros; no entanto, deveria superar o medo do fracasso, enfrentar a concorrência e aprender a gostar de si mesmo. Você é capaz e tem muito talento para finanças, negócios e artes. Pode ter dificuldade em diferenciar os amigos verdadeiros dos que tentam se aproveitar de você.

Marilyn Monroe, símbolo sexual lendária/mistério por trás de sua morte/atriz; Elisabeth Kübler-Ross, especialista em morte e em morrer/psiquiatra; J. Marvin Spiegelman, analista junguiano; Arthur Shawcross, necrófilo/canibal/serial killer.

♄ △ ♆ SATURNO EM TRÍGONO COM NETUNO

Você acha fácil canalizar a intuição e a imaginação, a inspiração e o idealismo prático. Ao usar as qualidades tangíveis de Saturno combinadas com a visão de Netuno, você será metódico, organizado, imaginativo, inspirador, profissional e capaz de assumir responsabilidades. Ciente de suas obrigações, geralmente as cumpre. Aprende através da experiência como tornar sonhos (Netuno) realidade (Saturno). Ambicioso, não gosta de ser superado.

Ivor Novello, popular nos anos 1930 e 1940/compositor/ator galês; Martha Stewart, megassucesso/12 livros best-seller/entretenimento/ consultora de estilo de vida; Alberto Morávia, ensaísta/realista social/ romancista italiano; Oriana Fallaci, ousada/frenética/destemida pelo nome ou fama/fotojornalista.

♄ ⚻ ♆   SATURNO EM QUINCUNCE COM NETUNO

Você se preocupa com o sofrimento e a injustiça ao redor; apesar de querer mudar as coisas, sente-se muito culpado quando não tem nem energia nem força de vontade para tanto. Quando tem mais obrigações do que consegue manejar, sua tendência é fugir da realidade. Essa fuga pode assumir forma física ou psicológica, como exaustão, doenças difíceis de diagnosticar ou visão da vida como um conto de fadas. A melhor maneira de ajustar (quincunce) as qualidades divergentes desses dois planetas é usar sua faculdade criativa e intuitiva inata (Netuno) e expressá-la nas formas prática ou tangível (Saturno).

Judy Collins, guitarrista/uma voz pelos direitos civis/cantora folk; Peter Yarrow, cantor folk de "Peter, Paul and Mary"; Jan Sibelius, solitário/figura heroica/maior compositor sinfônico escandinavo; Alan Bean, artista/quarto homem a pisar na Lua/astronauta.

♄ ☍ ♆   SATURNO EM OPOSIÇÃO A NETUNO

Você geralmente procura o parceiro ideal e, às vezes, fica sozinho para sempre em vez de desistir de seus ideais. É preciso lidar com a possível tensão emocional e a inibição. Na juventude, talvez tenha vivenciado a luta entre uma abordagem tradicional e realista da vida e as ambições por uma carreira *versus* o senso de idealismo, perfeição e busca quase mística pela verdade. À medida que amadurece, você lentamente se torna ciente de como essas duas maneiras diferentes de ver o mundo podem ser reconciliadas.

Xavier Cugat, "Rhumba King"/contratou cantores picantes/líder de banda; Zelda Fitzgerald, epítome da alta vida da era do jazz/confinada no sanatório/esposa de F. Scott; Vladimir Nabokov, professor universitário russo-americano/autor de "Lolita"; Eduard van Beinum, antigo/excelente maestro holandês do Concertgebouw.

ASPECTOS DE SATURNO COM PLUTÃO – Saturno/Plutão trabalhando juntos

Saturno, o eterno professor e realizador, é considerado pelos antigos o planeta que faz a todo-poderosa barreira entre o céu e a terra. É o maior planeta depois de Júpiter, e este gigante, usado para obter o respeito de todos, de repente é confrontado pelo pequeno e recém-descoberto Plutão! Em vez de deferência, Plutão se atreve a mostrar sua verdadeira natureza, ou, pelo menos, aquela parte de sua natureza ainda revelada para nós (já que só tem estado em nossa consciência desde 1930), ou seja, poder e controle. Como pode Saturno funcionar melhor com Plutão nessas circunstâncias? Desde a descoberta de Urano, em 1781, Saturno aprendeu a tirar vantagem da propriedade do "despertar" de Urano, mesclando a realidade de hoje com o futuro de amanhã. Após a descoberta de Netuno, em 1846, Saturno parece ter se relacionado com facilidade com o *glamour* romântico e a criatividade intuitiva de Netuno – mas com Plutão é outra história. Saturno representa o arquiconservadorismo, a tradição, a estabilidade, bem como o orgulho no uso econômico do tempo, e incorpora o princípio da verdade.

> Plutão, por outro lado, parece cercar, ocultar-se por trás de metáforas, tornando-se "invisível" sob um capacete para se transformar de escorpião em águia ou ressurgir das cinzas para se tornar fênix. Enquanto Saturno retrata a sabedoria do envelhecimento, a ortodoxa abordagem da morte e do morrer, Plutão simboliza a regeneração e a transformação. Como esses dois planetas podem realmente trabalhar juntos? Na via negativa, especialmente com aspectos desafiadores, Plutão pode "dominar" Saturno, tentando usurpar todos os seus bons ensinamentos por meio de jogo de poder, enfraquecendo, assim, a capacidade de funcionamento de Saturno, que dá por meio de disciplina, esforço, objetivos sensatos, paulatinamente. Plutão, em vez disso, coloca sua própria busca de controle e prática obsessiva em primeiro plano. Na via positiva, Plutão tende a aumentar a persistência de Saturno com o intenso desejo de sucesso para atingir quaisquer objetivos. E as metas de Plutão são cada vez maiores. A sede de poder ou controle de Plutão pode ser bem-sucedida quando combinada com a capacidade de Saturno de seguir a lei em vez de contorná-la, e aprender com a paciência de Saturno em vez de explodir e, assim, perder tudo.

♄ ☌ ♇ SATURNO EM CONJUNÇÃO COM PLUTÃO

Você ambiciona poder e *status*. Sua dedicação para controlar pode servir ao bem ou ao mal. Dispõe-se a suportar muita coisa para atingir seus objetivos. Sua capacidade de compreender os outros intuitivamente (Plutão) parece aumentar as oportunidades de manipulá-los (Saturno) em benefício próprio. Eficaz em todos os empreendimentos, você facilmente desperta respeito e admiração. Mantém os planos em segredo e pode se tornar frustrado ou ter profundas obsessões, a menos que esteja ativamente engajado em algum projeto.

Diane von Fürstenberg, construiu um império da moda em cinco anos/designer; O. J. Simpson, jogador de futebol/suposto assassino da esposa; Steven Spielberg, diretor de cinema de maior sucesso/produtor; Ted Bundy, assassino em série de, provavelmente, 39 vítimas ou mais.

♄ ✶ ♀   SATURNO EM SEXTIL COM PLUTÃO

Capaz de disciplinar suas ações e com muitas oportunidades de seguir em frente, suas chances de superar frustrações ou limitações na vida é excelente. Como consegue despertar o entusiasmo nos outros, tende a ser realizador.

Neil Bogart, executivo de gravadora de muito sucesso/faliu/recuperou-se; Michael Bennett, dançarino coreógrafo/produtor de "A Chorus Line"/vencedor do prêmio Pulitzer; Frank Augustyn, dançarino de balé/canadense; Daniel Barenboim, pianista/maestro argentino-israelense.

♄ □ ♀   SATURNO EM QUADRATURA COM PLUTÃO

Uma vez que aprenda a planejar, você pode ser bem-sucedido como executivo, mas a insegurança interior faz com que deteste admitir que os outros saibam mais que você, ou pior, que o façam se sentir fora de controle. Assim, muitas vezes, parece ser ditatorial ou agressivo, alienando aqueles que poderiam ser seus amigos em vez de cultivar seu apoio.

Christopher Darden, advogado de acusação de O. J. Simpson; Carrie Fisher, roteirista de "Postcards from the Edge"/atriz/filha de Debbie Reynolds e Eddie Fisher; Lee Harvey Oswald, assassino de John F. Kennedy; Richard Pryor, comediante/diretor/escritor/problemas com drogas o levou a ter problemas de saúde, ator.

♄ △ ♀   SATURNO EM TRÍGONO COM PLUTÃO

Potente, enérgico e capaz de se concentrar, seus objetivos são, via de regra, realistas. Você conhece e é capaz de avaliar, de maneira objetiva, suas próprias deficiências. Como sua base é forte, raramente tem medo da competição, e o sucesso, em geral, não é difícil de acontecer.

Dustin Hoffman, estrelato instantâneo com "A Primeira Noite de um Homem" (The Graduate)/ganhador de Oscar por "Rain Man"/ator; Philippe Candeloro, campeão francês de esqui no gelo; Glenda Jackson, britânica, duas vezes ganhadora do Oscar/Emmy por "Elizabeth R"/ membro do Partido Trabalhista/atriz; Raymond Buckley, inocentado do escândalo de abuso sexual e satanismo na pré-escola de Mc-Martin.

♄ ⚻ ♀   SATURNO EM QUINCUNCE COM PLUTÃO

Irredutível quando se trata de cumprir suas obrigações, frequentemente você faz mais do que lhe diz respeito. Também lembra aos outros o que julga serem as obrigações deles, o que nem sempre é bem recebido. Perfeccionista, você é atraído por posições nas quais fica encarregado de muitas pessoas. A política ou o mercado financeiro são áreas em que se sente à vontade. Nos relacionamentos íntimos, é possível que se deixe dominar pelo parceiro; desenvolver amor-próprio é um dos desafios mais importantes deste aspecto.

Judianne Denson-Gerber, advogada/ativista social/psiquiatra; Sam Donaldson, repórter agressivo/apresentador de notícias de TV; Richard Alan Meier, estilo elegante/ arquiteto moderno muito procurado,; Orrin G. Hatch, influente senador dos EUA/Comitê Judicial/mórmon.

♄ ☍ ♀   SATURNO EM OPOSIÇÃO A PLUTÃO

O medo de perder o controle pode fazer de você um péssimo perdedor, projetando nos outros padrões de comportamento imprevisíveis. O *status* é algo muito importante para você, que almeja chegar longe, ter muito sucesso, muito dinheiro e alcançar altas posições em qualquer profissão que exerça. Cuidado ao se apressar para chegar ao topo; em vez disso, tente cultivar a paciência.

Lady Antonia Fraser, escritora britânica/escritora de romances policiais; Brooke Shields, primeiro filme aos 12 anos/modelo/atriz; Helmut Kohl, chanceler da Alemanha/político; Toni Morrison, professor de Princeton/vencedor do prêmio Pulitzer/sensual/romancista impulsivo.

Parte III

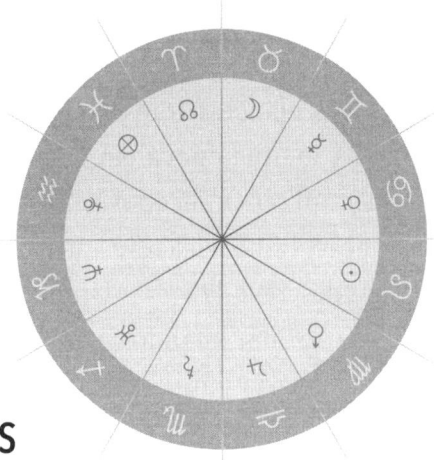

Os Transcendentais

Explorامos os planetas pessoais (Sol, Lua, Mercúrio, Vênus, Marte) e os planetas transicionais ou sociais (Júpiter, Saturno). Agora é hora de explorar os três planetas transcendentais (Urano, Netuno, Plutão) mais a fundo. Os cinco planetas pessoais se relacionam com a família, a casa, a formação e a ação pessoal. Mesmo o observador casual é capaz de identificar como esses planetas se relacionam com a pessoa. Como você se move e age (Marte), quão terno e afetuoso é com os entes queridos (Vênus), como se expressa e se comunica (Mercúrio), seus altos e baixos, suas lágrimas e sorrisos – em outras palavras, seu humor – (Lua), e aquele algo que faz VOCÊ, sua individualidade e sua identidade reconhecível a partir da infância (Sol).

Os dois planetas transicionais ou sociais representam sua capacidade de alcançar e atingir seus objetivos através do aprendizado e da educação, formando suas ideias e ideais, suas tendências religiosas e espirituais (Júpiter), bem como seu senso de moral e de ética, seu senso de responsabilidade, sua ambição e seus planos de carreira (Saturno). Os planetas transicionais exemplificam o tempo de crescimento e amadurecimento; formam a ponte entre a infância e a idade adulta.

Os três planetas transcendentais foram descobertos coincidentemente na mesma época em que eclodiram eventos mundanos que não poderiam ser explicados pelos sete planetas conhecidos. Quando a Revolução Industrial teve início, nem Saturno, Marte ou Júpiter poderiam descrevê-la – mas Urano, recém-descoberto em 1781, sim! Da mesma forma, quando Sigmund Freud explorou a psique e, assim, abriu a porta para a psicanálise, para a psicologia e para a psiquiatria, Netuno entrou em cena em 1846 iluminando a maneira de olhar para dentro e observar nosso próprio inconsciente. Em 1930, Plutão foi descoberto; simultaneamente, os cientistas estavam investigando como liberar o átomo. Nenhum dos planetas existentes poderia ter descrito o poder da bomba atômica ou da energia atômica como Plutão.

Urano, Netuno e Plutão não são visíveis a olho nu e passam muito tempo em cada signo. Por isso, seus significados estão mais relacionados com eventos geracionais em vez de individuais. Eles simbolizam a ponte do social (Júpiter, Saturno) ao coletivo (Urano, Netuno e Plutão). O florescimento total desses três planetas é geralmente alcançado apenas na idade adulta. Na verdade, algumas pessoas acreditam que é somente após o primeiro retorno de Saturno, por volta dos 29 anos, que se torna possível, de fato, entender os impactos desses planetas. Na juventude, Urano pode se expressar como rebeldia, porque a "urgência de liberdade", o "despertar" ou o "quebrar a tradição" requerem a experiência de crescer e viver antes que esses tipos de qualidades sejam desenvolvidos. Então, antes de analisar Urano no mapa astrológico, sobretudo por aspectos, tenha em mente a idade da pessoa.

Ao interpretar os diversos aspectos entre os planetas transcendentais, lembre-se também de que Urano permanece cerca de sete anos em um signo; Netuno, cerca de catorze anos; e Plutão, sempre errático, varia de doze (em Escorpião) a vinte e cinco anos (em Touro), dependendo do signo. Independentemente dos aspectos do planeta, é mais significativo olhar as casas em que esses planetas transcendentais caem que os signos. Os signos podem ilustrar características geracionais, ao passo que as posições por casa podem ser vistas como mais pessoais – ou tão pessoais quanto os planetas transcendentais podem ser.

JANE FONDA: uma breve biografia

Para ampliar o funcionamento dos planetas transcendentais (Urano, Netuno e Plutão), vamos apresentar o mapa natal de uma pessoa nascida depois que esses três planetas foram descobertos: o da atriz, guru dos exercícios e ativista Jane Fonda. Para começar, segue uma breve biografia.

Jane Fonda nasceu no dia 21 de dezembro de 1937, às 9h14 EST, na cidade de Nova York (dados da certidão de nascimento da atriz). Seu pai era ator de teatro e cinema bastante conhecido. Sua mãe era Frances Seymour Brokaw Fonda. Ambos casados pela segunda vez. Os ancestrais de Henry, pai de Jane, eram descendentes de italianos e holandeses, enquanto Frances vinha de uma linhagem antiga da Nova Inglaterra.

Logo após o nascimento de Jane, a família mudou-se para uma propriedade com 24 acres em Brentwood, Califórnia. Curiosamente, a residência era próxima de onde morava a primeira esposa de Henry, Margaret Sullavan, então casada com o agente Leland Hayward e sua filha Brooke. Peter, irmão de Jane, nasceu dois anos depois. Apesar do que parecia ser uma juventude ideal, os problemas surgiram cedo. Henry não era apenas um ator taciturno, mas aparentemente um pai frio, que tinha problemas para demonstrar amor ou afeto pelos filhos. Frances sofria de depressão crônica, e, quando a família voltou para o leste em 1948, enquanto Henry Fonda estrelava "Mister Roberts"

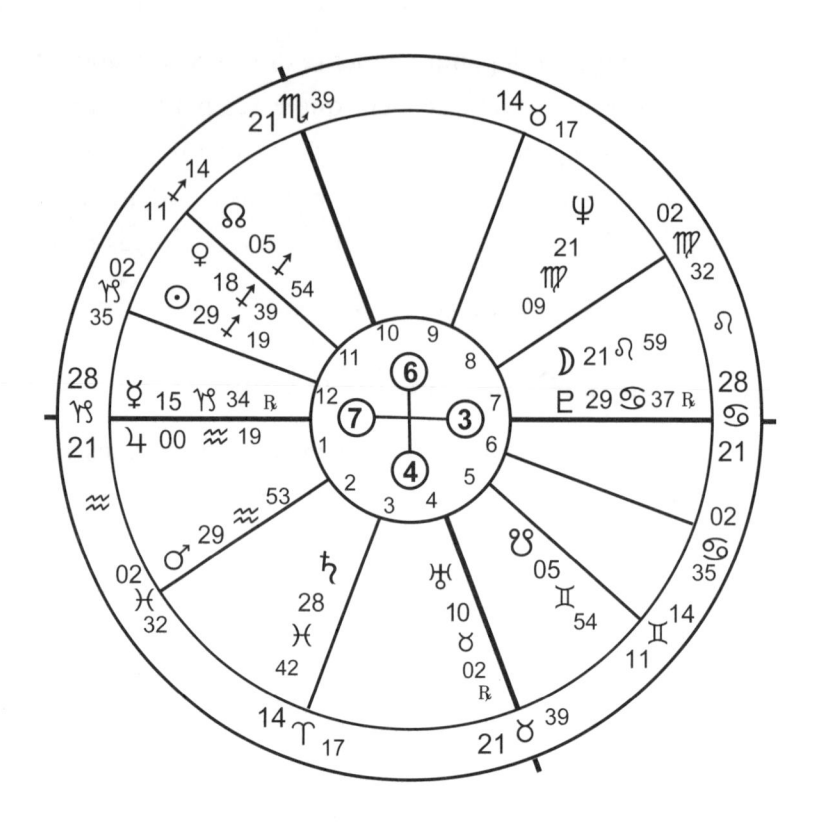

Figura 12: Mapa natal de Jane Fonda.
21 de dezembro de 1937, 9h14 EST
Nova York, NY 40 N° 46' 73° W 59'
Fonte: Certificado de Nascimento AA

longitude									
21 ♌ 59	☽								
15 ♑ 34		☿ ℞							
18 ♐ 39			♀						
29 ♐ 19				☉					
29 ♒ 53					♂				
0 ♒ 19						♃			
28 ♓ 42							♄		
10 ♉ 02								♅	
21 ♍ 09									♆
29 ♋ 37										♇℞

cardeal:			
fixo:			
mutável:			
fogo:			
terra:			
ar:			
água:			
angular:			
sucedente:			
cadente:			
dignidade:			
exaltação:			
detrimento:			
queda:			
V:	B:	R:	EC:

na Broadway, ela foi enviada para um sanatório particular, onde acabou cometendo suicídio. Durante grande parte desse tempo, Jane morou com a avó materna em Greenwich, Connecticut. Na época disseram a Jane, então com 12 anos, que a mãe havia morrido de ataque cardíaco. Um ano depois, enquanto lia uma revista de cinema, soube a verdade.

Aparentemente, ela carregou essa culpa por anos, como disse a Roger Vadim: "Minha mãe estava no hospital, e eu não a via havia muitas semanas. Então, olhei pela janela e vi um carro estacionando. Minha mãe desceu dele. Estava acompanhada de duas enfermeiras. Eu não queria vê-la, não queria falar com ela. Estava com raiva e assustada, já que não tive permissão para vê-la por longo tempo. As crianças podem ser bastante implacáveis quando se trata de ausências – mas eu a amava. Por uma hora inteira ouvi minha mãe me chamando, mas não saí do lugar". Não muito tempo depois, Frances estava morta.

Oito meses após o suicídio de Frances, Henry casou-se novamente, e, de acordo com Jane, sua madrasta, Susan Blanchard, enteada de Oscar Hammerstein II, tentou com afinco fornecer um bom lar para ela e Peter. Mas Jane passou pouco tempo em casa. Depois de terminar os estudos no Emma Willard Boarding School, em Troy, Nova York, estudou no Vassar College, onde, segundo seu próprio relato, "ela enlouqueceu, nunca estudou e ocasionalmente se metia em problemas". Jane foi a Paris estudar pintura, mas voltou para Nova York poucos meses depois, onde estudou piano e trabalhou no escritório local da *Paris Review*.

Apesar de ter feito pequenos papéis com o pai – em *Amar é Sofrer* (*The Country Girl*) e *Assim é que elas gostam* (*The Male Animal*) –, Jane tinha conscientemente evitado atuar. "Eu tinha medo de atuar", lembrou ela, "com medo de fazer papel de boba". No verão de 1958, Jane visitou Henry e sua quarta esposa, a baronesa Afdera Franchetti. Eles moravam ao lado de Lee Strassberg, conhecido diretor do Actor's Studio. Devido à insistência da filha Susan, Jane se inscreveu e foi aceita no Actor's Studio no outono de 1958. Para ganhar dinheiro para pagar suas aulas, desfrutou de breve, mas muito bem-sucedida, carreira de modelo, aparecendo em cinco capas de revistas em menos de seis meses.

Assim que Jane passou a estudar atuação com seriedade, encontrou seu caminho. Em 1960, recebeu o prêmio de "jovem atriz mais promissora da Broadway na temporada atual". Sua carreira no cinema também decolou com grande notoriedade, mas, apesar de nove filmes cinematográficos em quatro anos e de grandes críticas pessoais, nenhum dos filmes foi considerado particularmente bom nem causaram muito impacto no público. Quando Jane foi para a França no fim de 1963 para filmar *Jaula amorosa* (*The Love Cage*), acabou participando da nova versão do filme *A ronda do amor* (*La Ronde*), de Schnitzler, dirigido por Roger Vadim. Vadim não só se tornou diretor e amante de Jane como a transformou em uma gatinha bonita e *sexy* no filme futurístico *Barbarella*. Depois de viverem juntos por alguns anos, tanto na Europa quanto nos EUA, Jane e Roger se casaram em 1965. Vanessa, a filha deles, nasceu em 28 de setembro de 1968.

Embora o casamento tenha desmoronado no início dos anos 1970, eles não se divorciaram até 1973, pouco antes de Jane se casar com Tom Hayden. Naquela época, Tom era reconhecido como ativista radical e um dos maiores críticos do envolvimento dos Estados Unidos na Guerra do Vietnã. Jane teve a própria aventura política quando visitou Hanói, então território inimigo, e condenou as ações dos EUA no Vietnã. As repercussões ainda podem ser sentidas, sobretudo na América Central, onde as pessoas tiveram dificuldade de perdoá-la. Hayden suavizou sua postura consideravelmente e, graças ao apoio financeiro e pessoal da esposa, tornou-se Senador Estadual de sucesso na Califórnia. Ele e Jane tiveram um filho, Troy, nascido em 1974.

Quando Jane se aventurou no negócio dos exercícios físicos, não esperava se tornar "a alta sacerdotisa da aeróbica" ou ganhar milhões de dólares na busca da boa forma. Mas esse foi o resultado, e, para seu crédito, em suas academias, havia uma placa informando aos clientes que todos os lucros da empresa seriam usados para apoiar as campanhas do marido. O sucesso de Jane foi surpreendente, o que gerou centenas de detratores. Ela se tornou lendária, e muitos apresentadores de TV se divertiam ao criticá-la. "Jane Fonda não conseguiu aquele corpo incrível com exercícios", disse Joan Rivers à audiência do *Tonight Show*; "ela o conseguiu levantando todo aquele dinheiro!"

Isso enfatizou o dilema de Jane. Se antes ela era estrela da esquerda radical, crítica dos grandes negócios e dos privilégios de classe, passara a figurar como a poderosa "Mulher Maravilha", acumulando riqueza e poder – era chefe de um império de negócios que englobava filmes, TV, videocassetes, roupas de ginástica, livros comerciais e clubes de *fitness*.

Nem todo dinheiro arrecadado por Jane foi para a Hayden's CED (Campaign for Economic Democracia), mas para muitas outras causas nas quais ela acreditava, como um acampamento infantil sem fins lucrativos situado no topo da montanha do rancho de 120 acres de Fonda em Santa Barbara. O rancho era também o retiro favorito de Jane, Tom e seus filhos nos fins de semana.

Um dos segredos mais bem guardados de Jane Fonda era que ela sofria de bulimia, distúrbio do apetite terrivelmente debilitante. Os sintomas começaram no colégio interno, quando ela tinha 12 anos, e foram finalmente superados aos 35 anos. "Vinte e três anos de agonia. Isso é algo sobre o qual nunca falo, e só estou fazendo isso porque essa doença atingiu proporções épicas. De 20% a 30% das mulheres norte-americanas estão sofrendo desse distúrbio. A bulimia destruirá a vida delas. Eu sei!". Aparentemente, ela ingeria alimento e vomitava de quinze a vinte vezes por dia. "Finalmente consegui parar quanto engravidei do Troy", disse ela. "Não fui uma boa mãe para Vanessa como queria ser. Como poderia ser? Estava preocupada com a comida. Para superar a bulimia, tive que aprender a comer tudo de novo, como uma criança."

Em 1989, os Hayden anunciaram sua separação. O divórcio aconteceu em 1990. Os tabloides tiveram seus dias de glória. "Coitada da Jane, passou por tempos difíceis quando criança, mas realmente será que ela se reinventou em tão pouco tempo?", e assim por diante. Jane cuidou de si mesma, da mídia e da separação em um ambiente silencioso e de maneira digna. "Depois de dezessete anos de casamento, você está solteira de novo", ela afirmou lentamente, pesando as palavras. "Não importa quantos prêmios ou dinheiro você tem, é assustador." Essa não era a antiga e estridente Fonda. A ferocidade se foi; ela falava mais baixinho, às vezes a voz sumia. "Você fica vulnerável a tudo. Até mesmo caminhar é doloroso. Tudo que você ouve, tudo que lê, cada toque, cada sentido terá um significado especial. Portanto, você deve ser muito cautelosa. No entanto, quero permanecer o mais aberta possível e tentar trazer o máximo de cura e sabedoria para o meu coração." Fonda reuniu muitos dos velhos amigos ao seu redor e, é claro, os filhos.

Ela também se permitiu chorar, algo que fez em um momento difícil quando a mãe morreu. Depois de seis meses, ela disse, de forma lenta, que inevitavelmente acabara, e ela estava curada. "Quando não consegue se lembrar por que foi ferido, é quando você está curada". A solidão fez com que Jane repensasse sua vida. Ela a comparou a um tipo de morte, especificamente a do pai, em 1982. "A compreensão de que o sofrimento, a dor e a morte são parte da vida são oportunidades de aprender, e o que aprendi com a morte de meu pai é que não tenho medo da morte."

No início, parecia um daqueles filmes e romances míticos envolvendo pessoas belas, grandes egos e muito dinheiro – Jane Fonda e Ted Turner! Miss Boêmia encontra o Sr. Bilionário? Ainda assim, as pessoas pensavam, como é atraente, atlética, casada duas vezes, conhecedora de mídia, politicamente ativa, com consciência ambiental, muito rica, que largou a educação universitária e entrou para o negócio do pai. Como a própria Fonda diz: "O relacionamento é natural".

O magnata da mídia Turner, 51, e a atriz Jane Fonda, 52, de algum modo pareciam viver em terreno comum. "Ted pode me acompanhar", ela diz rindo; "mais que ninguém, ele transformou o mundo em uma cultura global; tem tremendas visões." Quando Turner soube que Fonda estava se separando de Hayden, aparentemente disse: "Agora existe uma mulher com quem eu gostaria sair". Bem, logo depois disso, ele saiu e, no fim de 1990, comprou a joia favorita dela na Tiffany's, em Beverly Hills: uma opala com dois diamantes. Eles finalmente se casaram em 21 de dezembro de 1991, em uma cerimônia privada, na Flórida. Era seu 54º aniversário. Eles se divorciaram de 2001.

A carreira espetacular de Jane Fonda no cinema inclui sete indicações ao Oscar. Ela ganhou dois deles: *Klute* e *Amargo regresso* (*Coming Home*).

Bibliografia

Biografia atual 1964

Bardot, *Deneuve and Fonda*, de Roger Vadim, publ. Simon & Schuster, 1986.

"Jane Fonda: Finding Her Golden Pond", de Leo Janos, 1984.

"See Jane Run", de John M. Wilson, no *Los Angeles Times*, 29 de abril de 1984.

"Bridges, Fonda: On Fathers and Films", de Judith Michaelson, 23/12/1986.

"How I fell in love with Jane", por Tom Hayden, *L. A. Times Magazine*, 15/5/1988.

"Hollywood already misses Tom and Jane", de Anne Taylor Fleming, *The Spokesman-Review Spokane Chronicle*, 5/3/1989.

"Hayden, Fonda: Will 'Movement' Survive the Split?", por John Balzar, *Los Angeles Times*, 22/6/1989.

"Will Jane Share her Wealth?" *People Magazine*, 8/7/1989.

"Jane Fonda enters a new era", por Aviva Sachs, McCalls, setembro de 1989.

"Fonda's New Fella", por Lloyd Shearer, *Parade Magazine*, 14/1/1990.

"Fonda gets Golda Meir Award", por Jeannine Stein, *Los Angeles Times*, 23/5/1990.

"Jane Fonda and Ted Turner find a common cause – each other", por Jeannie Park, *People Magazine*, 6/11/1990.

Crítica "Picks and Pans" de duas biografias de Jane Fonda, *People Magazine*, 02/7/1990.

"Jane Fonda, Ted Turner Marry", *Associated Press*, 22 de dezembro de 1991.

"The Couple of the Year, Any Year", por David A Kaplan, *Newsweek*, 1º/6/1992.

"Remembering Dad", por Jane Fonda, *T.V. Guide*, 11 de janeiro de 1992.

"Jane Fonda enters history", por Bob Spitz, *Mirabella*, junho de 1994.

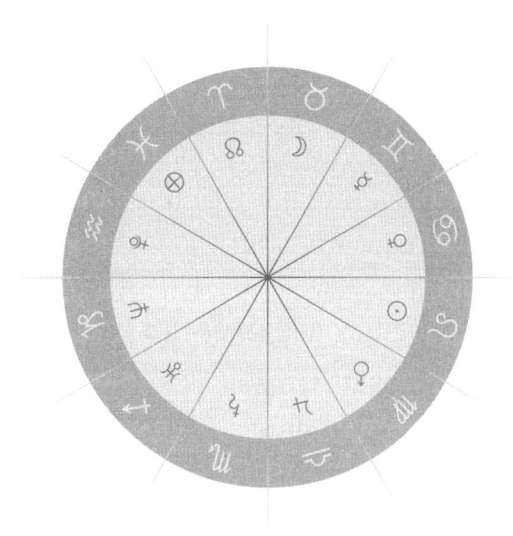

Módulo 15:
Urano

Alguns comentários gerais sobre este módulo

Nossos alunos nunca deixam de nos perguntar sobre aspectos desafiadores e harmoniosos. Por que dizemos que nenhum deles é bom ou mau, mas que, "com esses aspectos desfavoráveis, esse posicionamento pode trazer isto ou aquilo?". Uma pergunta muito boa! Para ser uma pessoa completa, você precisa de aspectos desfavoráveis e de desafios para motivá-lo em direção à realização e de alguns aspectos favoráveis para que possa aproveitar a vida. Se um planeta só tiver aspectos desafiadores, torna-se difícil expressar as energias dele. O desafio é superar a barreira representada pelo aspecto e transformá-la em elemento de construção.

Se um planeta só tiver aspectos favoráveis ou harmoniosos, é possível que você tome tudo na vida como ganho e não faça qualquer esforço. Isso acontece porque você não vivencia nenhuma tensão, que demandaria uma reação de sua parte. Nesse caso, talvez deixe de usar muitos de seus potenciais, que seriam ignorados ou esquecidos se não fossem provocados. Teoricamente, procuramos aspectos favoráveis e desfavoráveis que possam compensar uns aos outros.

Vamos ver, por exemplo, o mapa natal de Mozart. A Lua dele forma quadratura com Urano, o que expressa, com frequência, tanto irritação quanto natureza tensa ou emocional. No entanto, quando usada de forma positiva, reflete sua grande capacidade intelectual, bem como sua habilidade para abraçar novos e díspares horizontes. Como Mozart utilizou esse aspecto de maneira positiva? Por qual canal? O sextil de sua Lua com Júpiter deu-lhe a oportunidade de usar sua disposição amistosa e bem-humorada para ajudar a neutralizar as tensões sentidas frequentemente na quadratura Lua/Urano. Em vez disso, despertou sua curiosidade intelectual inata. Da mesma forma, ele pôde desperdiçar a capacidade de ganhar dinheiro de Júpiter da segunda casa em sextil com sua Lua porque, sem um empurrão ou desafio (quadratura) para essa Lua, ele iria preferir aproveitar o sol e não fazer nada.

Resumindo: os desafios ou tensões dos aspectos desfavoráveis devem ser canalizados através do fluxo dos aspectos favoráveis.

Agora, por favor, familiarize-se com o material deste módulo sobre Urano; em seguida, interprete o Urano de Mozart. Nossa interpretação está na página 462 do Apêndice.

Urano foi descoberto em 13 de março de 1781, em Greenwich, Inglaterra, pelo astrônomo britânico William Herschel. Representa o impulso de liberdade. É o planeta do individualismo, da originalidade, do despertar e da ruptura de tradições. É o primeiro dos assim chamados planetas **transcendentais**. Urano permanece cerca de sete anos em cada signo. Como permanece no mesmo signo para um número muito grande de pessoas, seu posicionamento por casa é mais importante na descrição de traços e atitudes que seu posicionamento por signo, que descreve melhor as características geracionais.

Urano nos signos

♅ ♈ URANO EM ÁRIES
palavra-chave *impetuoso*

Você é pioneiro em qualquer atividade em que se engajar. Voluntarioso, independente e engenhoso, interrompe as coisas com frequência e as começa outra vez. É agressivo, às vezes veemente e hostil, e tem a própria moralidade, o que lhe permite sentir-se livre para agir como lhe agrada. Tem boa habilidade mecânica e quantidade incomum de energia nervosa. Se usar esse posicionamento harmoniosamente, vai direcionar toda sua inventividade e suas ideias para canais construtivos; se usar esse posicionamento desarmonicamente, poderá ser rebelde, sem tato, sem autocontrole e fanático e rejeitará violentamente todas as tradições. Urano esteve pela última vez no signo de Áries de 2011 a 2019.

Audrey Hepburn, representante da Unicef/atriz; Hank Aaron, superastro/rebatidas vitalícias de 755 homeruns/jogador de beisebol; Elvis Presley, lendário cantor de rock n' roll/ator; F. Lee Bailey, advogado criminal ambíguo de Patricia Hearst e do famoso O. J. Simpson.

♅ ♉ URANO EM TOURO
palavra-chave *improvisador* — queda

Determinado a encontrar novas maneiras de ser prático, você está repleto de novas ideias em áreas como finanças, recursos naturais e reformas econômicas. Sua expressão pode ser limitada se puser muita ênfase no materialismo. Usado positivamente, seus muitos talentos musicais e artísticos virão à tona. Sua criatividade é poderosa, e você atrai os outros magneticamente. Aspectos desfavoráveis de Urano podem ocasionar transtornos conjugais, problemas inesperados nos casos de amor, ciúme e teimosia. Urano está em Touro desde 2019.

Van Cliburn, mundialmente famoso, o pianista estadunidense; Martin Feldstein, consultor econômico para o presidente Reagan; Werner Erhardt, líder do Movimento da Consciência/fundador da EST; Graham Nash, guitarrista/cantor/músico com Crosby, Stills & Nash.

⛢ ♊ URANO EM GÊMEOS
palavra-chave *inovador*

Brilhante, inventivo e original, você tem abordagem diferente em áreas como literatura, educação, meios de comunicação e eletrônica. Como é inquieto, é difícil para você seguir uma ideia até o fim. Entretanto, é capaz de captar conceitos novos e a favor de reformas, sobretudo na educação, onde talvez defenda ideias como universidades gratuitas. Aspectos harmoniosos de Urano podem proporcionar rasgos de genialidade; com aspectos desfavoráveis, pode haver um jeito brusco de falar, raciocínio não prático e até descoordenado, pouca consideração pelo sentimento alheio, problemas com irmãos ou parentes, ou educação formal interrompida. Urano esteve pela última vez em Gêmeos de 1942 a 1949.

George Harrison, músico/compositor/guitarrista dos "Beatles"; Uri Geller, animador/telecinético/psíquico; Gloria Steinem, escritora/ativista/editora e fundadora da revista Ms/*feminista; David Bowie, músico de rock/ator/carismático/andrógino/cantor.*

⛢ ♋ URANO EM CÂNCER
palavra-chave *irrequieto*

Sua maneira de buscar a liberdade é adotar atitude diferente em relação ao lar e ao casamento. Você encara os pais como seus iguais, não como figuras de autoridade – ou pode ignorá-los totalmente. Pode ser que não goste do estilo de vida estabelecido pela família e se sinta mais à vontade vivendo em comunidades ou aderindo ao movimento de volta à natureza. Caso opte por um lar tradicional, vai enchê-lo de dispositivos e aparelhos eletrônicos ou participar pessoalmente de grande parte do trabalho de construção. Você adora viajar e perambular e tem um conceito diferente do significado do patriotismo. Sensível e intuitivo, é capaz de aceitar o metafísico e o oculto. Aspectos desafiadores podem ocasionar altos e baixos emocionais; seus sentimentos podem ser erráticos, e seu temperamento, irracional. Urano esteve pela última vez em Câncer de 1949 a 1956.

Arnold Bennett, dramaturgo/roteirista/romancista realista; Chris Evert, campeão de tênis aos 16 anos/venceu 46 partidas consecutivas; Peter Frampton, astro do rock britânico/cantor/compositor do grupo"Humble Pie", o guitarrista; Steve Wozniak, transformou a operação de garagem em um negócio de meio bilhão de dólares/cofundador da Apple Computers.

♅ ♌ URANO EM LEÃO
palavra-chave ***liberado*** detrimento

Novas expressões artísticas e abordagem liberada do amor são típicas das pessoas nascidas com Urano em Leão. Essas são algumas manifestações dessa tendência: ritmos novos como o *disco* e o *rock-and-roll*, novas ferramentas e técnicas educacionais e assuntos diferentes em literatura. Você tem certeza de suas ideias e agarra-se com teimosia a elas. Seu ego é inflado; você gosta de ser inconvencional e diferente, e pode ter profunda compreensão da humanidade. Sua determinação é ilimitada, e você está disposto a derrubar tudo aquilo que não lhe convém. É preciso que aprenda a autodisciplina; de outra forma, pode ser bastante destrutivo. Urano esteve pela última vez em Leão de 1956 a 1962.

Caroline Kennedy-Schlosser, autora de "In Our Defense: The Bill of Rights"/advogada; Winston Churchill, um dos maiores estadistas da história mundial/autor/artista/primeiro-ministro britânico; Edgar Cayce, "o Profeta Adormecido"/médium; Aubrey Beardsley, artista/ilustrador/ escritor inglês.

♅ ♍ URANO EM VIRGEM
palavra-chave *inquisitivo*

Você tem abordagem original do trabalho, prática o bastante para conquistar o apoio da maioria das pessoas. Os avanços técnicos estão bem no seu caminho. A entrada de Urano nesse signo trouxe interesse renovado pela ecologia, pelos alimentos naturais, e assim por diante. Sua natureza é estudiosa, inventiva e humana; você é um bom professor. Sua abordagem "pé no chão" e sua capacidade de análise e discriminação são valiosas na introdução de mudanças necessárias. As pessoas nascidas durante esse período são construtivas. Com aspectos desfavoráveis, você pode ter a tendência a se envolver com um número exagerado de cultos ou ter problemas de saúde fora do habitual. Urano esteve em Virgem pela última vez de 1962 e 1968.

Paul Klee, mestre da arte contemporânea/pintor suíço; Wilhelm Backhaus, concertista alemão de piano; Henry Steinway, fabricante alemão de pianos/conhecido pela qualidade perfeita de seus pianos de cauda; Elizabeth Arden, canadense-americana/fundou a empresa de produtos de beleza/cosmética.

⛢ ♎ URANO EM LIBRA
palavra-chave *reformador*

Urano em Libra trouxe novas abordagens do casamento e da conduta social, onde um relacionamento significativo é mais importante que o contrato legal que o acompanha. Você dá atenção às motivações das pessoas e tem conceitos novos em relação à justiça. Aprecia todas as novas formas de arquitetura, música e artes. Dotado de tremendo charme e magnetismo pessoal, consegue lidar bem com as noções mais extravagantes e estranhas, sem ser ofensivo. Com aspectos desafiadores, pode ser que não se disponha a aceitar responsabilidades; pode ser independente demais, voluntarioso e ter problemas conjugais. Urano esteve pela última vez em Libra de 1968 a 1975.

Ralph Waldo Emerson, autor/clérigo unitário quando jovem/poeta/filósofo; Charles Le Corbusier, suíço/francês/artista/urbanista/um dos arquitetos mais influentes; Naomi Campbell e Claudia Schiffer, supermodelos.

⛢ ♏ URANO EM ESCORPIÃO
palavra-chave *indomável* exaltação

Suas emoções são intensas, e sua abordagem é ousada, original e inclinada ao oculto. Fascinante e dinâmico, você transpira *sex appeal*. Precisa fazer muitos ajustes desde a infância, mas aceita esses desafios e controla seu corpo e sua mente. É acertivo e tem pouca condescendência pela preguiça. Gosta de investigar a fundo, tendo habilidade científica e mecânica. Poderá descobrir abordagens novas para a cirurgia ou pesquisar doenças estranhas e desconhecidas. Precisa tentar superar o ciúme, a possessividade e a incapacidade de satisfazer aos desejos dos outros. Aspectos desfavoráveis podem ocasionar atitude vingativa e rebelde, gênio violento ou intenso desejo de mudar o que não lhe agrada. Urano esteve pela última vez em Escorpião de 1975 a 1981.

Richard Wagner, *prolífico compositor alemão/maestro/ensaísta/personalidade difícil*; Fulton J. Sheen, *padre católico romano/autor/conhecido pelas transmissões semanais de rádio de conotações políticas e antifreudianas/bispo*; Nicolau Copérnico, *autor/astrônomo/fundador da Astrologia moderna*; Faith Baldwin, *romancista/roteirista romântica*.

♅ ♐ URANO EM SAGITÁRIO
palavra-chave *progressista*

A livre expressão de qualquer tipo é muito importante para você. Você adota novos conceitos religiosos, pende para áreas como parapsicologia e metafísica, abordando-as com atitude científica e objetiva. Tem um bom senso de humor e visão otimista; é compassivo e liberal. Adora viajar e é capaz de fazê-lo de uma hora para outra. Gosta de expandir horizontes e não quer se sentir limitado por dogmas ou ortodoxias. Com aspectos desafiadores, pode ser que você seja cético, agnóstico, excitável e até rebelde. Urano esteve pela última vez em Sagitário de 1981 a 1988.

Louis "Satchmo" Armstrong, *lendário músico de jazz/trompetista/cantor de voz rouca*; George Balanchine, *coreógrafo russo-americano/inovador/definidor de tendências*; Gilbert Adrian, *figurinista/influente da moda do cinema (chapéu pequeno)*; Ansel Adams, *professor/conferencista/famoso pelas fotos impressionantes de Yosemite/fotógrafo*.

♅ ♑ URANO EM CAPRICÓRNIO
palavra-chave *construtivo*

Você gosta de introduzir mudanças em algumas áreas como governo, política e legislação, com o propósito de criar um futuro melhor. Apesar de pregar o amanhã, reluta em abandonar o ontem. As ideias brilhantes tornam-no um líder atraente e excitante. Você tem bons palpites e percepções; é capaz de tomar as velhas tradições e encará-las de novas e diferentes maneiras. Interessado em terras, exploração de recursos e criação de gado, é capaz de relacionar-se cientificamente com esses campos. Entretanto, existe um conflito básico entre Capricórnio, que gosta da tradição e a ela adere, e Urano, o planeta da mudança. Se você não conseguir conciliá-lo, poderá tornar-se inquieto, nervoso e sem recurcos. Urano esteve pela última vez em Capricórnio de 1988 a 1995.

Ronald Reagan, ator/político conservador/amado/40º presidente dos EUA; George Stigler, professor/ganhador do prêmio Nobel de Economia/escreveu sobre a teoria de "Preço"/texto universitário padrão; Daphne du Maurier, dramaturga/autora britânica (Rebecca); *Thomas H. Huxley, biólogo/médico/ensaísta/avô de Julian e Aldou.*

⛢ ≈ URANO EM AQUÁRIO
palavra-chave **humanitário** dignidade

No próprio signo, Urano é muito forte, penetrante, inventivo, científico e oculto. Você tem profundo desejo de mudar tudo para o progresso da humanidade, mas sua abordagem em relação a isso pode ser excêntrica e definitivamente individual. Sua capacidade de liderança é inquestionável. Livre-pensador aberto a todas as ideias novas, é intelectual, distante e, às vezes, mais independente do que seria bom para você. Gosta de trabalhar com e para as pessoas. Com aspectos desfavoráveis, você poderá ser inconvencional, não ter praticidade e até ser revolucionário. Urano esteve pela última vez em Aquário de 1995 a 2002.

Mickey Spillane, escritor de mistério e seu cérebro infantil, o detetive Mike Hammer; Billy Tipton, imitador/músico; Frank Sinatra, lenda no próprio tempo/crooner/ator/cantor; Indira Gandhi, filha de P. M. Nehru/primeiro-ministro indiano/morto pelo próprio Sikh guarda.

⛢ ♓ URANO EM PEIXES
palavra-chave **visionário**

Mutável, intuitivo, idealista e imaginativo, você tem tendências místicas e se interessa por meditação, yoga e filosofia oriental. Artístico e estético, esse é um excelente posicionamento para os atores, já que você gosta de fugir para mundos diferentes. Pode ser uma pessoa que se autossacrifica e vivencia uma luta espiritual para superar tendências materialistas em busca de realizações mais evoluídas. Demasiado sensível, seu sistema nervoso é delicado; você precisa conhecer seus limites e aprender a relaxar tanto física como emocionalmente. Com aspectos desafiadores, você tende a querer fugir com a ajuda de álcool, drogas ou sexo. Urano esteve pela última vez em Peixes de 2003 e 2011.

Isaac Stern, um dos principais violinistas russo-americanos/conhecedor da arte aos 11 anos; Harper Lee, advogada/vencedora do prêmio Pulitzer/autora de "To Kill a Mockingbird"; Cyd Charisse, dançarina americana/bela/atriz de pernas longas; Jeanne Brabants, coreógrafa/diretora de balé belga/fundadora de escola de dança.

Urano nas casas

URANO NA CASA 1
palavra-chave **exótico**

Você é original, científico, independente e excitável; pode tanto fazer leis como derrubá-las. Sua amplitude de visão e percepção fazem que seja um líder à frente do seu tempo ou uma pessoa disruptiva, sem tato, tirânica ou perversa. Você segue a própria intuição, para o bem ou para o mal, acredita nela e vive de acordo com a própria ética. Chama muito a atenção, às vezes por causa da atração magnética que exerce, às vezes por causa da abordagem excêntrica. Direto, franco e inquieto, você é um não conformista.

Norman Mailer, crítico irreverente do estilo de vida estadunidense/ romancista vencedor do prêmio Pulitzer; Princesa Stephanie de Mônaco, rebelde de coração/sobreviveu ao acidente em que a mãe Grace Kelly morreu; Lucille Ball, atriz/comediante/participou durante 25 anos do programa de TV "I Love Lucy"; Guillaume Apollinaire, dramaturgo surrealista francês/poeta/crítico de arte.

URANO NA CASA 2
palavra-chave *caleidoscópico*

Você experimenta muitos altos e baixos financeiros, recebe dádivas inesperadas e dificilmente tem o que seria considerado renda estável. Sua tendência é descobrir métodos originais de ganhar dinheiro. Com seu grande desejo de independência, você se sairia melhor tendo um negócio próprio que em um emprego das nove às cinco. Você ignora os sistemas de valores aceitos e, em geral, tem o seu próprio. Tem força de vontade e tenta dominar as pessoas que ama. Pode ser que receba dinheiro através de heranças ou sócios. Com aspectos desfavoráveis, esse posicionamento não é bom para especulações.

Guglielmo Marconi, inventor dos transmissores sem fio (wireless)/ ganhador do prêmio Nobel; Cristina Onassis, mulher mais rica do mundo após a morte do pai (Aristóteles); Carlo Benetton, próspero fabricante de roupas/consciência social de vanguarda; Theodore van Gogh, negociante de arte/irmão de Vincent/salvou suas pinturas.

URANO NA CASA 3
palavra-chave *inventivo*

Pode ser que você seja um gênio sintonizado com sua época, muito inventivo e científico. Sua maneira inconvencional de se comunicar é boa para escrever ou falar sobre qualquer assunto. Sua mente aguda e alerta torna esse posicionamento bom para a pesquisa. Embora seu comportamento seja imprevisível, você tem a mente aberta e adora ideias novas. Com aspectos desafiadores, pode ser que seja excêntrico, voluntarioso, rebelde e tenha um jeito grosseiro de falar. Também pode passar por separações súbitas e inesperadas dos irmãos.

Senador Ted Kennedy, único filho sobrevivente do clã Kennedy/ irmão de John F. e Robert; Lorna Luft, filha de Judy Garland, irmã de Liza Minelli/apresentadora; Sophia Loren, bela atriz italiana/ganhadora do Oscar/irmã casada com o ditador Mussolini/herdeira; Lewis Carroll, autor de "Alice no País das Maravilhas".

URANO NA CASA 4
palavra-chave *agitado*

Você pode vivenciar mudanças de residência e altos e baixos na vida doméstica. Talvez sua mãe fosse bastante original ou um de seus genitores não o compreendesse. De qualquer modo, seu histórico é fora do comum; pode ser que você tenha sido separado da família em tenra idade ou vivido sob circunstâncias incomuns. A menos que Urano esteja em um signo fixo, você não quer uma vida acomodada, preferindo mudar frequentemente de emprego, casa e parceiros; mas, ao mesmo tempo, também tem medo de ficar sozinho. Na parte final da vida, tende a se interessar por Astrologia e pelo oculto.

Howard Hughes, herdeiro de 65 milhões/deixou 2,3 bilhões para o Estado/recluso/paranoico de germes e pessoas/industrial; Brigitte

Bardot, criança fazendo beicinho tornou-se símbolo sexual da atriz francesa; Marlon Brando, o mais individualista ator de cinema e teatro/rebelde com muitas causas/vencedor do Oscar; Friedrich Nietzsche, filólogo/filósofo alemão.

URANO NA CASA 5
palavra-chave *excêntrico*

Romântico e atraído pelo inusitado, você terá muitos casos de amor singulares. Embora goste de especulação e jogo, este não é o melhor posicionamento para essas atividades. Pode ser que seus filhos não sejam comuns; talvez tenha um filho ilegítimo ou um filho seu seja adotado por outras pessoas. Sua excelente coordenação física é boa para esportes, e você é muito criativo. Pode ser imprudente, temerário e desdenhar das convenções e de qualquer coisa banal e comum. Quer ser sempre o "chefe" da tribo, nunca o "indígena".

François Mitterand, enigmático/filosófico/com filha ilegítima/presidente francês; Robert Taylor, galã dos anos 1930 e 1940 e 1970 + filmes/belo protagonista; Anthony West, preditivo/futurista/historiador/filho ilegítimo de Dame Rebecca West e autor H. G. Wells; Susan Sarandon, teve três filhos com o amante, o diretor Tim Robbins/atriz vencedora do Oscar.

URANO NA CASA 6
palavra-chave *errático*

Você gosta de fazer as coisas a seu modo. Precisa de um emprego em que tenha liberdade de movimentos. Tende a exigir esforços de si mesmo sem piedade, a ponto de ficar exausto. Não gosta de aceitar a autoridade dos outros e pode tornar-se irritadiço e impaciente quando as coisas não são feitas do seu jeito. Tem excelente capacidade científica, boa coordenação, compasso e ritmo. Com Urano na sexta casa, você funciona melhor quando está ativo e envolvido; caso contrário, tende a desenvolver algumas doenças psicossomáticas. Com muitos aspectos desfavoráveis, seu sistema nervoso pode trabalhar horas extras e deixá-lo tenso.

Jackie Robinson, primeiro jogador afro-americano a romper a linha racial/Hall da Fama/estrela do beisebol; Jimmy Carter, trabalhador humanitário/39º presidente dos EUA; Maurice Utrillo, bebedor inveterado/começou a pintar como terapia/artista prolífico; Candice Bergen, comediante/modelo/fotojornalista/atriz de cinema/estrela da série de TV "Murphy Brown".

URANO NA CASA 7
palavra-chave *imprevisível*

Você pode atrair um parceiro incomum, possivelmente alguém que o mantenha imaginativo e animado, ou procurar por um tipo original e diferente de parceria. Talvez se case no calor do momento e depois se separe tão rápido quanto se casou; ou pode se casar muito jovem ou imaturo, perceber o erro e começar tudo de novo. Em outras palavras, seus relacionamentos carecem de estabilidade, na maioria das vezes por causa do possível tédio com a parceria. Em geral, você é extremamente independente, e o parceiro escolhido compreende melhor sua necessidade de fazer as próprias coisas. Urano na sétima casa não indica necessariamente "divórcio", como é afirmado com frequência em outros livros de Astrologia. Uma pessoa com essa colocação, no entanto, precisa de um parceiro compreensivo, que torne a parceria divertida. Tudo, menos rotina. Já que a casa 7 fala sobre como o público o percebe, com Urano aqui, você pode ser visto como único e ligeiramente fora do caminho conhecido.

Debbie Reynolds, mulher de negócios independente/eficaz/divorciada duas vezes/cantora/dançarina/atriz; Huey Newton, cofundador com Bobby Seale de 'Black Panthers/ativista político; George Sand, famosa por usar calças/tendo várias ligações com homens conhecidos/escritora; Amelia Earhart, malfadada aviadora pioneira/mais casada com seu avião que com o marido.

URANO NA CASA 8
palavra-chave *experimental*

Urano simboliza o "inesperado"; portanto, com essa colocação, é aconselhável ter cautela nas parcerias de negócios. Pode ser que você descubra formas incomuns de gerenciar ou investir o dinheiro de outras pessoas e de receber heranças inesperadas. Perceptivo e intuitivo, geralmente se interessa pelos porquês da vida e da morte e pode ter sonhos estranhos ou premonições. É possível que se apaixone por pessoas que não podem ou não querem retribuir ou satisfazer às suas necessidades. Em geral, guarda para si suas ideias um tanto convencionais sobre sexo; exceto aquilo que, se existir, você pode tentar! Urano na oitava casa geralmente traz senso de humor sarcástico e satírico. Com aspectos desafiadores de Marte, sua morte provavelmente será rápida e súbita.

Michael Douglas, vencedor do Oscar/de acordo com revistas de cinema, "sexualmente hiperativo"/ator; Schioppa T. Padoa, economista italiano/vice-presidente do Banco da Itália/autor de textos sobre economia; Jackie Stewart, vencedor de 25 campeonatos/o ousado piloto de carros de corrida; George C. Wallac, governador do Alabama/segregacionista/paralisado na tentativa de assassinato.

URANO NA CASA 9
palavra-chave *não ortodoxo*

Inventivo, engenhoso, independente e aventureiro, você gosta de viagens longas a lugares exóticos e pode ter estranhas experiências durante suas viagens. Sua visão religiosa é não ortodoxa, e sua perspectiva é intuitiva, fora de sintonia (conservadora enquanto todos os outros são liberais, e vice-versa) e utópica. Com aspectos desfavoráveis, pode ser que você seja fanático. Seus assuntos legais tendem a sofrer reviravoltas inesperadas; é bom evitar os processos. Ensino, publicações e negócios com o exterior são boas carreiras. A política também pode ser uma boa escolha, já que pode ser um talentoso reformador social.

Júlio Verne, aventureiro francês/futurista/romancista; Adrianus Holst, autor holandês/estudante de mitologia celta/poeta/místico; Camille Paglia, feminista/filósofa neopagã/astróloga/autora; Francis Howell, professor de evolução humana/arqueólogo/paleoantropólogo/autor.

URANO NA CASA 10
palavra-chave *diferente*

Quando se dedica a uma causa, você é um grande lutador. Com sua visão, pode ser esplêndido líder em questões mundanas, com capacidade de mudar os velhos costumes. Entretanto, com aspectos desafiadores, poderá se rebelar e atacar qualquer tipo de autoridade. Você é muito original, imaginativo, altruísta e humanitário. Como funcionário, é meio intratável e, portanto, lutará para estar na chefia. Pode ser que vivencie muitas mudanças súbitas na carreira, assim como desapontamentos, ou que se sinta incompreendido, sobretudo pelas pessoas em cargos de chefia. Entretanto, um tipo diferente ou inusitado de carreira sempre vai atraí-lo.

Benito Mussolini, professor/repórter/ditador fascista italiano "Il Duce"; Pete Rozelle, publicitário esportivo/comissário de futebol; Denzel Washington, brilhante retratador/ator principal de "Malcom X"; Scott Carpenter, oceanógrafo/sexto homem no espaço/astronauta.

URANO NA CASA 11
palavra-chave **_não emocional_**   dignidade acidental

Inconformista nato, seus objetivos podem ser humanitários e incomuns. Por preferir não se apegar e se envolver com ninguém, tende a ser tímido e a ficar longe de relacionamentos íntimos. Provavelmente terá dois tipos de amigos: artistas ou boêmios (uranianos) e amigos mais convencionais e tradicionais (saturninos). É raro que um grupo de amigos seus se misture com outro. Seus objetivos costumam ser únicos ou um tanto não convencionais; você pode se sentir atraído por carreiras nas áreas técnicas ou eletrônicas ou por trabalho em campo. O que quer que faça, geralmente o faz com talento e elegância.

Reverendo Martin Luther King, líder dos direitos civis/vencedor do prêmio Nobel da Paz "Eu tenho um sonho"; Carlo Ponti, descobriu Sophia Loren e se casou com ela/notável produtor cinematográfico; Candy Barr, prostituta que emergiu como séria poeta/stripper; Florence Griffith Joyner, recordista mundial de 100 metros rasos/bela vencedora de medalha olímpica.

URANO NA CASA 12
palavra-chave **_psíquico_**

Você deseja romper as convenções e limitações e tem tremenda necessidade de se libertar das exigências da sociedade. Fascinado pelo misterioso e pelo romântico, pode ter inúmeros casos amorosos secretos.

É intelectual, místico e reservado, e trabalha de forma inusitada. Este é um bom posicionamento para pesquisa e atividades de bastidores. Com Urano na décima segunda casa, você pode ser excêntrico. Conflitos não resolvidos no inconsciente podem criar obstáculos, e, a menos que empregue o autocontrole, você poderá ser seu pior inimigo e seguir pela vida sozinho.

Charlie Chaplin, diretor/compositor/maior talento de sua época/conhecido como "O Pequeno Vagabundo"; Dionne Warwick, vencedora de quatro Grammy/cantora de soul/anfitriã psíquica "linha direta"/poetisa; Charles Kuralt, ensaísta/jornalista da CBS/anfitrião da série "On the Road"/produtor de maior sucesso da história (E.T., Jurassic Park et. al.); Steven Spielberg, diretor.

Aspectos de Urano

Qualquer aspecto de Urano deve ser interpretado como libertador e inesperado.

- A conjunção enfatiza a necessidade de ser tão livre e tão desimpedido quanto possível.
- O sextil oferece oportunidades para ser verdadeiro consigo mesmo.
- A quadratura desafia o individualismo.
- O trígono libera o fluxo inventivo e faz que você faça o que é incomum.
- O quincunce exige acordo entre aceitação e rebelião.
- A oposição desperta a necessidade de resolver um dilema entre liberdade e proximidade.

> **ASPECTOS DE URANO COM NETUNO – Urano/Netuno trabalhando juntos**
>
> Urano, "o libertário", tenta, muitas vezes, "libertar" o sonhador, vago e facilmente iludido Netuno. O intelecto e a abordagem cerebral uranianos têm dificuldade em lidar com o amor netuniano pela ilusão e desilusão; até mesmo a abordagem oculta de Urano a qualquer sistema de crença entra em conflito com o estilo místico de Netuno da espiritualidade.
>
> Por outro lado, o prazer de Urano de ser diferente e boêmio combina bem com o amor de Netuno pela poesia, pela dança e pelas cores; a intuição e o sexto sentido de Netuno podem se sintonizar com as atitudes futurísticas e humanitárias de Urano; essa combinação pode trazer pesquisas sobre o conhecimento do amanhã e um conhecimento mais profundo da compreensão da consciência de massa.
>
> Mas nunca se esqueça de que Urano representa o "desejo de liberdade", e Netuno simboliza o "impulso escapista", o ser "livre"; impulsos muito semelhantes que podem levar milhões de pessoas a terem problemas nos anos em que esses dois planetas fizerem aspectos.

♅ ☌ ♆ URANO EM CONJUNÇÃO COM NETUNO
(Aproximadamente de 1992-1996 e, novamente, de 2163-2167)

Embora Urano e Netuno estivessem em conjunção de 1821 a 1824, Netuno só foi descoberto em 1846; portanto, seria impossível ter sido percebido pelas pessoas que viviam naquela época ou antes. Assim, não devemos conjeturar o papel que Netuno desempenhou durante essa conjunção. A conjunção contemporânea, de 1992 a 1996, trouxe a identificação com as massas que lutaram pela liberdade (países do Oriente Médio, Bósnia, grande parte da África), mas o desejo de não se envolver pessoalmente foi maior que o de participar (a ajuda limitada dos assim chamados líderes mundiais, como Estados Unidos, Europa Ocidental, Japão). A combinação de Urano e Netuno foi fundamental para o desenvolvimento da internet, tecnologia que mudou por completo nossa forma de comunicação.

Não estamos dando nossos exemplos habituais de "pessoas", uma vez que os que nasceram entre 1992 e 1996 (data em que o manuscrito foi revisto) são jovens para ter causado algum impacto.

⛢ ✶ ♆ URANO EM SEXTIL COM NETUNO
(Aproximadamente de 1964-1969 e, novamente, de 2135-2139)

Nascidos sob o sextil de Urano com Netuno estavam ansiosos para encontrar os próprios meios de expressão, mesmo que para isso tivessem de desrespeitar os padrões aceitos. Como diz a potente citação do psicólogo e pesquisador das drogas psicodélicas Timothy Leary: "Ligue, sintonize, saia"; Height Ashbury e o que ela representava, incluindo os "Filhos das Flores".

Moon Unit Zappa, cantora/atriz de séries de TV/filha de Frank; Kurt Cobain, cantor/guitarrista/usuário de drogas/suicida; Carla Bruni, cantora, atriz e modelo italiana/capa de revista; Charlie Sheen, ator de cinema/TV/"bad boy" hollywoodiano.

⛢ □ ♆ URANO EM QUADRATURA COM NETUNO
(Aproximadamente de 1952-1958 e, novamente, de 2040-2043)

Pessoas nascidas entre 1952 e 1958 oscilavam entre ser totalmente rebeldes ou agir de modo apático, a ponto de enterrar a cabeça na areia. Seu idealismo tende a ser confuso, impraticável ou mal direcionado. Sob a quadratura Urano com Netuno, os estadunidenses demoraram para entender as maquinações do senador Joseph McCarthy ao acusar muitos inocentes de comunismo. A guerra com a Coreia terminou em 1953. Os soviéticos lançaram o satélite "Sputnik". A segregação racial nas escolas públicas foi declarada inconstitucional nos Estados Unidos, e Rosa Parks recusou-se a ceder seu assento no ônibus a um homem branco.

*David Copperfield, ilusionista/mágico/*showman*; Kathie Lee Gifford, rainha da beleza/apresentadora de* talk show*; John Travolta, ator sempre popular; Nick Faldo, campeão britânico de golfe.*

♅ △ ♆ URANO EM TRÍGONO COM NETUNO
(Aproximadamente de 1937-1945 e, novamente, de 2049-2055)

Esses foram os anos de Adolf Hitler, do Holocausto e da Segunda Guerra Mundial. Como o número de mortos e a miséria causada pela guerra podem ser relacionados a um trígono? Vamos repetir mais uma vez: planetas transcendentais afetam o mundo como um todo, não apenas nossa vida individual. As dificuldades e perdas individuais podem significar avanços uranianos (miniaturas eletrônicas) e conquistas netunianas (previdência social) para muitos países. O início da Segunda Guerra Mundial na Europa, em 1939, trouxe, de imediato, a corrida armamentista e, com ela, o pleno emprego e o fim da horrenda depressão econômica mundial. O fascínio quase hipnótico que Hitler exercia sobre as massas é outra síndrome típica do trígono de Urano com Netuno.

Bob Mackie, especializado em extravagâncias de TV/estilista; Sam Waterston, ator de cinema/palco/TV; Rockwell Kent, artista/ilustrador romântico-realista/gravador; Otto Hahn, radioquímico alemão/ganhador do Prêmio Nobel de Química em 1944.

♅ ⚻ ♆ URANO EM QUINCUNCE COM NETUNO
(Aproximadamente de 1892-1897 e 1922-1928 e, novamente, de 2062-2068)

Começava a corrida do *fin-de-siècle*. A fusão Urano/Netuno, tão desejada para proteger os oprimidos e combater a injustiça, em quincunce, expressa-se como imperialismo em muitas nações europeias, que "benevolentemente" assume grande parte da África. A indústria tornou-se o esteio para muitos países, em especial para os EUA, a Alemanha, a Grã-Bretanha e a França. Autores levaram o realismo aos limites extremos, escrevendo sobre assuntos antes considerados tabu, como sexo, crime, pobreza e corrupção. As motivações psicológicas reprimidas ou ocultas foram exploradas por Freud.

David Brinkley, jornalista/comentarista de TV; Bobby Short, pianista/cantor; Johnny Carson, apresentador mais bem pago do programa de entrevistas The Tonight Show; *Irène Joliot-Curie, cientista/política francesa.*

♅ ☍ ♆   URANO EM OPOSIÇÃO A NETUNO
(Aproximadamente de 1904-1911 e, novamente, de 2076-2083)

A Lei de Alimentos e Medicamentos (Pure Food and Drug Act), promulgada em 1906, expressou bem Netuno (drogas) em oposição a Urano (rebelando-se contra o *status quo*). Segurança buscada por meio de alianças (franco-russa, anglo-japonesa, britânica-francesa, germano-otomana e muitas mais) provou ser ilusória (Netuno). Desenvolvimentos no setor de transportes (como o Ford Model-T); a arte experimental com cores ousadas (o Fauvismo) e a arquitetura *Art Nouveau* (Casa Mila de Gaudí); os pioneiros da dança (Diaghilev, Ruth St. Denise e Isadora Duncan, por exemplo) floresceram, enquanto os compositores exploravam a música atonal (Stravinsky, Schönberg). Todos expressaram um Urano futurista e um Netuno criativo trabalhando juntos ou entrando em atrito um com o outro da maneira errada.

Mika Waltari, autor finlandês/best-seller; Ginger Rogers e Gene Kelly, estrelas de cinema/dançarinos sensações de sua era; Charles Addams, artista macabro/cartunista.

> **ASPECTOS DE PLUTÃO COM URANO – Urano/Plutão trabalhando juntos**
>
> Mencionamos repetidamente as características complexas de Plutão, sua necessidade de estar no controle, de intensificar tudo o que toca, de ser tomado por tudo o que começa, a ponto de ser obsessivo... Mas como essas características interagem com Urano? Outros planetas se sentem intimidados pelas manipulações e jogos de poder de Plutão, mas o desinteressado Urano encolhe os ombros enquanto Plutão discursa e delira. Enquanto Plutão adora causar problemas e insiste em cavar áreas mais escondidas, Urano oferece brilhantes respostas intelectuais, distantes das ações incômodas e terrivelmente emocionais plutonianas, como a busca da verdade interior. Por outro lado, tanto Urano como Plutão concordam que o *status quo* nunca será suficiente, que devem seguir em frente para mudar e crescer. Eles diferem totalmente nos caminhos que escolhem. Urano primeiro se rebela e depois encontra alguma maneira única, inventiva e talvez inédita de avançar. Plutão investiga os mundos desconhecidos, internos e externos. Se necessário, coage os outros a seguirem seu exemplo, e, à medida que se desenvolvem, os resultados óbvios não são apenas "mudanças", mas transformações reais. Trabalhar ou não trabalhar junto dependerá, em grande medida, dos outros aspectos de Urano e Plutão, bem como das casas e dos signos ocupados por esses planetas.

♅ ☌ ♇ URANO EM CONJUNÇÃO COM PLUTÃO
(Aproximadamente de 1963-1968 e, novamente, de 2103-2105)

Esse aspecto ocorreu pela última vez de 1963 a 1968. Nos EUA, uma decisão da Suprema Corte foi bastante simbólica dessa conjunção: todos os réus criminais devem ter advogado – conceito bastante original e revolucionário. A *Mística Feminina*, de Betty Friedan, deu início ao movimento feminista. O sistema de cotas nacionais foi abolido, mudando totalmente a política de imigrações nos EUA. Os assassinatos do presidente John F. Kennedy, de seu irmão, o senador Robert Kennedy, e de Martin Luther King iniciaram um terrível ciclo de violência, incluindo a expansão da Guerra do Vietnã. A preocupação com o meio ambiente aumentou (*Silent Spring*, de Rachel Carson). *Pop Art* (Andy Warhol) e musicais de *rock* (*Hair*) definiram novas tendências na arte. O "Muro de Berlim", construído no fim de 1961, começou a deixar alguns mortos.

Bridget Fonda, filha de Peter/neta de Henry/atriz; Pamela Smart, seduzida aos 16 anos/mandou matar o marido por causa do seguro; Nicolas Cage, vencedor do Oscar/ator de cinema; Pascal de Duve, renomado escritor belga/vítima da aids aos 29 anos.

⛢ ✶ ♇ URANO EM SEXTIL COM PLUTÃO
(Aproximadamente de 1941-1946, de 1994-1998 e, novamente, de 2082-2086)

Os nascidos entre 1941-1946 procuravam oportunidades de usar a intensa energia de Plutão com o poder de despertar de Urano, mas esse período coincidiu com o meio de uma guerra mundial. A primeira reação nuclear em cadeia (com a colaboração de Enrico Fermi em 1942, em Chicago) tornou-se a primeira bomba atômica a explodir, em 1945, encerrando a Segunda Guerra Mundial. Os efeitos do sextil de 1994-1998 puderam ser sentidos na mudança radical dos meios de comunicação (computador, e-mail, internet), trazendo novos e revolucionários conceitos de trabalho e mudanças ainda não sonhadas.

Isaac Hayes, cantor/compositor de trilhas sonoras de filmes/músico; Sam Shepard, quatro vezes vencedor do prêmio Pulitzer/ator/dramaturgo; Billie Jean King, dezenove títulos de carreira/campeã de tênis; Laura Biagiotti, estilista italiana.

⛢ □ ♇   URANO EM QUADRATURA COM PLUTÃO
(Aproximadamente de 1931-1934 e, novamente, de 2072-2075)

A quadratura Urano/Plutão logo após a descoberta de Plutão parece ser correlata às consequências terríveis da quebra do mercado de ações, deixando mais de 12 milhões de desempregados nos EUA, com restrições de crédito causando inúmeras falências em todo o mundo. Por causa da depressão na Alemanha, extremistas violentos conseguiram sancionar o poder ditatorial de Hitler. Após um período bastante liberal no Japão, os militaristas dominaram o governo e apreenderam a Manchúria, antes da Mongólia, e invadiram a China. A busca da Índia por autonomia e independência agitou-se sob a liderança de Gandhi.

Quincy Jones, arranjador/produtor/compositor/vencedor de 25 Grammy; H. Ross Perot, empresário/industrial/candidato à presidência; Edith Cresson, primeira mulher francesa a ocupar o cargo de primeira-ministra/socialista; Bob Dole, congressista estadunidense/embaixador da Otan/chefe de gabinete do presidente Ford; Donald Rumsfeld, gerente de campanha.

⛢ △ ♇   URANO EM TRÍGONO COM PLUTÃO
(Aproximadamente de 2062-2066 e, novamente, de 2136-2139)

Urano fez trígono com Plutão de 1920 a 1924, mas como Plutão só foi descoberto em 1930, ainda não estava na consciência daqueles que viviam. Por isso, não usaremos esse trígono para ilustrar o que esse aspecto poderia significar. Olhando para o futuro, podemos teorizar que as pessoas, em massa, estão prontas para aceitar o novo, em especial se acreditarem que é para melhorar o mundo. Contudo, devemos sempre ter cuidado com a obsessão de Plutão e, portanto, observar cuidadosamente os perigos das ditaduras.*

⛢ ⚻ ♇ URANO EM QUINCUNCE COM PLUTÃO
(Aproximadamente de 2036-2040 e, novamente, de 2054-2057)

O último quincunce de Urano/Plutão ocorreu entre 1910 e 1913. Como mencionado anteriormente, Plutão só foi descoberto em 1930, e seu efeito ainda não foi sentido de forma consciente; portanto, esse aspecto só será conscientizado pela primeira vez em 2036. Um quincunce geralmente exige algum tipo de ajuste ou reorganização, mas esses dois planetas têm dificuldade de se comprometer; então, países, raças ou gêneros que se ressentem do papel inferior que lhes é atribuído podem se encontrar em sérios problemas.

⛢ ☍ ♇ URANO EM OPOSIÇÃO A PLUTÃO
(Aproximadamente de 2045-2049 e, novamente, de 2153-2156)

Embora Urano tenha se oposto a Plutão pela última vez de 1900 a 1904, Plutão não havia sido descoberto até 1930; portanto, nenhuma interpretação histórica deve ser julgada quanto ao papel que Plutão desempenhou naquela época. Podemos supor que em 2045 algum idealista político venha à tona para combater a injustiça; mas, como

---

* A autora explica que "Urano em trígono com Plutão durou de 1920 a 1924, mas Plutão não foi descoberto até 1930, portanto ainda não estava na consciência daqueles que viviam então e antes, e não devemos usar esse trígono para ilustrar o que esse aspecto poderia significar". No entanto, desde que o livro foi escrito até hoje, esses e outros aspectos já se formaram. (N. da P.)

estamos falando de uma oposição, as pessoas podem interpretar mal a causa e não se unir em apoio. De forma mais esperançosa, tendo em vista que Plutão parece representar o poder atômico, talvez a engenhosidade de Urano ajude Plutão a se tornar consciente (oposição) de suas muitas propriedades diversas, e maneiras realmente positivas podem ser descobertas para usar essa combinação formidável de planetas.

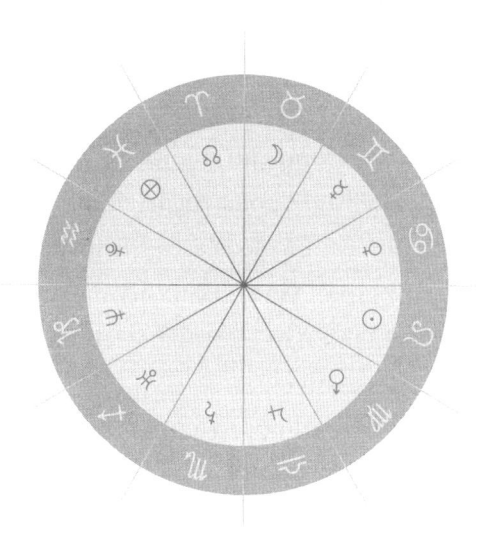

Módulo 16:
Netuno

Mais comentários importantes sobre este módulo

Antes de iniciar o Módulo 16, gostaríamos de explicar o pequeno símbolo ℞ que aparece perto do glifo de Marte no mapa de Mozart. Você verá os mesmos glifos ao lado de Mercúrio, Urano e Plutão no mapa de Jane Fonda. ℞ significa que esses planetas estão em **movimento retrógrado**, ou seja, aparentemente retrocedendo, vistos da Terra.

Por enquanto, basta que você saiba o significado do símbolo. Esteja certo de que não conhecer a ação do planeta retrógrado em um mapa não afeta, de fato, seu trabalho de análise e interpretação dos planetas de Mozart ou de Jane Fonda.

Você também deve ter notado que no mapa de Jane Fonda Câncer está na cúspide das casas 6 e 7, e que Capricórnio está nas cúspides da décima segunda e na primeira casas. Dentro da primeira e sétima casas, Aquário e Leão são inseridos no meio da casa em vez de na cúspide, como normalmente se vê. Essa colocação de um signo no meio de uma casa é chamada de **interceptação**. Ela ocorre quando os 30 graus do signo são contidos dentro de uma casa, com outro signo na cúspide dessa casa e ainda outro na cúspide da próxima.

A interceptação é feita de forma matemática. Depois de aprender o cálculo da construção de um horóscopo, você entenderá como isso acontece. Em seus estudos futuros, você verificará seu significado em um mapa. Mas, como acontece com o movimento retrógrado, a interceptação não é fator básico na interpretação de um mapa astrológico nesse nível.

Neste módulo, estudaremos mais detalhadamente Netuno. Depois de absorver as informações, interprete Netuno no mapa de Jane Fonda. Para consultar nossa interpretação, vá até a página 464.

Algumas observações gerais sobre Netuno

Netuno é o segundo dos planetas **transcendentais**. Foi descoberto em 13 de março de 1846, quando o Sol transitava em Peixes, por Gottfried Galle, no observatório de Berlim, e calculado matematicamente por Urbain Leverrier. Netuno é chamado de planeta geracional porque permanece em cada signo do zodíaco por aproximadamente catorze anos. Todos os nascidos durante esse período têm Netuno no mesmo signo; portanto, para uma leitura pessoal, a posição por casa é o fator mais importante. Como Netuno passa tantos anos em um signo, suas propriedades deixam marcas nesse período; assim, temos duas descrições de Netuno: os principais acontecimentos históricos da época e algumas das características pessoais compartilhadas por pessoas nascidas naquela época. As referências pessoais são descrições bastante amplas de características compartilhadas e devem ser consideradas em relação à posição e aos aspectos da casa de Netuno. Netuno representa o impulso espiritual, mas também o escapista; descreve o desejo de enganar a si mesmo, bem como a capacidade criativa e intuitiva.

Netuno nos signos

♆ ♈ NETUNO EM ÁRIES (1861-1875)
palavra-chave *radical*

Este trânsito trouxe consigo a invenção da dinamite e da metralhadora (ilusão de poder), bem como da máquina de escrever. Durante esse período, ocorreu a Guerra Civil dos Estados Unidos, e a primeira Lei do Sufrágio Feminino foi aprovada no Estado de Wyoming. A genética foi descoberta.

Pessoas nascidas quando Netuno esteve pela última vez em Áries foram pioneiras em diversos conceitos religiosos e filosóficos. Compartilharam grande senso de que tinham uma missão a cumprir. Expressaram forte imaginação e criatividade e tentaram se tornar mais conscientes de si mesmas. Netuno aflito produziu esquemas repletos de falso orgulho, egoísmo e pessoas que almejavam a notoriedade. Netuno estará novamente em Áries aproximadamente de 2025-2039.

Sun Yat Sem, primeiro presidente da República Chinesa/revolucionário; Swami Vivekananda, fundador do Vedanta no Ocidente/discípulo de Sri Ramakrishna; Käthe Kollwitz, artista/impressora/escultora/porta-voz eloquente das vítimas da injustiça social; Henri Matisse, artista/inovador influente/fauvista e cubista francês.

♆ ♉ NETUNO EM TOURO (1874-1888)
palavra-chave *artístico*

Grande parte da criatividade netuniana foi aplicada à realidade prática (Touro) no período de Netuno em Touro, com invenções como os primeiros carros experimentais, a bicicleta, o telefone, a lâmpada incandescente de Edison e o fonógrafo. Trouxe também a primeira loja de consumo em massa, assim como uma crise financeira (Netuno dissolvendo a economia).

Netuno em Touro traz abordagem estética das ciências e das artes; há gosto pela música e pela beleza, além de senso de negócios inato, com grande necessidade de segurança e facilidade para ser enganado. Aspectos desfavoráveis com Netuno podem levar à preocupação com posses materiais, à autoilusão ou ao descuido em assuntos financeiros. Aproximadamente de 2038-2052 Netuno estará novamente em Touro.

Ernest Ansermet, músico/maestro suíço/assistente de Stravinsky; Murshid Inayat Khan, fundador da Ordem Sufi do Oeste/autor/curandeiro/poeta; W. D. Gann, economista/analista do mercado de ações; Edna Ferber, novelista/dramaturga ganhadora do prêmio Pulitzer/autora de "Show Boat".

♆ Ⅱ NETUNO EM GÊMEOS (1887-1901)
palavra-chave *perceptivo*

Invenções governadas por Netuno deram frutos nesta época, como o automóvel a vapor, o filme fotográfico, a eletrônica, o telégrafo sem fio, o rádio de Marconi, o submarino, os raios X e o advento mais típico de Netuno: a psicanálise.

Nascidos durante esse trânsito tiveram muitas teorias novas a respeito de comércio, viagens e comunicações. Alertas, inquisitivos e inquietos, queriam ter novas experiências, com dificuldade em assentar raízes. Com aspectos desfavoráveis, eram preocupados com valores superficiais, suscetíveis a influências externas, contestadores, de mente estreita e fofoqueiros. De aproximadamente 2051 a 2066, Netuno estará novamente em Gêmeos.

Billy Mitchell, pioneiro da aviação/oficial mais jovem já nomeado para General de Equipe; Adriano Olivetti; famoso industrial italiano de máquinas de escrever e político; Francis Poulenc, compositor/pianista/membro francês de "Les Six"; Dorothy Parker, a famosa humorista/sagacidade mordaz/"Homens não fazem passes para as meninas que usam óculos".

♆ ♋ NETUNO EM CÂNCER (1901-1915)
palavra-chave ***protetor***

Este trânsito trouxe revoltas no México e na China, bem como a Primeira Guerra Mundial (a busca idealista da liberdade por Netuno), a fundação dos Escoteiros da América, a Lei de Alimentos e Medicamentos Puros, a descoberta de vitaminas (todos os tópicos de Netuno) e a apresentação à humanidade do melhor que Netuno pode oferecer com criatividade e intuição combinadas: a Teoria da Relatividade, de Einstein.

Netuno em Câncer tem fortes ligações com a terra, o lar e a família. É idealista, emocionalmente sensível e protetor em relação à casa, à família e à cidade. Aberto às ideias místicas e religiosas, está disposto a se sacrificar pelos outros. Com aspectos desafiadores, pode se tornar autoindulgente, pessimista e viver demasiadamente em um mundo de fantasia. Netuno estará de novo em Câncer aproximadamente de 2065 a 2079.

Katherine Hepburn, personalidade e atriz, quatro vezes vencedora do Oscar, criança-prodígio; Herbert von Karajan, maestro das orquestras da Filarmônica de Viena e de Berlim; Dag Hammerskjold, ganhador póstumo do Prêmio Nobel da Paz e secretário-geral das Nações Unidas; Kim Philby, espião soviético da KGB contra o próprio país britânico.

♆ ♌ NETUNO EM LEÃO (1914-1929)
palavra-chave *especulativo*

Com o idealismo netuniano correndo solto, essa foi a época da assinatura do Tratado de Paz de Versalhes, da Revolução Russa (igualdade para todos), do início da Liga das Nações (comunicação com todos), da "lei seca" nos Estados Unidos, do Putsch da Cervejaria na Alemanha, assinalando a ascensão do nazismo, dos primeiros filmes sonoros e da descoberta da penicilina.

Nascidos neste ciclo têm inclinações românticas, idealistas e artísticas. Você idealiza o amor e gosta de namorar; tem aptidão para o entretenimento, queda pelo drama, tendência ao exagero e disposição para tentar de tudo ao menos uma vez. Especulação é com você. Se Netuno estiver aflito, você poderá desejar o poder e não aceitar a responsabilidade ou a autoridade de outras pessoas. A extravagância na busca pelo prazer pode levar à queda. De 2078 a 2093 Netuno estará novamente em Leão.

Maria Callas, cantora grega de ópera/soprano; Gower Champion, dançarino, coreógrafo e diretor musical; Leonard Bernstein, compositor versátil, brilhante pianista e maestro; Gordon MacRae, ator de filmes românticos e cantor.

♆ ♍ NETUNO EM VIRGEM (1928-1943)
palavra-chave *técnico*   detrimento

Durante este período, notamos um pouco do engano de Netuno. O mundo assistiu ao escândalo de "Teapot Dome" (subornado para arrendamento de campos de petróleo nos Estados Unidos), ao *crash* da Bolsa de Valores, à entrada na era atômica, à aprovação da Lei de Segurança Social, à Segunda Guerra Mundial e aos motins raciais.

O *spray* aerossol, a radiodifusão em FM e o radar foram inventados nesse período.

A Depressão da década de 1930 frustrou, em parte, as faculdades criativas e imaginativas dos nativos dessa geração. Se você tem Netuno em Virgem, defende conceitos novos sobre saúde e condições de emprego e pertence à primeira geração a aceitar a psiquiatria como parte da vida. Provavelmente, vivencia forte tensão entre razão e emoção e pode ter dificuldade em aceitar responsabilidades, o que pode levar à fuga pelas drogas ou por outros meios psicodélicos. Com aspectos desfavoráveis, pode ter colapsos e neuroses. Você é crítico e capaz de destruir o que é velho com rapidez, antes de ter algo novo para colocar no lugar. Entretanto, também pode ser um grande humanitário e lutar por causas válidas. Netuno estará de novo em Virgem aproximadamente entre 2092-2106.

Zubin Mehta, maestro indiano de renome mundial, o cantor; Sonny Bono, artista e senador; James Levine, maestro por excelência do Metropolitan Opera; Lorraine Hansberry, dramaturga, escritora da primeira peça de uma mulher negra produzida na Broadway: "Raisin in the Sun".

Ψ ♎ NETUNO EM LIBRA (1942-1957)
palavra-chave *dependente*

Esse período trouxe o fim da Segunda Guerra Mundial; a formação das Nações Unidas (outro esforço netuniano para unir o mundo); o plano Marshall, para ajudar as nações derrotadas a formar o Estado de Israel; a desilusão netuniana à perseguição do senador Joe McCarthy a supostos comunistas no governo; a decisão da Suprema Corte dos Estados Unidos sobre a inconstitucionalidade da segregação racial nas escolas; o surgimento dos Mau-Mau na África; a primeira bomba de hidrogênio e a televisão para todos.

Quem nasceu nas décadas de 1940 e 1950 se interessa por conceitos novos na área dos relacionamentos e das leis e tem dúvidas a respeito de obrigações e necessidades. Tem abordagens novas e sutis em relação às artes. Deseja ser humanitário, altruísta, compassivo e amante da paz, mas pode acabar sendo pouco prático, sujeito ao abuso de drogas, preguiçoso e sem força de vontade. "Ficar cada um na sua" causou mais divórcios que casamentos, mais discórdia que união, o que é típico de Libra operando através do véu de Netuno. Esse posicionamento se repetirá aproximadamente entre 2106-2120.

Sirhan Sirhan, assassino do senador Robert F. Kennedy; Goldie Hawn, atriz, comediante com risadinha deliciosa; Suzanne Farrell, primeira bailarina versátil; Daniel Barenboim, pianista e maestro argentino-israelense.

♆ ♏ NETUNO EM ESCORPIÃO (1956-1970)
palavra-chave *sutil*

Este período trouxe o Sputnik, o primeiro homem na Lua (o sonho netuniano de conquistar o espaço sideral), as primeiras manifestações e marchas pelos direitos civis (o sonho de Netuno de igualdade universal), os transplantes de coração, as vacinas contra a pólio, os *hippies* e a cultura das drogas, tudo engendrado pelo pensamento netuniano.

Se você nasceu com Netuno em Escorpião, é investigativo, magnético, emocional e dotado de grandes poderes regenerativos. A intensidade com que ataca tudo leva a novas abordagens na pintura, na literatura, na religião e em todas as facetas da vida. Se os aspectos de Netuno não estiverem bem integrados, podem originar magia negra, obsessões, traições e práticas sexuais estranhas, sobretudo se houver aspectos desafiadores com Vênus ou Marte. Netuno estará de novo em Escorpião aproximadamente de 2120 a 2134.

David Koresh, líder do culto Davidian; Fernando Valenzuela, jogador de beisebol do Los Angeles Dodgers; *Caroline Kennedy Schlosser, advogada, autora e filha de John e Jackie; Geena Davis, ex-modelo e atriz vencedora do Oscar.*

♆ ♐ NETUNO EM SAGITÁRIO (1970-1984)
palavra-chave *profético*

Sagitário é o signo da abertura, da franqueza e do idealismo; Netuno neste signo está destinado a trazer à tona diversas coisas ocultas, como as revelações de Watergate e acontecimentos semelhantes na Inglaterra, na França e na Alemanha (o escândalo de Willy Brandt). A descoberta de subornos de grandes empresas em países estrangeiros e os negócios antiéticos e as práticas políticas nos Estados Unidos mostraram como Sagitário tenta revelar o que está por trás do véu de Netuno.

Pessoas nascidas com Netuno em Sagitário necessitam de valores religiosos e filosóficos mais elevados. Você é capaz de explorar os poderes da mente, revisar as leis existentes e buscar o significado mais profundo da vida. Tem ideias novas a respeito da educação; interessa-se pelas culturas estrangeiras e sente-se à vontade com o conceito de religião universal. Se Netuno tiver aspectos tensos, você tenderá a vaguear sem rumo, não ter discernimento, desconfiar dos outros e acreditar em falsos profetas. Netuno retorna a Sagitário aproximadamente em 2134-2148.

Robert R. Seltzer, prodígio mestre de xadrez; Sean Lennon, cantor e filho de Yoko Ono e John Lennon; Surya Bonaly, medalhista olímpica francesa e patinadora no gelo; Michael T. P. Chang, homem mais jovem a vencer o Aberto da França e campeão de tênis.

♆ ♑ NETUNO EM CAPRICÓRNIO (1984-1998)
palavra-chave **terreno**

A dissolução da liderança, tão típica de Netuno em Capricórnio, trouxe falta de orientação para muitos países. Essa foi a era da primeira caminhada espacial, mas também da explosão do ônibus espacial "Challenger", que matou todos a bordo. O cruzeiro italiano Achille Lauro foi sequestrado nos mares abertos por terroristas; todos demonstrando a ilusão netuniana de segurança no ar e no mar. A aids entrou na conscientização do público em geral da época como uma doença preocupante, confusa e sem cura; Wall Street fervilhava de escândalos revelando que nada é seguro, incluindo o bom e velho dinheiro capricorniano. O petróleo (governado por Netuno) fez que os EUA viessem em auxílio da Arábia Saudita, quando esta foi atacada pelo Iraque (Tempestade no Deserto).

Pessoas nascidas naquela época eram muito jovens para mostrar realmente quão ilusório Netuno pode se manifestar no Capricórnio tradicional. Esperamos que algumas palavras como responsabilidade e disciplina entrem outra vez na consciência dos jovens. Aqueles de nós que vivemos nesta era, notamos um esforço por parte daqueles em funções de liderança para retornar a alguns dos antigos valores, enfrentar certas realidades e gentilmente nos empurrar para o modo de Netuno em Aquário, onde o que se possui não é tão importante quanto o que se é. De 2148 a 2162, aproximadamente, Netuno estará novamente em Capricórnio.*

---

* As previsões e análises interpretativas de mapas natais e períodos históricos foram feitas até 2001. Por isso, não foram fornecidos exemplos de nativos com alguns posicionamentos no mapa natal, como ocorreu com a geração com Netuno em Capricórnio, Aquário e Peixes, que ainda era muito nova. No caso de Netuno em Aquário e em Peixes, foram fornecidos exemplos de nativos com esses posicionamentos dos ciclos anteriores: 1834 a 1847 e 1847 a 1862, respectivamente. (N. da P.)

Ψ ≈ NETUNO EM AQUÁRIO (1998-2012)
palavra-chave *teórico*

Netuno esteve em Aquário de 1834 a 1847, quando foi descoberto (1846), e entrou em nossa consciência. Esse trânsito ocorrerá de novo aproximadamente de 2162 a 2176. O primeiro uso de anestésicos (gás/éter sulfúrico) ocorreu em 1842, exatamente quando os cientistas vasculhavam os céus em busca de Netuno. A combinação de Netuno e Aquário produziu pessoas de orientação social, filosófica e política. Suas atitudes distantes, combinadas com a capacidade de entender o abstrato, resultaram em muitas abordagens novas da arte e inúmeras invenções.

Thomas Alva Edison, inventor (1.000 patentes); Alexander Graham Bell, educador e inventor do telefone; Paul von Hindenburg, herói da Primeira Guerra Mundial e presidente da Alemanha, Marechal de Campo; Annie Besant, autora, reformadora social, ocultista e teosofista.

Ψ ♓ NETUNO EM PEIXES (1847-1862; 2011-2026)
palavra-chave *místico*   dignidade

De 1847 a 1862, em Peixes, Netuno mostrou seus muitos traços diversos: Brigham Young estabeleceu-se em Utah com seus seguidores mórmons (Netuno no modo espiritual); John Sutter iniciou a corrida do ouro na Califórnia (desilusões de Netuno); Ferdinand de Lesseps construiu o Canal de Suez (o sonho netuniano "possível); Marx e Engels escreveram O *Manifesto Comunista* (idealismo netuniano). Outras descobertas e eventos interessantes de Netuno são: o primeiro poço de petróleo comercial, a Teoria da Evolução de Darwin, o início da oceanografia, a invenção do planador. O trânsito de Netuno em Peixes, o signo que rege, foi inspirador e gerou o crescimento espiritual. Esse posicionamento indica talento para poesia e música, compreensão das pessoas necessitadas, descobertas médicas e novos conceitos culturais. Esse trânsito se repetirá de 2011 a 2026.

Paul Ehrlich, criador da quimioterapia moderna, bacteriologista, vencedor do Prêmio Nobel; Luther Burbank, horticultor e botânico; Eleanora Duse, brilhante atriz italiana; madre Francisca Xavier Cabrini, fundadora de hospitais e missões, canonizada em 1946.

Netuno nas casas

NETUNO NA CASA 1
palavra-chave *sonhador*

Refinado, gentil, vago e imaginativo, talvez você seja um sonhador que muda de planos e de ideias conforme o humor e viva em um mundo de fantasia. Não se enxerga claramente, nem os outros o veem como realmente é. Você parece ser glamoroso, misterioso, atraente e carismático e, como um camaleão, muda de comportamento e aparência. Com bons aspectos, vai usar a forte imaginação em empreendimentos artísticos. Com aspectos difíceis, sua imaginação poderá minar suas energias, torná-lo sujeito a experiências estranhas e ocasionar doenças de difícil diagnóstico.

Robert Louis Stevenson, autor de O Médico e o Monstro; *Robert E. Sherwood, escritor de discursos, quatro vezes vencedor do Prêmio Pulitzer, o dramaturgo; Françoise Sagan, dramaturga e autora francesa que escreveu sobre seu vício em morfina após um acidente de carro; Ava Gardner, a bela e carismática atriz.*

NETUNO NA CASA 2
palavra-chave *não prático*

Você precisa ser muito honesto consigo mesmo ou com os outros ou terá problemas financeiros. Seu discernimento financeiro nem sempre é bom, e você deve evitar situações financeiras complicadas ou compras a crédito, porque a tendência do dinheiro é escorregar entre seus dedos. Adora o luxo, mas é idealista em relação às posses materiais. Com aspectos desfavoráveis, tende a ser uma presa fácil para esquemas de fazer dinheiro rápido. Se usada positivamente, essa energia poderá trazer dinheiro através da arte, do caminho espiritual ou de outros campos em que possa usar toda sua compaixão.

Judy Collins, cantora folk, guitarrista, ativista social e autora; Peter Hurkos, após sofrer uma queda e ficar inconsciente por três dias, descobriu que era médium e psicometrista; Ezra Pound, poeta, ensaísta, crítico, acusado de fascismo e indiciado por traição; Lance Ito, juiz do julgamento de O. J. Simpson.

NETUNO NA CASA 3
palavra-chave *persuasivo*

Você é intuitivo, imaginativo, tende a sonhar acordado e precisa aprender a se concentrar. Pintar, esculpir, escrever, dançar, cantar, compor, atuar ou dirigir são excelentes canais de expressão. Se for escritor, talvez use um codinome ou um pseudônimo. Devido a possíveis problemas na casa dos pais, pode ser que viva com um parente ou tenha irmãos adotivos. Com Mercúrio ou Urano fortes, você pode ser produtivo em áreas como vendas, redação ou atuação, ou ser vigarista. Com aspectos desfavoráveis, sua mente poderá ser vaga, e você poderá não ser muito acadêmico; ou os parentes poderão não compreendê-lo.

Carl G. Jung, fundador da moderna psicologia profunda; Lily Tomlin, atriz, feminista, vencedora do Tony, autora e comediante; Antal Dorati, húngaro-americano, maestro, compositor de classe mundial; Vivien Leigh, atriz britânica, fada, bela, ganhadora do Oscar e maníaco--depressiva.

NETUNO NA CASA 4
palavra-chave ***pesquisador***

Sua atitude em relação aos pais e ao lar é geralmente bastante idealista. Às vezes, você os vê como perfeitos em vez de humanos. Pode haver também segredos dos quais a família se envergonha, como um pai alcoólatra; ou você pode ficar confuso em relação à sua identidade; ou talvez você tenha sido adotado ou crescido com pais adotivos. Muitas vezes, pessoas com Netuno na quarta casa não querem se lembrar da infância. As artes, especialmente a música, podem acalmar seu sistema nervoso. Também seria aconselhável passar um tempo sozinho para encontrar a paz interior. Na verdade, sua casa pode ser um santuário. Com aspectos desafiadores, você pode se tornar um ser errante e não se sentir em casa em parte alguma.

Gerald Ford, advogado, adotado pelo padrasto, vice-presidente no governo de Nixon, 38º presidente dos EUA; Jack Kemp, jogador de futebol, membro do gabinete de Bush, congressista, candidato do Partido Republicano à vice-presidência; Johnny Depp, ator de cinema e TV, co-proprietário do clube "Viper Room" de Los Angeles; Cheryl Tiegs, capa de centenas de revistas, supermodelo e designer de roupas esportivas.

NETUNO NA CASA 5
palavra-chave *criativo*

Romântico, especulativo e com rico potencial criativo, você tende a dramatizar as situações e a idealizar exageradamente as pessoas que ama. Essa é uma ótima colocação para atores, músicos e pintores. Sua abordagem da vida é jovial, até infantil, e o romance e os casos amorosos são importantes para você. Pode ser que ame alguém que não seja livre. Com aspectos desfavoráveis, você poderá se sacrificar pelos filhos, passar por uma gravidez indesejada e dar a criança para adoção ou sofrer um aborto. Como não compreende os filhos com clareza, eles facilmente se aproveitam de você.

Dionne Warwick, cantora de pop e blues, cinco vezes ganhadora do Grammy, agora ativa na rede psíquica; Charles Boyer, ator francês, o mais romântico dos homens, suicidou-se após a morte da esposa; Henri Toulouse Lautrec, artista, criador de pôsteres, abusador de absinto; Prosper Merimee, autor francês mais conhecido da história que inspirou a ópera "Carmen", de Bizet.

NETUNO NA CASA 6
palavra-chave *inspirado*

A menos que Marte seja forte, você tende à ociosidade ou a se deixar levar por hábitos diários. É possível ter também dificuldades para decidir que tipo de trabalho combina com você. Com Netuno na casa 6, suas doenças podem ser de difícil diagnóstico. Sensível e predisposto a alergias, você deve tomar cuidado com todo tipo de remédios e drogas. É sensato obter uma segunda opinião ao buscar ajuda médica. Este é um bom posicionamento para médicos, enfermeiros, psiquiatras e humanitários, e pode brindá-lo com humor poético. Por se sentir feliz sozinho, momentos ocasionais de solidão podem ser benéficos para você.

Carol Burnett, atriz da TV, pais alcoólatras, criada com a meia-irmã mais nova, comediante; Dietrich Barfurth, médica, anatomista e pesquisadora genética alemã; Manuel de Falla, compositor, pianista espanhol de "El Amor Brujo"; Elisabeth Kübler-Ross, psiquiatra, especialista no processo "morte e morrer".

NETUNO NA CASA 7
palavra-chave *irrealista*

Como você é vulnerável às influências dos outros, a escolha do parceiro é muito importante, uma vez que não se compreendem claramente. Pode ter ligações socialmente inaceitáveis ou se apaixonar loucamente e fugir. Com Netuno nessa casa, você tende a colocar o parceiro em um pedestal e então acordar para enfrentar a realidade e ir ao outro extremo, empurrando-o para fora do lugar de destaque. Se houver aspectos desfavoráveis, fique longe de problemas legais e leia atentamente qualquer tipo de contrato que for assinar. Esse posicionamento de Netuno, às vezes, indica casamento ou associação com alguém deficiente.

Rainha Elizabeth II, casada com o príncipe Philip da Grécia, ascendeu ao trono em 1947; Eugen Jochum, fundou a Orquestra Sinfônica da Rádio Bávara, maestro alemão; Jacques Chirac, ex-prefeito de Paris, presidente francês; Rainer Fassbinder, diretor bizarro e angustiado de palco, filme e TV.

NETUNO NA CASA 8
palavra-chave *pesquisador da alma*

Você é receptivo, intuitivo e possivelmente psíquico. Há tendência a ter sonhos estranhos, pesadelos ou insônia. Sua morte pode sobrevir durante o sono ou quando estiver sob anestesia. Pode ser que o parceiro seja perdulário e que as finanças do casal precisem ser controladas. Tenha cuidado com a hipnose porque você é facilmente sugestionável. Netuno nessa casa lhe dá misterioso carisma, que o ajuda a conseguir o apoio dos outros; portanto, muitos políticos têm essa colocação. Aspectos desafiadores podem conduzir à depressão e ao uso de drogas ou álcool. Sempre que uma cirurgia for recomendada, não se esqueça de obter uma segunda ou terceira opinião médica.

Sean Connery, escocês e carismático "Agente 007", também conhecido como James Bond, ator; Hal Holbrook, ator de teatro, cinema e televisão; Pat Nixon, esposa, primeira-dama, gentil, solidária e política; Alberto Anastasia, chefe italiano da Máfia, gângster e vítima de assassinato.

NETUNO NA CASA 9
palavra-chave *intelectual*

Tolerante na perspectiva religiosa e filosófica, intuitivo e impressionável, você tende a se interessar por programas educacionais, a ajudar os desfavorecidos e a trabalhar por reformas sociais. Interessa-se por qualquer tipo de aprendizado, se dá bem com estrangeiros, adora viajar e tem aptidão para línguas estrangeiras. Sua imaginação talvez seja ilimitada, e se os aspectos de Netuno não forem bem trabalhados você poderá não ter praticidade e negligenciar sua educação.

Sarah Vaughan, vencedora do Emmy com o álbum "The Divine Sarah", a notável cantora de jazz cuja extensão cobre quatro oitavas; Nelson Rockefeller, de família célebre, ávido colecionador de artes e capitalista vice-presidente; Joel Gray, vencedor do Oscar, cantor, dançarino e artista; John Glenn, primeiro estadunidense a orbitar a Terra, astronauta e senador.

NETUNO NA CASA 10
palavra-chave *idealista*

"Glamour" é a palavra-chave para Netuno na décima casa, seja por meio do fascínio das estrelas do teatro ou do cinema, do brilho da realeza ou do carisma de uma grande figura do esporte. Você pode ter ambições maiores do que realmente consegue realizar, ou o mundo pode não lhe dar crédito pelo seu trabalho. Sua disposição tende a ser idealista. Seus pais nem sempre podem ajudá-lo; o que quer que consiga, será por conta própria. Em geral, você demonstra bom senso intuitivo para o que se passa ao redor e pode ser diplomata. Com aspectos desafiadores, você pode ser atormentado por dúvidas.

William Inge, dramaturgo de sucesso de "Bus Stop", ator, crítico e suicida; James Caan, ator de teatro, cinema e televisão, diretor e dono de restaurante; Jamie Lee Curtis, atriz de cinema e televisão, filha de Janet Leigh e Tony Curtis; Ernest Gallo, irmão do empresário milionário, o vinicultor.

NETUNO NA CASA 11
palavra-chave *quixotesco*

Você vai da sociabilidade indiscriminada ao comportamento quase antissocial. Associa-se com todo tipo de gente estranha ou pode ser o amigo perfeito que está sempre pronto a ajudar os necessitados.

Sonha alto, e seus pressentimentos quase sempre estão corretos. É generoso por natureza, mas com aspectos desfavoráveis pode ser maquinador ou conspirador. Tende a sofrer decepções por parte de amigos e associados.

Woody Herman, cinquenta anos de carreira, compositor, líder de banda e saxofonista; Richard M. Nixon, 37º presidente dos EUA, renunciou após o escândalo "Watergate"; sir Anthony Eden, secretário britânico do exterior, substituiu Neville Chamberlain como primeiro-ministro; Graham Nash, músico, guitarrista, cantor de Crosby, Stills & Nash.

NETUNO NA CASA 12

palavra-chave *estético*   dignidade acidental

Embora geralmente intuitivo e sintonizado com o inconsciente, às vezes você se engana e pode sofrer com a sensação de que está confinado. É artístico e tem talento para a dança. Este posicionamento é excelente para médicos, enfermeiros e para trabalho em hospitais, grandes instituições ou com pessoas deficientes. Apesar da necessidade de ajudar os outros, sofre de profunda solidão. Pessoas com Netuno na décima segunda casa geralmente se beneficiam de exercícios como yoga ou meditação, ou qualquer outra forma de olhar para dentro e ficar em paz consigo mesmo.

S. Paul Ehrlich Jr., representante dos EUA na "Organização Mundial da Saúde", médico; Lysian Bonnafous, psiquiatra francês, devido a problemas de demência matou a família e suicidou-se; Shirley MacLaine, dançarina metafísica entusiasta, autora e atriz; Arthur Schlesinger, ex-agente OSS, duas vezes ganhador do prêmio Pulitzer, professor de Harvard, historiador e autor.

Aspectos de Netuno

ASPECTOS DE NETUNO COM PLUTÃO – Netuno e Plutão trabalhando juntos

Netuno fez alguns aspectos com Plutão desde a descoberta de cada um deles. A conjunção ocorreu no fim do século XIX, antes mesmo de Plutão ser descoberto, e esses dois planetas lentos não se encontrarão novamente nos próximos quinhentos anos. Na verdade, como ambos se movem a uma velocidade semelhante, apenas um aspecto prevaleceu durante grande parte do século XX: o sextil, aproximadamente de 1943 a 1999. Após esse ciclo de cinquenta anos ou mais, Netuno e Plutão não estarão em sextil um com o outro por outros quinhentos anos.

A primeira quadratura de Netuno com Plutão será de 2058 a 2068; o primeiro trígono de 2085 a 2093, e novamente cem anos depois (de 2190 a 2275) outro trígono de longa duração. O primeiro quincunce ocorrerá de 2109 a 2119 e, novamente, de 2160 a 2170. Netuno estará em oposição a Plutão de 2135 a 2143. A principal razão para esse padrão de aspecto estranhamente irregular é, sem dúvida, a órbita e velocidade erráticas de Plutão.

Obviamente, esse sextil de meio século só pode ser interpretado de forma coletiva e não pessoal, assim como os aspectos futuros entre esses dois planetas, pois durarão muitos anos. Como tantos milhões de pessoas vivas têm sextil, olhe a posição de Netuno por casa para ter compreensão mais pessoal, bem como para as casas regidas por Netuno (Peixes na cúspide) e Plutão (Escorpião na cúspide). Mas tente entender, sobretudo, como Netuno e Plutão, de fato, trabalham juntos.

Pense nos pântanos e nas "águas turvas", ou em qualquer corpo de água (Netuno) em que você não pode ver o fundo (característica subterrânea ou oculta de Plutão). Netuno adora sonhar, idealizar, costurar com fios de ouro qualquer coisa para torná-la bonita, brilhante ou resplandecente. Plutão prefere agitar os nichos mais profundos e escuros e turvar a água, ou descobrir segredos ainda não encontrados.

Na melhor das hipóteses, essa combinação pode tocar fundo no próprio inconsciente ou na mente inconsciente e trazer à tona o anseio de criatividade e capacidade de transformar a vida monótona diária na própria idade de ouro. Quando não é usada de forma positiva, a água já turva pode se tornar ainda mais turva, quando Netuno "coloca os óculos cor-de-rosa" e tudo parece utópico.

Quando a necessidade de controle de Plutão se encontra com os muitos obstáculos netunianos a superar, o desejo de escapar é maior que o de evoluir e crescer. Lembre-se de que a Astrologia é baseada em milhares de anos de conhecimento empírico, mas Netuno só está em nossa consciência desde 1846 e ainda não completou o próprio ciclo; menos tempo foi ainda concedido à avaliação do significado de Plutão. Portanto, comece a observar cuidadosamente, por si mesmo, e mantenha notas, porque tudo o que sabemos é tirado de nossos próprios arquivos de alunos, clientes, amigos e familiares, bem como das grandes amostras de pessoas famosas de cujos dados dispomos.

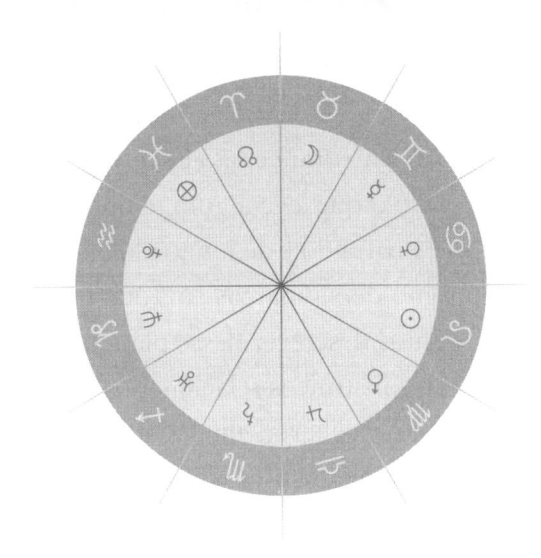

Módulo 17: Plutão

Algumas observações gerais a respeito de Plutão

Só resta um planeta para estudar: o pequeno e poderoso Plutão. Plutão é o planeta mais afastado do Sol e muito pequeno para ser visto a olho nu. Descoberto em 18 de fevereiro de 1930, por Clyde Tombaugh, no Arizona, conforme previsto por Percival Lowell, Plutão é muito difícil de ser fotografado com os poderosos telescópios modernos, e só depois que o telescópio espacial "Hubble" tirou fotos os pesquisadores foram capazes de confirmar o que suspeitavam: que o pequeno 'anão gelado' era um desajustado entre a família dos planetas. Em março de 1996, os cientistas estabeleceram que Plutão tem todas as propriedades, incluindo uma Lua, que o identifica mais como um planeta que com um cometa ou asteroide.

A órbita de Plutão é a mais excêntrica do nosso Sistema Solar; no periélio, com maior proximidade do Sol, está mais próximo do Sol que Netuno. É também o mais lento entre os planetas. Leva aproximadamente 248 anos para viajar pelo zodíaco; ficou 32 anos em Touro, o signo de seu detrimento, e 12 anos em Escorpião, o signo de sua dignidade. Plutão é o terceiro dos planetas **transcendentais**. Como seu movimento é lento e ele está muito distante da Terra, sua influência é abstrata e não é sentida de pronto pelo indivíduo. Porém, como tudo o que leva algum tempo para se desenvolver, o impacto de Plutão é profundo e de longo alcance. A entrada desse planeta em um novo signo deixa marcas em toda uma geração.

Vamos descrever desse planeta com brevidade alguns dos acontecimentos históricos relacionados a Plutão em cada signo que ocupou desde sua descoberta, em 1930. Como Plutão é efetivamente um planeta geracional, seu movimento de um para outro signo significa o início de uma nova geração. A posição de Netuno por casa, a casa que rege e os aspectos que faz com planetas pessoais e/ou sociais dizem mais sobre o nativo que sua posição por signo, pois indicam o papel que você está destinado a desempenhar.

Pelo fato de Plutão ser ainda tão "novo" como nossa experiência com ele, temos que ter cuidado sobre quão realmente sabemos a respeito do conhecimento empírico *versus* o que estamos aprendendo aos poucos. A cada ano, nos tornamos mais conscientes, e, quando Plutão retornar ao signo de Câncer, onde foi descoberto pela primeira vez, deveremos saber muito mais.

A comunidade astrológica mundial ainda não decidiu se Plutão é o único regente de Escorpião ou se Marte deveria ser um corregente ou sub-regente. Estamos quase convencidos de que Plutão rege Escorpião em nível geral, enquanto Marte ainda tem jurisdição em nível pessoal; mas isso está mudando à medida que vemos Plutão atuando por meio de vários signos. Ao ler outros livros de Astrologia, em especial alguns dos mais antigos, não se surpreenda ao encontrar todos os tipos de controvérsias a respeito de Plutão. A comunidade astrológica, por exemplo, ainda não decidiu qual glifo usar para Plutão. Será o ♇ parecido com um "PL", significando Plutão ou Percival Lowell, o nome do descobridor? Ou usamos ♀, glifo parecido com Netuno, sem as três pontas, e com um pequeno círculo flutuando acima? Ou será como os europeus vêm adotando: o glifo de Áries com uma linha passando por ele, ou muitos outros glifos possíveis? No século XXII, com Plutão em Câncer novamente, todas essas respostas deverão ser resolvidas. Aqui está um pouco do que sabemos.

Plutão representa os impulsos de reforma e destruição. Rege o inconsciente mais profundo e, pelo fato de incorporar os princípios de transformação e regeneração, pode construir uma ponte entre os mundos espiritual e material. Sua necessidade de estar no controle beira a compulsão.

Seu pano de fundo mitológico é rico em diversidade. Os outros planetas têm características masculinas ou femininas definitivas: Vênus é feminina, assim como a Lua e Netuno; o Sol, Marte e Júpiter são masculinos; Saturno é considerado feminino por signo (Capricórnio) e geralmente visto como masculino na interpretação como pai e figura de autoridade; Mercúrio é considerado andrógino. Plutão, por outro lado, é conhecido como um deus masculino quando chamado Plutão/Hades, mas também como a "filha" de Cronos/Saturno e "mãe" de Tantalos. "Confuso" ou "esclarecedor", você pode pensar se tentar compreender melhor a complexidade desse pequeno planeta estranho.

Plutão/Hades é conhecido como o deus do submundo, temido, mas respeitado. Também pode se esconder sob um capacete especial e se tornar "invisível", o que, do ponto de vista astrológico, traduzimos como a necessidade de privacidade de Plutão ou o desejo de pertencer a algum submundo ou grupo clandestino (CIA, Máfia). Como Plutão, deus do submundo, tentou a amada a experimentar uma romã (o "fruto proibido"), ela ficou ligada a ele para sempre; relacionamos astrologicamente as conotações fortemente sexuais de Plutão aos impulsos sexuais que parecem irromper de profundezas desconhecidas dentro de nós. Paixões e desejos intensos são, em definitivo, traços plutonianos.

Como Rei do Submundo, Plutão mostra outra tendência astrológica importante: a necessidade de julgar os outros para exercer poder e estar no controle. Outra descrição mitológica nos diz que a palavra "Plutão" significa, literalmente, "riquezas", bem como "excedente" e "tesouros". Essa identificação com o dinheiro pode, astrologicamente falando, ser vista, com facilidade, em mapas com um Plutão (ou casa 8 – reino de Plutão) proeminente. Pessoas interessadas em esquemas financeiros altos são as que ganham muito dinheiro – ou plutocratas. Então aí está Plutão em suas muitas fases e faces.

Depois de estudar este módulo, analise o Plutão de Jane Fonda e confira nossas respostas no Apêndice, na página 466.

Plutão nos signos

Em vez de Áries, começaremos com Plutão em Câncer, o signo em que Plutão estava quando foi descoberto em 18 de fevereiro de 1930.

♇ ♋ PLUTÃO EM CÂNCER (1913-1938)
palavra-chave *sublevação*

Como se o mundo estivesse se preparando para o surgimento de Plutão, muitas descobertas levaram à divisão do átomo: a Mecânica Quântica de Bohr, em 1913; A Teoria da Relatividade de Einstein, em 1915; e a Colisão do Átomo de Rutherford, em 1918. Após o "aparecimento" de Plutão, o cíclotron e o nêutron foram descobertos em 1930 e 1932, ambos necessários para a liberação de energia atômica. Foi uma época de novos conceitos na geopolítica, desde o *New Deal* dos estadunidenses até o fascismo, o nazismo e o comunismo, bem como a emancipação das mulheres, com a primeira mulher a ser membro de gabinete, o desnudamento de pernas e joelhos e até um voo solo de avião feito por uma mulher – Amelia Earhart.

O surgimento de Plutão em 1930, em Câncer, minou a necessidade do canceriano de segurança (a quebra do mercado de ações), e todo o mundo teve que aprender a se relacionar se quisesse sobreviver. No entanto, em um mapa pessoal, também pode ter despertado sentimentos de ressentimento e até hostilidade, dependendo de como você lida com os aspectos de Plutão. Onde você o encontra no mapa existe complexidade; é onde terá que resolver problemas sozinho.

Manuel Noriega, ditador militar deposto do Panamá, acusado de tráfico de drogas; Glenda Jackson, atriz britânica de TV, palco e cinema, vencedora do Emmy e do Oscar, política, primeira-ministra do trabalho; Charles Manson, líder da "família" de errantes, assassino; Glenn Yarbrough, arranjador, cantor folclórico de música country, guitarrista.

♇ ♌ PLUTÃO EM LEÃO (1938-1957)
palavra-chave *poder*

Foi a época da Segunda Guerra Mundial, da explosão da primeira bomba (Plutão rege o poder atômico); de ditaduras em muitas partes do mundo; dos adolescentes assumindo seu lugar na televisão, que se tornou acessível a todos ao toque de um botão. A geração com Plutão em Leão expressa autoconfiança e grande senso de autoridade, capacidade para os negócios e potencial para promover os interesses das massas. Também pode levar à exploração sexual ou ao gozo do que costumava ser considerado prazeres "perversos". Dependendo dos aspectos de Plutão e da localização por casa, também traz à tona o desejo de governar ou dominar.

Joe Namath, um dos jogadores de futebol mais ricos e mais famosos; Jose Feliciano, cego desde o nascimento, cantor e guitarrista; Peter Fonda, jovem problemático, foi preso, ator de palco e cinema, filho de Henry; Martha Stewart, autora, personalidade de TV e consultora de estilo de vida.

♇ ♍ PLUTÃO EM VIRGEM (1957-1971)
palavra-chave *desenvolvimento técnico*

Esse período marcou enormes mudanças no trabalho e na industrialização. Os computadores conquistaram seu lugar, o que mudou por completo os padrões trabalhistas. Novas descobertas médicas (como o transplante de coração) revolucionaram a prática da medicina; a pílula anticoncepcional mudou nossa atitude em relação ao sexo. A compreensão dos perigos inerentes dos aditivos nos alimentos trouxe o retorno à alimentação natural, bem como o movimento ecológico inaugurado pelo livro de Rachel Carson, *Silent Spring* (*Primavera Silenciosa*). Essa foi a época das greves de professores e alunos e das reivindicações de oportunidades iguais pelas minorias raciais (incluindo o confronto em "Little Rock"). Esse período também trouxe os primeiros voos espaciais tripulados e, é claro, o "Woodstock" – acontecimento real que mostrou a diferença de gerações entre os jovens e seus pais.

A geração com Plutão em Virgem mostra criatividade, técnica e características perfeccionistas em áreas como medicina, psiquiatria e negócios. Dependendo dos aspectos e da posição por casa, alguns podem ser bastante puritanos e excessivamente críticos.

Madonna, artista/símbolo sexual/cantora/compositora/atriz; Randy Travis, cantor/musicista/superastro/ganhador de múltiplos prêmios de música country; Marla Maples, modelo/atriz/segunda esposa de Donald Trump; Nicolas Cage, ator intenso/vencedor do Oscar.

♇ ♎ PLUTÃO EM LIBRA (1971-1983)
palavra-chave *instintos sociais*

Este posicionamento traz novas abordagens do casamento e da coabitação, proliferação de lares monoparentais, experimentais (não necessariamente bem-sucedidos) e reformas de penitenciárias. Houve também novos debates sobre a liberdade de imprensa. Essa foi a época da primeira fertilização *in vitro*; da decisão da Suprema Corte sobre Roe *versus* Wade, onde um Estado não pode impedir que uma mulher faça aborto; do Watergate, bem como dos "encanadores" da Casa Branca (que apelido plutoniano bem adequado!), e o subsequente *impeachment* do presidente Nixon, bem como de Ronald Reagan, à presidência.

Se você nasceu com Plutão em Libra, para estabelecer o que considera ser harmonia, você manipula estrategicamente as situações. Seu senso inato de beleza pode ser frustrado pelo impulso intenso e quase obsessivo de Plutão para o sucesso. Atitudes sexuais mudaram drasticamente devido à qualidade inata de Libra de "vamos fazer amor à luz de velas" encontrando a necessidade luxuriosa de Plutão de fazer sexo. Considerando que o sentido de justiça e os instintos sociais de Libra são bem desenvolvidos, o desejo de Plutão de estar no controle torna difícil a reconciliação entre esses pontos de vista opostos.

Michael T. P. Chang, campeão de tênis/homem mais jovem a vencer o Aberto da França; Monica Seles, outra campeão de tênis/esfaqueada por fã irada; Drew Barrymore, de família notável/atriz de TV/atriz-mirim/em recuperação de drogas e álcool; Louise Brown, primeiro bebê de proveta do mundo/a britânica.

♇ ♏ PLUTÃO EM ESCORPIÃO (1983-1995)
palavra-chave **Redenção** dignidade

A maioria dos astrólogos acha que a entrada de Plutão no próprio signo, Escorpião, vai provocar tremendas mudanças e reviravoltas; na verdade, alguns pensam que pode ser o verdadeiro início da Era de Aquário; outros assinalam o Armagedom previsto na Bíblia. Quando escrevemos a primeira edição deste livro (em 1979), consideramos que haveria muitas reformas empresariais e monetárias, abordagens médicas inovadoras e talvez um ressurgimento da cura natural.

Não nos extraviamos tanto quanto alguns de nossos colegas em relação ao Armagedom ou ao início da Era de Aquário (que ninguém parece realmente saber se começou ou quando vai começar), e tem havido algumas reformas financeiras e monetárias, bem como o reconhecimento do valor da cura natural e de produtos naturais – mas perdemos totalmente a essência da mistura de Plutão e Escorpião – isto, o sexo e a transformação exigida por Plutão. Estamos falando, é claro, da aids, da devastação causada em todo o mundo, do número de pessoas que já morreu e das que ainda podem morrer, em especial em países subdesenvolvidos – quantas mudanças ocorreram nos costumes e hábitos sexuais e quantas mudanças mais precisam ocorrer para acabar com essa terrível epidemia.

Acontecimentos importantes durante a passagem de Plutão por Escorpião incluem: o acordo final entre os veterinários do Vietnã e sete empresas de produtos químicos em relação ao herbicida "Agente Laranja"; o amor de Plutão por "muito dinheiro", infelizmente, aumentou quando o presidente Ronald Reagan produziu o primeiro orçamento de trilhões de dólares do país. Religião e política novamente formaram uma aliança incômoda. Seguiu-se o crescimento da riqueza do petróleo árabe pelo ressurgimento da fé muçulmana em todo o mundo; muitos outros países tiveram os próprios problemas religiosos que vieram à tona; as demandas do capitalismo e do terrorismo se tornaram o clamor mais popular em países como China e o continente africano, onde o *apartheid* foi finalmente derrubado. O terrorismo internacional tornou-se mais prevalente, incluindo, pela primeira vez, incidentes nos Estados Unidos.

Pessoas com esse posicionamento, dependendo da posição da casa e dos aspectos, têm certa intensidade em relação à vida, ao sexo, ao amor e à busca da felicidade. Elas parecem ser sensíveis ao ambiente, intrigadas com o misterioso e mais que prontas para explorar o que não é necessariamente óbvio. Parece haver uma tendência global a resolver mais disputas pela violência que pela razão. Nos Estados Unidos, a posse de armas parece ter explodido em matança desenfreada, e o restante do mundo parece ter desistido da chamada civilidade pela força.

Esperançosamente, o trânsito de Plutão através de Sagitário trará uma reversão dessa tendência.

Aqueles nascidos desde 1983, quando Plutão entrou pela primeira vez em Escorpião, ainda são muito jovens não podemos julgar seu padrão de comportamento adulto, mas aqui estão algumas crianças que mantiveram nossa atenção momentânea:

Athina Roussel-Onassis, a mulher mais rica do mundo/herdeira; Jéssica Dubroff, criança aviadora/vítima de acidente aos 7 anos; príncipe Harry da Inglaterra, segundo filho de Charles e Diana; Kim Wai Young, criança prodígio/presidente da classe no ensino médio aos 10 anos.

♇ ♐ PLUTÃO EM SAGITÁRIO (1995-2008)
palavra-chave *reforma*

Durante esse período, Plutão estará em Sagitário pela primeira vez desde sua descoberta em 1930. Esperamos que seja uma era de grande aprendizado (Sagitário identifica-se com a nona casa de ensino superior e princípios), que trará consigo uma nova abordagem da religião; contudo, ao observar Plutão nos mais de sessenta anos de existência, notamos que seu modo arquetípico causa mais problemas que soluções. A consciência de massa sempre funciona no menor denominador comum: estímulo a fim de provocar mudanças parece ser o *modus operandi* de Plutão para a população, enquanto os indivíduos têm uma chance melhor de se transformar lentamente. Portanto, esta era pode facilmente nos mostrar nossas diferenças religiosas, nos separando ainda mais que agora. Parece haver um anseio generalizado de reencontrar valores fundamentais que, é claro, incluem conceitos religiosos e morais. Indivíduos com essa colocação podem demonstrar grande necessidade de liberdade pessoal, perspectiva filosófica e muito entusiasmo.

Não estamos delineando Plutão pelo restante do zodíaco porque não o observamos lá. Plutão estará em Capricórnio de 2008 a 2024, em Aquário de 2024 a 2044, em Peixes de 2043 a 2067, em Áries de 2066 a 2094, em Touro 2095 a 2129, em Gêmeos de 2129 a 2159 e volta finalmente a Câncer de 2159 a 2185.*

Plutão nas casas

PLUTÃO NA CASA 1
palavra-chave *empenhado*

Este é um posicionamento forte, e você é alguém a ser levado em consideração. É criativo, mas pode ter personalidade dupla e não fazer nada pela metade. Forte, resistente e robusto, embora tenha alguma tendência a ter infecções, geralmente se recupera com rapidez. É enérgico; sua personalidade é atraente, e, muitas vezes, você almeja o poder. Seu ego é forte, e você mostra muitas faces ao mundo: meditativo, inquieto, enérgico, apaixonado. Com aspectos desfavoráveis, tende a vivenciar a ausência de direcionamento e a parecer contestador,

---

* As previsões e análises interpretativas de mapas natais e períodos históricos foram feitas até 2008. Por isso, não foram fornecidas análises nem exemplos de nativos com Plutão em Sagitário em diante. (N. da P.)

incapaz de cooperar e antipático, a menos que tenha um Ascendente amigável, como Libra ou Gêmeos.

David Frost, entrevistador e personalidade sagaz; Eldridge Cleaver, o Pantera Negra, autor, revolucionário, preso por estupro; Robert de Niro, diretor e ator vencedor do Oscar, retratador de personagens sombrios (plutonianos); Barbara Jordan, professora, advogada, primeira mulher negra no Senado, congressista do Texas.

PLUTÃO NA CASA 2
palavra-chave *incansável*

Você é capaz de transformar passivos em ativos; pode ser que tenha várias fontes de renda. Muitas vezes a riqueza vem de forma surpreendente, e, com sua astuta habilidade financeira, você a maneja bem. Como quer adquirir posses materiais, precisa tomar cuidado para não tratar as pessoas amadas como se fossem propriedade. Este é um posicionamento favorável para lidar com impostos, monopólios, finanças de empresas e bancos. Plutão na casa 2 é encontrado com frequência nos mapas de milionários. Usado incorretamente, você pode ser cobiçoso e avarento, e é capaz de rebaixar-se ao máximo para obter vantagens financeiras ou políticas.

Larry Flynt, editor da revista pornográfica "Hustler", paralisado e "nascido de novo"; Russel Clark e Kenneth Green, motoristas de caminhão que ganharam vários milhões na loteria; Marisa Berenson, modelo elegante, membro de elite da sociedade e atriz.

PLUTÃO NA CASA 3
palavra-chave *futurista*

Suas atitudes mentais nunca são indiferentes, e você sente necessidade de berrar para ser ouvido, seja falando, escrevendo, declamando ou discursando. Este posicionamento pode ocasionar relacionamento fora do comum com irmãos. Embora essa colocação de Plutão apareça frequentemente no mapa de pessoas que deixaram a escola, a educação é importante para você, que a conseguirá a qualquer custo. Com talento para linguagem poderosa, pode ser hábil em propaganda ou em alguma forma de escrita persuasiva. Forçado com frequência a tomar nota de suas falhas ou deficiências, você pode se ver fazendo mudanças drásticas em algum momento da vida. Com aspectos muito fortes, talvez sofra a perda de irmãos, tenha problemas com vizinhos ou dificuldades mentais.

Charlie Pride, primeiro astro negro de música country, ex-jogador de beisebol do Red Sox e cantor; Kathleen Battle, coloratura suprema, bela, difícil de trabalhar, demitida da Metropolitan Opera; Marianne Williamson, autora, ganhou milhões com o livro Um Curso em Milagres, *Erica Jong; autora best-seller.*

PLUTÃO NA CASA 4
palavra-chave *complexo*

O lar é um ponto focal em sua vida, e você precisa ter sua autoridade reconhecida nele. Pode haver algo incomum sobre o histórico de sua família – possivelmente a perda precoce de um dos pais ou um pai ditatorial que queria manipular sua vida. Muitas vezes, você decide trabalhar em casa ou torná-la, de alguma forma, sua sede. Essa é, com frequência, a assinatura de pessoas que estão dispostas a se sacrificar pela família, pela comunidade ou pelo país. Muitos de nossos clientes com Plutão na casa 4 em Leão têm Escorpião na cúspide da casa 7, portanto exigem autoridade tanto "em casa" quanto nas parcerias – nem sempre a posição mais fácil. Com aspectos desfavoráveis, você poderá se sentir profundamente rebelde em relação aos valores estabelecidos e até se isolar da sociedade.

Christina Onassis, a "pobre menina rica" que teve um casamento fracassado e possivelmente cometeu suicídio; Julian Bond, político, senador estadual, ativista dos direitos civis, poeta e autor; Christa McAuliffe, primeira viajante espacial não pertencente à Nasa, morreu na explosão do Challenger, professora; Wayne Robbit, apareceu no noticiário por ter o pênis cortado pela irada esposa.

PLUTÃO NA CASA 5
palavra-chave **desafiador**

Você tem amor inato pelo jogo e está disposto a assumir riscos emocionais ou financeiros. Muitas vezes, é capaz de obter altos lucros por causa da ousadia. Com forte erotismo, o sexo pode ser uma força motivadora na vida, ou você pode tomar a direção oposta e ser completamente assexuado ou celibatário. Plutão neste posicionamento complica seu equilíbrio emocional; você precisa achar um canal para dar vazão à criatividade. Com aspectos desafiadores, pode ser extremamente possessivo em relação a quem ama e haver problemas na geração de filhos.

Mikhail Gorbachev, ex-premiê soviético que liderou a democratização da Rússia; Robin Knox-Johnston, aventureiro britânico, primeira pessoa a velejar sozinha ao redor do mundo; Zubin Mehta, músico e maestro da Filarmônica de Israel; Mary Tyler Moore, teve uma vida pessoal difícil, alcoólatra recuperada, produtora e atriz de palco, TV e cinema.

PLUTÃO NA CASA 6
palavra-chave **pesquisador**

Individualista ao extremo, você não tem medo de se oferecer para ajudar os outros e pode se engajar nas artes curativas ou no fornecimento de gêneros alimentícios. Pode ser que acredite ter uma missão predeterminada na vida. Sente profunda necessidade de servir à humanidade, de pesquisar ou de trabalhar em prol da ciência. Com Plutão na casa 6, sua saúde tende a ser complicada, com a presença de constipações, crescimentos anormais ou tumores; durante a adolescência, pode haver problemas de acne. A não ser que canalize adequadamente suas energias, se tornará hipocondríaco e correrá de um médico para outro. Ou, ao contrário, controlará os problemas de saúde e as dores a ponto de nunca ver um médico. Onde quer que Plutão esteja em seu mapa, você precisa estar no controle. Convém encontrar o tipo de trabalho no qual possa escolher o próprio horário e, de alguma forma, encontrar maneiras de se manter sempre produtivo.

Sylvia Kars, fundadora do "Discovery Institute", terapeuta sexual; Louis Freeh, advogado, juiz, funcionário do governo e diretor do FBI; Roger Windsor, conselheiro macrobiótico, psicoterapeuta e editor da revista holística "Spectrum"; Germaine Greer, autora de "The Female Eunuch", educadora, feminista e jornalista.

PLUTÃO NA CASA 7
palavra-chave *circunstancial*

Você é dinâmico, magnético e temperamental. Suas atividades afetam-no tanto quanto afetam os outros. Seu parceiro pode ter uma religião ou antecedentes culturais diferentes dos seus, o que vai demandar ajustes na parceria. A necessidade de controle pode causar transtornos nos relacionamentos pessoais, porque os outros preferem uma situação de igualdade em vez de ter de lidar com alguém que quer estar sempre no comando. Quando a intensidade de Plutão é usada de maneira positiva, você pode ser pioneiro no trabalho. Este posicionamento tende a trazer problemas legais; a falta de diplomacia pode fazer muitos inimigos.

Senador Ted Kennedy, de família notável, envolvido no incidente "Chappaquiddick" e político capaz; Rupert Murdoch, empresário australiano, magnata da mídia, editor de jornal; Camilla Veroni, italiana, missionária, aviadora, freira católica romana; Joseph Wambaugh, detetive da polícia de Los Angeles nos anos 1960, roteirista e romancista realista.

PLUTÃO NA CASA 8

palavra-chave *investigador* dignidade acidental

Como esta é a casa natural de Plutão, pensamentos sobre a vida e a morte devem ocupar sua mente. A religião tem significado real para você, que investiga profundamente tudo que é oculto. Você é analítico, tem bom senso financeiro e é capaz de deter grande poder financeiro. A pesquisa, a medicina ou a ciência o atraem – muitas pessoas que trabalham em hospitais, como enfermeiras, têm Plutão na casa 8. A sensualidade e a sexualidade podem desempenhar papel importante em sua vida, acompanhadas de fascínio magnético que atrai o sexo oposto como as flores atraem as abelhas. Com aspectos desafiadores, pode ser que seja fanático religioso ou demasiadamente sensual. Também é possível que nada o detenha quando está disposto a levar adiante suas obsessões. Com esse posicionamento, você deve ficar longe de canalização, transes, hipnose ou atividades psíquicas semelhantes.

Bernie Siegel, médico holístico, conferencista e autor de "Peace, Love and Healing"; Bruce Lee, especialista em artes marciais, ator de cinema e televisão, morreu de edema cerebral agudo aos 33 anos; Brandon Lee, também especialista em artes marciais, filho de Bruce, ator de cinema e televisão, morreu aos 28 anos durante as filmagens, devido à explosão de um projétil; Robert Altman, eminente cineasta de "Peck's Bad Boy", de Hollywood, diretor rebelde e produtor.

PLUTÃO NA CASA 9
palavra-chave *pioneiro*

Inquieto, impaciente e aventureiro, você está disposto a tentar qualquer coisa e a experimentar tudo. Pode aspirar a um sonho impossível. Os países estrangeiros podem parecer-lhe convidativos, e você precisa viajar. É possível que se case com um estrangeiro ou poderá ser refugiado. Sua necessidade insaciável de aprender pode torná-lo um bom escritor ocultista ou de histórias de sexo e mistério. Pode ser que mude de cultura ou de religião. Com aspectos desfavoráveis, você tende a ser intransigente, dogmático e pouco disposto a ouvir o ponto de vista dos outros. Problemas legais com autoridades, muitas vezes no exterior, ou problemas com os sogros também são esperados.

Edward White Jr., astronauta, primeiro viajante espacial, morreu no Apollo Flash Fire; senador Jake Garn, primeiro homem a viajar como astronauta convidado, aficionado pelo espaço; Richard Alan Meier, renomado arquiteto estadunidense, vencedor do prêmio Pritzker; Isabella Rossellini, atriz, modelo gêmea, filha de Ingrid Bergman e Roberto Rossellini.

PLUTÃO NA CASA 10
palavra-chave *político*

Você é arrogante, determinado e disposto a lutar contra a autoridade, se necessário, para atingir seus objetivos. Forte, corajoso e tenaz, pode ser que seja ditador, inovador, planejador ou inventor. Você é líder em seu círculo ou em sua profissão e pode tanto ser amado como odiado, mas jamais ignorado. Tem necessidade obsessiva de ser o melhor e de brilhar mais que os outros, e é bastante sutil ao manipular situações a fim de alcançar seus objetivos. Com aspectos desafiadores, tende a ser vingativo ou a se vitimizar, dependendo de como canalizar o mapa.

Maureen O'Connor, política, prefeita de San Diego; Mavourneen O'Connor, irmã gêmea da gerente de campanha política de Maureen; Kareem Abdul-Jabbar, autor, ator, produtor, um dos maiores ganhadores de dinheiro e superastro do basquete; Sonny Bono, ator, produtor do show "Sonny and Cher" e político do Congresso Nacional dos Estados Unidos.

PLUTÃO NA CASA 11
palavra-chave ***controverso***

Extremamente leal aos amigos e conhecidos, você pode servir como catalisador, ajudando-os a passar pela transformação plutônica. Muitas pessoas com essa posição começam a se sentir desconfortáveis em grupos, mas acabam se tornando líderes ou se envolvendo em programas em que precisam do apoio do grupo. Caso seu Plutão esteja em Virgem ou em Leão, ele poderá reger sua segunda casa, e você talvez ganhe dinheiro por meio de algum esforço humanitário. Pode até participar de movimentos de reforma ou de melhorias sociais. Seletivo no círculo de amigos, você pode escolher poucos companheiros próximos ou até ser iconoclasta, mas deve tomar cuidado para não influenciar muito a vida de outras pessoas. Com aspectos tensos, você tende a dominar, manipular e controlar quando envolvido em situações de grupo.

Les Aspin, professor de Economia, senador dos EUA, Secretário de Defesa sob o comando do presidente Clinton; Bernadine Rae Dohrn, ativista radical de "Weathermen", indiciada por distúrbios em Chicago; Paul McCartney, músico, tecladista, produtor musical, o "Beatle"; John Updike, romancista, escritor de contos, prolífico perfeccionista.

PLUTÃO NA CASA 12
palavra-chave *isolado*

O desejo de escapar ou de fugir, associado, com frequência, à casa 12, é totalmente estranho à necessidade inata de Plutão de assumir e "mergulhar em alto-mar". No entanto, essa combinação parece funcionar muito bem. Você pode deixar seu motor em ponto morto para pensar e tomar decisões, mas, no momento em que engata a marcha, sabe instintivamente o que precisa ser feito e, de fato, só para até que a tarefa seja concretizada. Com Plutão na casa 12, você é capaz de lidar com crises e assumir silenciosamente o controle. Tem força interior que o ajuda a lidar com os problemas da primeira infância, o que foi particularmente observado na geração de Plutão em Leão na casa 12 regendo Escorpião na quarta casa. Seu inconsciente (casa 12) pode buscar o controle (Plutão) aceitando a doença ou, dependendo dos aspectos e do livre-arbítrio, manipulando compulsivamente leves indisposições em episódios maiores para chamar atenção.

Elizabeth Ashley, modelo, bailarina, atriz vencedora do prêmio Tony; George Foreman, medalha de ouro olímpica, campeão de peso-pesado, pai de cinco filhos, boxeador; Martin Scorsese, ator, diretor de filmes violentos e polêmicos; Margaret Seddon, médica, cirurgiã, astronauta.

Aspectos de Plutão

Os aspectos de cada um dos planetas com Plutão foram abordados nos módulos anteriores (por exemplo, aspectos de Plutão-Sol, no Módulo 8; aspectos de Plutão-Lua, no Módulo 9 etc.). Mas, antes de deixarmos totalmente o reino de Plutão, gostaríamos que você pensasse novamente no lado ainda desconhecido deste planeta distante. Nós, particularmente, queremos que perceba que há uma diferença entre a consciência pessoal *versus* a das massas, sobretudo quando o indivíduo é sensível, muito sintonizado ou muito evoluído. Alguns exemplos de pessoas mais conscientes poderiam ser Mozarts, Michelangelos, Einsteins ou Shakespeares do mundo. Seu instinto e sua intuição foram sintonizados com assuntos ainda ocultos ou inconscientes. Podemos dar o exemplo de uma semente que está na terra, mas ainda não germinou, e, portanto, não é visível a todos, porém aqueles sensíveis à natureza "sabem" que a árvore deixou sua essência no solo e vai brotar.

Ou podemos usar outro exemplo, como pessoas que entram em sintonia com outros e sabem o que estão pensando, embora nenhuma palavra tenha sido dita. Em outras palavras, algumas pessoas podem "ver" seu inconsciente, enquanto as demais não têm ideia do que está acontecendo. Isso é o que achamos que aconteceu com o mundo antes de os três transcendentais terem sido oficialmente localizados. Hoje, algumas pessoas estão em sintonia com um ou dois planetas eventualmente descobertos, mas as massas ainda não tem conhecimento...

Resumo

Chegamos ao fim deste manual introdutório. Esperamos que você tenha gostado do livro e aprendido bastante, mas, acima de tudo, que a Astrologia o ajude a levar uma vida mais plena e mais feliz.

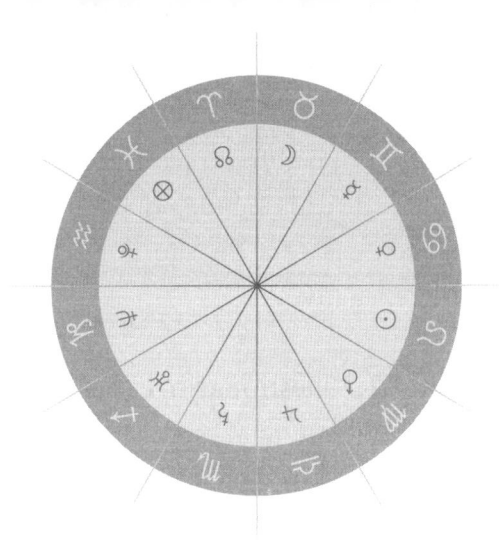

APÊNDICE

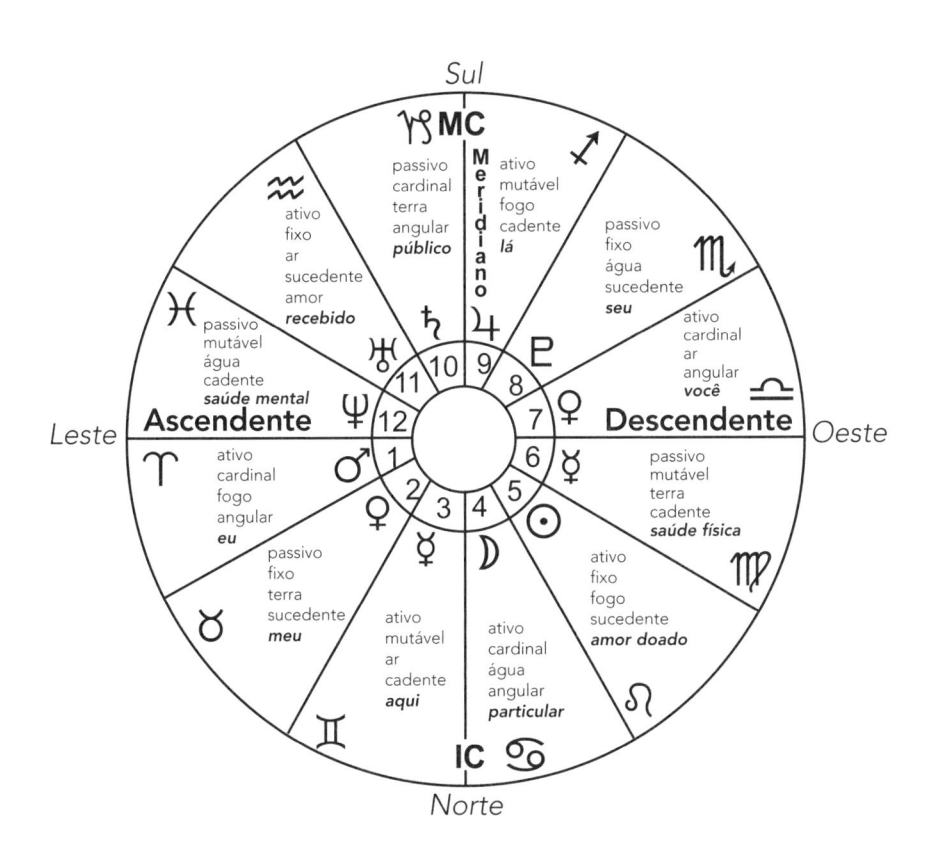

Roda Natural ou Plana – Este é o mapa preenchido no **Módulo 1** (página 36). Cada casa da Roda Plana mostra o glifo do signo natural daquela casa, o glifo do planeta regente, o elemento de cada signo, a qualidade de cada signo, a qualidade de cada casa, as palavras-chave para cada casa e a divisão dos signos, de acordo com o princípio positivo/negativo.

Módulo 2: Questionário 1 (página 51)
1. William Shakespeare – B. Sol em Touro, regente Vênus em Gêmeos, signo identificado com a escrita.
2. Florence Nightingale – A. Sol em Touro, regente Vênus em Câncer, signo que significa alimentação e cuidado com os outros.
3. Robert Peary – D. Sol em Touro, regente Vênus em Áries, signo do pioneirismo e da exploração.
4. Leonardo da Vinci – C. Sol em Touro, regente Vênus em Touro, signo que significa as artes, o amor pela beleza e pelas cores.

Módulo 2: Questionário 2 (página 51)

1. falso
2. falso
3. verdadeiro
4. verdadeiro
5. falso
6. falso
7. verdadeiro
8. falso
9. falso
10. verdadeiro
11. verdadeiro
12. verdadeiro
13. verdadeiro
19. verdadeiro
20. falso
21. falso
22. verdadeiro
23. falso
24. falso
25. falso
26. verdadeiro
27. falso
28. verdadeiro
29. falso
30. falso
31. falso

14. verdadeiro
15. verdadeiro
16. verdadeiro
17. falso
18. falso

32. verdadeiro
33. falso
34. falso
35. verdadeiro

Respostas do Questionário 2 (página 51)
1. Eu sou.
2. Regido pela Lua.
5. Décimo segundo signo.
6. Eu tenho.
8. Eu quero.
9. Rege os seios e o estômago.
17. Imaginação.
18. Regido por Vênus.
20. Eu penso.
21. Eu pondero.
23. Rege a cabeça.
24. Ambição.
25. Imaginação.
27. Oitavo signo.
29. Eu compreendo.
30. Regido por Netuno.
31. Regido por Marte.
33. Rege os intestinos.
34. Oposto a Áries.

Módulo 3: Questionário (página 63-64)
1. ☽ ☿ ♀ ☉ ♂ ♃ ♄ ♅ ♆ ♇
2. a. ☿
   b. ♋
   c. ♋
3. a. ☿
   b. ☉
   c. ♃
   d. ☽
   e. ♃
   f. ♂
   g. ♄
   h. ♆
   n. ♇
   o. ♀
   p. ☽
   q. ♇
   r. ♆
   s. ♅
   t. ☉
   u. ♃

  i. ♅   m. ☉
  j. ♄ ♀   v. ♇
  k. ♃   w. ☉
  l. ☽   x. ☿
4. ♅ ♆ ♇

Módulo 4: Questionário (página 77)

1. ♈ ♌ ♐
2. ♉ ♍ ♑
3. ♊ ♎ ♒
4. ♋ ♏ ♓
5. Primeira, quarta, sétima, décima.
6. Segunda, quinta, oitava, décima primeira.
7. Terceira, sexta, nona, décima segunda.
8. ♈ ♋ ♎ ♑
9. ♉ ♌ ♏ ♒
10. ♊ ♍ ♐ ♓
11. Escorpião.
12. Casa 5.
13. Capricórnio.
14. Escorpião.
15. Escorpião; Marte.
16. Aquário, Peixes; Saturno, Júpiter.
17. Gêmeos.
18. Libra.
19. Casa 12.
20. Casas 1, 5 e 9.
21. Casas 2, 6 e 10.
22. Cúspide da casa 4.
23. Cúspide da casa 1.

24. Gêmeos, Virgem.
25. Vênus; Touro, Libra.

Módulo 5: Questionário (página 89)

Vênus em Aquário na casa 5 regendo as casas 2 e 9; Urano, regente de Aquário, está em Virgem na casa 12. Vênus representa as amizades, o impulso social, os valores e como você demonstra qualquer uma dessas qualidades.

Com Vênus em Aquário, Roosevelt demonstrava suas afeições de maneira fria; seus sentimentos eram mais regidos pelo intelecto que pela emoção. Seu impulso social era, muitas vezes, individualista e, às vezes, imprevisível. Seus valores pendiam mais para o humano e o progressista. Com o regente Urano no prático signo de Virgem, ele expressava essas qualidades de maneira realista.

Acrescentando alguns matizes de Leão, já que Leão é o signo natural da casa 5, descobrimos que ele era romântico, idealista, autoconfiante e generoso, mas só na medida permitida pelo intelecto de Aquário e pela praticidade de Virgem.

O posicionamento na quinta casa mostra que seus afetos, seus valores e seu impulso social eram dirigidos aos filhos, aos casos de amor e aos esportes agradáveis; a maior parte de sua criatividade foi canalizada para uma área prática, o trabalho; no seu caso, a política.

Vênus rege a casa 2 (que abre em Libra) e a 9 (que abre em Touro); então, a atitude de Roosevelt em relação às finanças (casa 2) era única e previdente (Aquário). Seus *insights* e conceitos filosóficos (casa 9) foram criativos (Vênus), bem como incomuns (Aquário).

Marte rege Áries (e é o segundo regente de Escorpião); no mapa de Roosevelt, Áries está na cúspide da casa 8, e muitos de seus primeiros debates visavam obter o apoio do público. Escorpião está na cúspide da casa 3, e Marte, na cúspide da casa 10; era fácil para ele se comunicar (casa 3), como presidente (casa 10), com o público.

Roosevelt foi o primeiro Chefe de Estado dos EUA a usar o rádio para alcançar o eleitorado.

Júpiter em Touro na casa 8 regendo a casa 4; Vênus, regente de Touro, está em Aquário na casa 5. Júpiter representa a capacidade de expandir e crescer, o impulso protetor e as aspirações filosóficas.

Em Touro, esse crescimento se deu de forma estável. Roosevelt tinha paciência para trabalhar em sua ascensão; seus ideais permaneciam no terreno prático, e ele demonstrou eficácia em todos os empreendimentos. Como o regente, Vênus, está em Aquário na casa 5, mais uma vez seus objetivos e sua expansividade se baseavam no raciocínio, e seus processos mentais eram criativos e inventivos.

Escorpião, signo natural da casa 8, produz engenhosidade, e deu a Roosevelt boa capacidade investigativa e examinadora. A oitava casa mostra o apoio que recebemos dos outros, e Roosevelt tinha não só Júpiter como também Saturno nessa casa. Você verá que a maioria dos políticos tem oitava casa forte. Não é de surpreender, já que o apoio dos outros é a base da política.

Júpiter rege a casa 4 (Sagitário está na cúspide), e sua posição na oitava casa (herança) sugere riqueza herdada.

Saturno em Touro na casa 8, regendo a casa 5; Vênus, regente de Touro, está em Aquário na casa 5. Como vemos, Saturno está no mesmo signo e na mesma casa que Júpiter. Enquanto Júpiter representa a capacidade de expandir e de crescer, Saturno representa a solidez e o impulso de segurança. Mostra a aptidão para a carreira, a disciplina e as responsabilidades. É o mestre e o realizador do zodíaco.

Com Saturno em Touro, um signo de terra, Roosevelt aceitava prontamente a responsabilidade e a disciplina. Esse posicionamento também indica grande necessidade de segurança, que a maioria dos signos de terra geralmente busca em áreas materiais. Mas com o regente em Aquário ele encontrava segurança, em grande parte, na própria capacidade intelectual; sua carreira foi baseada na capacidade de

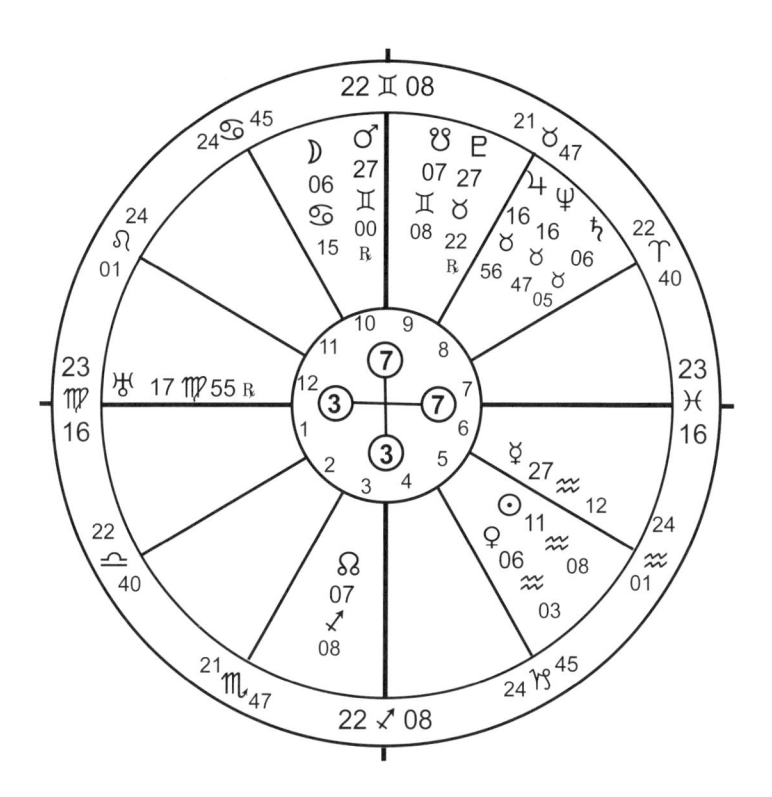

Figura 10: Mapa natal de Franklin Delano Roosevelt.
Este é o mapa preenchido no Módulo 7, página 112.

cardeal:	☽			
fixo:	♄ ♆ ♃ ♇ ♀ ☉ ☿			
mutável:	♂ ♅ M A			
fogo: nenhum				
terra:	♄ ♆ ♃ ♇ ♅ A			
ar:	♂ ♀ ☉ ☿ M			
água:	☽			
angular:	♂ ☽			
sucedente:	♀ ☉ ♄ ♆ ♃			
cadente:	☿ ♇ ♅			
dignidade:	☽			
exaltação:	☿			
detrimento:	☉ ♇			
queda:				
V: 3	B: 3	R: 0	EC: 4	

longitude									
8 ♋ 15	☽								
27 ♒ 12		☿							
6 ♒ 03	⊼	♀							
11 ♒ 08	⊼		♂	☉					
27 ♊ 00		△			♂				
16 ♉ 56				□		♃			
6 ♉ 05	✶		□	□			♄		
17 ♍ 55					△			♅	
13 ♉ 47			□		♂	♂	△	♆	
27 ♉ 22		□							♇

se comunicar bem. Isso é uma coisa que encontramos com frequência em mapas com predomínio de signos de ar.

O matiz de Escorpião da casa 8 acrescenta profundidade a esse Saturno em Touro, reforçando sua determinação e sua motivação. Escorpião é apaixonado, Touro é sensual, e a oitava é a casa do sexo. Como Saturno indica insegurança, podemos presumir que Roosevelt tinha algumas dificuldades sexuais. Saturno rege a casa do amor e do romance (casa 5), ressaltando sua forte necessidade sensual e sexual, e sua esperança de superar as inseguranças de Saturno.

Módulo 8: O Sol (página 130)

Se você interpretou o mapa de Mozart e só está conferindo seu desempenho no Apêndice, parabéns! Está no caminho certo para se tornar astrólogo. Se não é esse o caso, lembre-se de que nossa interpretação está baseada em palavras-chave e frases tiradas deste livro. Para aprender, você deverá verificar que palavras usamos ou deixamos de usar e por quê.

Sol em Aquário na casa 5 regendo a casa 12 (Leão):

Encontramos o eu interior de Mozart ou sua personalidade básica no signo de Aquário. Sua natureza era individualista, progressista, inventiva (reforçada por quatro planetas em Aquário), artística (reforçada pela posição do Sol na casa 5) e intelectual (confirmada por cinco planetas e o Meio do Céu em signos de ar). Dado que o regente de Aquário, Urano, está em Peixes, Mozart não era frio ou impessoal. O Sol rege a casa 12; portanto, para ser criativo (Sol), ele precisava de tempo para a reflexão tranquila (casa 12). Com Virgem no Ascendente, Mozart não se aborreceria com os detalhes (Módulo 2). Com quatro planetas em Aquário, três deles na casa 5, era importante para Mozart expressar sua originalidade, do contrário poderia ter se tornado rebelde (Módulo 8). Já discutimos

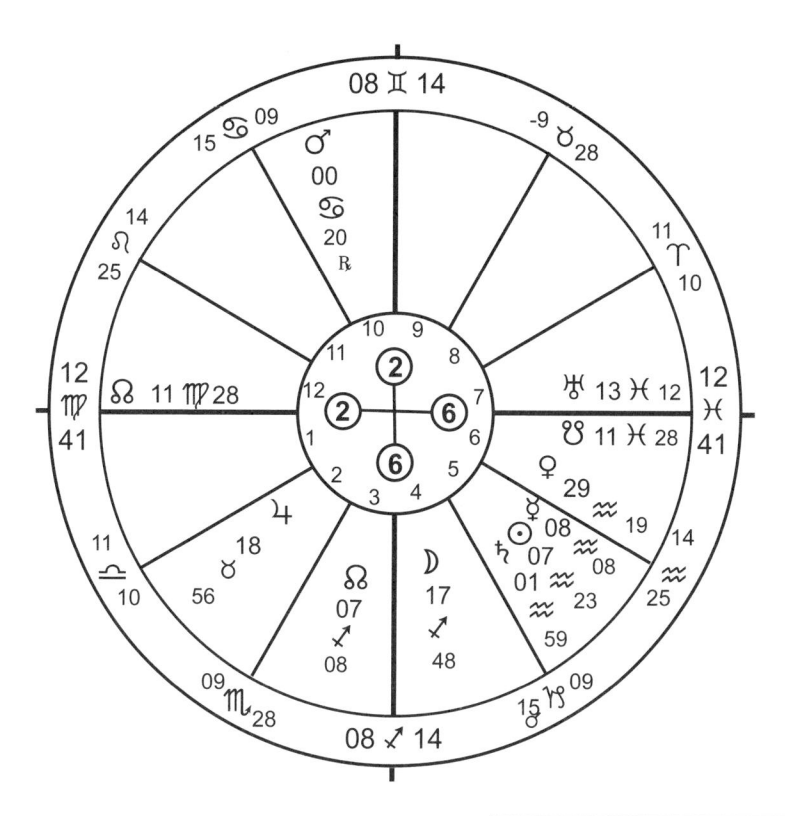

Figura 11: Mapa natal de Wolfgang Amadeus Mozart.

Este é o mapa preenchido no Módulo 7, página 111.

cardeal:	♂ ♃			
fixo:	♄ ☉ ☿ ♀			
mutável:	☽ ♅ M A			
fogo:	☽			
terra:	A			
ar:	♃ ♄ ☉ ☿ ♀ M			
água:	♂ ♅			
angular:	☽ ♅ ♂			
sucedente:	♃ ♄ ☉ ☿			
cadente:	♀			
dignidade:				
exaltação:	☿			
detrimento:	☉			
queda:	♂			
V: 3	B: 3	R: 0		EC: 4

longitude							
17 ♐ 48	☽						
8 ♒ 08		☿					
29 ♒ 19			♀				
7 ♒ 23				♂			
0 ♋ 20			△		☉		
18 ♎ 31	✶					♃	
1 ♒ 59		♂		♂	⊼		♄
13 ♓ 12	□						♄
							♆
							♇

Netuno e Plutão foram descobertos após a morte de Mozart. Por isso, não foram considerados neste mapa.

algumas das conotações piscianas adicionadas pelo regente Urano em Peixes. Sua posição na casa 7 sugere a necessidade de pessoas, especialmente nas relações um a um, reforçando o que vimos com sete planetas a oeste do meridiano.

O Sol de Mozart está na casa 5; geralmente, o Sol fica confortável nessa casa, uma vez que ela é análoga a Leão, o signo onde o Sol está dignificado. O Sol mostra onde queremos brilhar, então a necessidade de brilhar de Mozart está em ser criativo, o que ele fez, por certo, ao compor uma quantidade e variedade incrível de músicas. Para Mozart, era importante mostrar habilidade artística, e ele o fez tocando primorosamente vários instrumentos musicais, bem como regendo. Também expressou outras características da quinta casa no modo de se divertir e ao ser amante do prazer, tornando-se conhecido como grande flertador – e sendo bastante autoindulgente.

Sol em conjunção com Mercúrio: o Sol de Mozart está conectado a Mercúrio a menos de um grau, indicando que sua expressão pessoal (Sol) está fortemente enredada em sua mente (Mercúrio), ajudando-o a manter o foco quando necessário, mas também exacerbando a possibilidade de estreiteza e egocentrismo.

Sol em conjunção com Saturno: sempre que o Sol fizer aspecto com Saturno, estaremos lidando com questões parentais envolvendo, com frequência, o pai. É possível haver um pai forte, às vezes forte demais, ou com expectativas altas. Em alguns casos, o pai pode ser ausente. O pai de Mozart era uma força motivadora extremamente forte e, por certo, o jovem Wolfgang se esforçou para viver de acordo com o que acreditava que o pai queria para ele. As primeiras demandas dos pais normalmente resultam em indivíduos diligentes e trabalhadores, portanto empreendedores. Mozart é um excelente exemplo.

Vamos interpretar os posicionamentos e aspectos de Mercúrio e Saturno à medida que terminarmos os respectivos módulos.

Módulo 9: A Lua (página 163)

A Lua em Sagitário na casa 4 regendo a casa 11 (Câncer): ao analisar o lado emocional de Mozart, a Lua reflete humores, instintos, desejos e necessidades. Quando nos referimos à Lua em Sagitário, devemos considerar que a Lua de Mozart é regida por Júpiter em Libra na casa 2, e que sua Lua está na casa 4, acrescentando nuances de Câncer. Devemos também olhar a casa em que o regente da Lua está (casa 11) e os aspectos que ela faz para entender completamente os usos potenciais desse posicionamento.

A Lua em Sagitário indica que Mozart era socialmente aceito e um pouco ingênuo, mas não totalmente inconsciente das distinções de classe, porque o regente Júpiter está em Libra, e Libra é refinado, às vezes a ponto de ser esnobe. Ele era aberto e amigável, tinha sentido profético e inspirador apurado e estava sempre inquieto à procura de algo, muitas vezes sem dar continuidade.

Suas impressões eram claras e precisas (confirmadas por quatro planetas em Aquário). Sua mente se ressentia da confusão e rejeitava qualquer coisa irrelevante ao assunto em questão; ele foi capaz de se concentrar (confirmado pelo ascendente Virgem e pela estreita conjunção Sol/Mercúrio), a ponto de parecer ter mente unilateral.

A tendência da Lua de Sagitário para vagar foi atenuada pela posição na quarta casa. Mozart era muito mais sensível que sua atitude livre e alegre revelava. Professor nato, usou essa habilidade nos últimos anos. Seus talentos eram artísticos, musicais e poéticos (*stellium* na casa 5, incluindo o Sol), em vez de religiosos ou filosóficos, como a predileção natural de Sagitário pela nona casa indica com frequência.

Sua necessidade de liberdade é duplamente enfatizada por quatro planetas em Aquário, mas o alto grau de independência que ansiava com a Lua sagitariana em quadratura com Urano foi novamente amenizada pela posição da Lua na casa 4, onde teve que se submeter ao domínio parental.

A conotação de Libra (Júpiter, regente de Sagitário, está em Libra) reforça sua natureza artística, acrescentando charme, desejo de agradar e de ser amado, com certa indecisão.

A Lua na casa 4 aponta para forte apego a um dos pais e para a casa paterna, embora com aspectos desafiadores (A Lua de Mozart forma quadratura com Urano e com o Ascendente); ele foi separado, com frequência, de sua casa e da mãe. A Lua em um signo mutável indica as inúmeras mudanças de residência, provavelmente mais do que Mozart desejava. Onde quer que encontremos a Lua no mapa é onde, como as marés, experimentamos altos e baixos. A vida doméstica de Mozart refletia isso com frequência, de maneira indesejável. A Lua rege a casa 11 (Câncer está na cúspide), dos amigos, grupos e objetivos, o que implica necessidade de variedade nas associações e possíveis flutuações nos rendimentos profissionais (a casa 11 é a segunda casa – dinheiro – a partir da casa 10, a da profissão e da carreira).

Lua em sextil com Júpiter: é particularmente favorável quando um planeta está em aspecto fluente com o regente. Esse sextil indica muitas oportunidades para ganhar dinheiro, uma vez que Júpiter está na segunda casa, a da perspicácia financeira. Também contribuiu para a atitude amistosa e bem-humorada de Mozart.

Antes de interpretarmos a quadratura Lua/Urano no mapa de Mozart, por favor, perceba que Urano foi descoberto alguns anos depois do nascimento de Mozart (1781). Veja a Parte I do Módulo 3: Os Planetas, página 53. É possível se sintonizar inconscientemente com planetas que ainda não foram detectados de forma consciente. (Aqueles que nasceram na década de 1920, mas antes da descoberta de Plutão em 1930, sabem o que isso significa.) Contudo, a menos que tenha conversado pessoalmente com essas pessoas, você pode não saber quanta influência sentiam. Se forem personalidades famosas, como Mozart, suas informações biográficas podem lhe dar pistas, mas em qualquer caso mantenha as opções abertas.

Lua em quadratura com Urano: a combinação entre esses dois planetas, independentemente do aspecto, implica excitação emocional, mas também certa inquietação, e, muitas vezes, os nervos parecem tão tensos quanto uma corda de violino. Esse aspecto pode revelar problemas com mulheres (Lua), incluindo um relacionamento possivelmente único com a mãe (Lua na casa 4) e/ou com a esposa (Urano na casa 7).

Módulo 10: Mercúrio (página 209)

Mercúrio em Aquário na casa 5 regendo as casas 1 e 10: engenhosa, observadora e intuitiva, a mente de Mozart era original, independente, perspicaz, humanitária e espirituosa. Ele era capaz de absorver ideias abstratas, muito estudioso (conjunção com Saturno) e sociável. Não foi autodidata, mas o pai foi seu mentor (Saturno). Mozart gostava de ler e escrever, e falar era fácil para ele; algumas pessoas achavam que ele falava muito. Embora estivesse aberto a diversos pontos de vista, mudava de opinião sem análise lógica. Mozart se importava pouco com as preocupações tradicionais ou com a aceitação social.

O pensamento criativo e a expressão dramática eram fáceis para ele. Mozart gostava de todos os tipos de especulação, ocupava-se em fazer amor com a esposa e com outras mulheres e se encantava com atividades artísticas (todas atividades da quinta casa). Apaixonado por crianças, ele e a esposa Constanze tiveram seis filhos, mas apenas dois sobreviveram. Como nossa descrição de Mercúrio na casa 5 indica, Mozart era músico. Em Aquário, onde é exaltado, e em conjunção com o Sol, Mercúrio era forte e fixo, e Mozart era conhecido por ser bastante teimoso e um tanto vaidoso.

Mercúrio rege o Ascendente (casa 1) e o Meio do Céu (casa 10), os dois ângulos mais importantes do mapa. Ângulos significam ação; portanto, sabemos que muito do que Mozart fez pessoalmente, sua individualidade, a maneira como se "vendeu" (Ascendente) foi impulsionado ou mentalmente orientado por Mercúrio. Com Mercúrio colocado na casa 5 regendo o Meio do Céu, é fácil entender por que Mozart escolheu a música, em especial a composição, como norte de vida.

Para nossa interpretação do Sol em conjunção com Mercúrio, consulte o Apêndice, Módulo 8.

Mercúrio em conjunção com Saturno: como Mercúrio é mentalmente rápido e Saturno organiza e delibera a cada passo, a conjunção ajudou Mozart a superar a irresponsabilidade juvenil. A tendência aos detalhes certamente facilitou sua composição. Essa conjunção também beneficiou o uso das tendências aquarianas independentes, inventivas e progressistas de forma cuidadosa, lógica, metódica e tenaz.

Módulo 11: Vênus (página 243)

Vênus em Aquário na casa 6 regendo as casas 2 e 9: simpático, popular e altruísta, Mozart gostava de relacionamentos e de mulheres, amando mais de uma de cada vez. Com Urano (regente de Vênus) na casa 7, da parceria, era muito importante para ele que a esposa fosse sua amiga, não apenas amante. Aparentemente, ela não foi capaz de dar a ele todo o estímulo que a Vênus em Aquário busca, porque está bem documentado que Mozart teve alguns casos extraconjugais. Pouco possessivo, preferia não ficar preso a ninguém, mesmo à esposa que amava. Isso explica por que Mozart não se incomodava com as recorrentes escapadas de Constanze. Vivia de acordo com as próprias regras (Vênus em Aquário regendo a casa 9) e não se importava se eram aceitáveis para a sociedade. Estava totalmente absorvido por novas formas de arte, que, no caso dele, girava em torno da música.

Vênus na casa 6 revela que Mozart funcionava melhor quando terceiros respeitavam seus hábitos. Valorizava a música em todas as formas e preferia um trabalho onde não tivesse que sujar as mãos. Com tantos planetas na casa 5 e a ênfase aquariana, Mozart foi muito criativo, artístico e inventivo, em vez de ser atraído por questões de saúde ou dieta, como pode acontecer com a Vênus na casa 6.

Com Urano (regente de Vênus em Aquário) em Peixes na casa 7, percebemos que um verniz de mutabilidade foi adicionado às tendências aquarianas muito definidas e teimosas, bem como uma nuance de emocionalidade, nem sempre encontrada nesse signo de ar. Urano na casa 7 acrescenta a necessidade de outro com quem compartilhar. Vênus regendo a casa 9, bem como a casa 2, indica as grandes aspirações de Mozart e o fato de que seria capaz de ganhar dinheiro (casa 2) através do trabalho (casa 6).

Vênus em trígono com Marte: Quando Vênus (feminino) e Marte (masculino) fazem aspecto, funcionam como essência erótica do mapa: sexual, romântica e conquistadora. Como esse trígono está muito próximo (1º), assume grande importância. Não é de admirar que Mozart fosse ardente, carinhoso, caloroso e amoroso. Não gostava de pensar no lado sórdido da vida, e com sua afabilidade e seu charme alcançar sucesso não foi difícil para ele, especialmente com Marte na casa 10 (carreira e posição na comunidade). Esse trígono se expressa, com frequência, em formas artísticas, como certamente aconteceu com Mozart. Pode indicar descuido com o dinheiro, que ele desperdiçou. (Também poderia ter se manifestado através dos esportes, mas esse não era seu campo de atividade.)

Módulo 12: Marte (página 277)

Marte em Câncer na casa 10 regendo a casa 8: Marte em Câncer está em "queda", "como se estivesse ficando na casa de um desconhecido e não se sentisse realmente à vontade" (ver "Dignidades", página 62). Esse desconforto pode se expressar como mau humor ou frustração emocional. Mozart teve muitos problemas estomacais, então supomos que suprimiu muito de sua raiva, o que é típico dessa posição. Marte em Câncer sugere a perda precoce da mãe. No caso de Mozart, o pai o levava em constantes viagens na infância, portanto essa colocação espelhava separações frequentes da mãe quando muito jovem.

A Lua, regente de Marte, está na casa 4, enfatizando novamente a importância da influência dos pais. Marte rege a casa 8, apontando a grande energia sexual e a expectativa, bem como o esforço, de obter apoio de outras pessoas. Uma vez que também sub-rege a casa 3 (com Escorpião na cúspide), a intensidade escorpiônica indicava necessidade tremenda de usar sua energia (Marte) para se comunicar. Mozart fez isso não apenas verbalmente, mas também tocando diversos instrumentos para extasiar o público.

Marte na casa 10 representa uma pessoa ativa, persistente e altamente motivada. Estando sob o olhar do público, Mozart foi, muitas vezes, considerado controverso. Problemas com o pai, uma probabilidade com essa colocação, manifestada em anos posteriores, foram confirmados no caso de Mozart pelo quincunce Marte/Saturno. Na verdade, Mozart nunca percebeu isso, porque o pai fez quase tudo por ele (de formas cancerianas), e isso o impediu de crescer. Como o local de Marte representa onde você gasta energia, grande parte da energia de Mozart foi destinanda à carreira e à posição na comunidade (casa 10). O trígono Marte/Vênus já foi discutido no Apêndice, Módulo 11.

Marte em quincunce com Saturno: pelo fato de estarmos lidando com dois planetas masculinos, o princípio do pai assume importância mais uma vez. Marte simboliza impulso e ação; Saturno representa autoridade e estabelece limites; Marte se ressente das restrições e resiste ao respeito de Saturno pela disciplina. O quincunce de Mozart envolve as casas 10 e 5. Quando se sentia pressionado pelo pai e, mais tarde, pelas autoridades, Mozart normalmente fugia para se divertir e jogar (casa 5) à custa de sua reputação (casa 10). Esse quincunce novamente confirma a luta de Mozart para viver de acordo com o que sentia que o pai esperava dele.

Módulo 13: Júpiter (página 307)

Júpiter em Libra na casa 2 regendo a casa 4: Júpiter na casa 2 sugere que esta área é a que Mozart poderia escolher para expandir seus talentos e recursos internos, bem como suas posses e sua capacidade de ganho. Júpiter em Libra se expressa artisticamente e de modo social. Vênus, regente de Libra, está em Aquário, na casa 6, acrescentando certo individualismo (aquariano); essa colocação define a inclinação para mostrar talentos através do trabalho. Uma vez que Júpiter rege a casa 4, muito do crescimento e dos recursos de Mozart foram devidos à educação e à influência dos pais. Júpiter na casa 2 é, em geral, uma posição financeiramente afortunada por causa da capacidade de fazer muito com pouco.

O sextil de Júpiter com a Lua confirmou isso e indicou possíveis oportunidades de relacionamento com o público (Lua). (Para uma interpretação detalhada do sextil de Júpiter/Lua, consulte o Apêndice, Módulo 9.)

Júpiter em quincunce com Urano: este aspecto implica, com frequência, atitude excessivamente otimista; Mozart sempre esperou ganhar muito mais dinheiro (Júpiter na casa 2) do que realmente ganhou, e, embora ganhasse bem, sua esposa (Urano na casa 7) gastava mais do que ele recebia.

Módulo 14: Saturno (página 333)

Saturno em Aquário na casa 5, regida por ele: o Saturno de Mozart está muito bem colocado no signo de sua antiga dignidade. Com Capricórnio na cúspide da casa 5, Saturno está na casa que rege. Inventivo, ambicioso e original na abordagem (casa 5), Mozart poderia trabalhar bem com amigos ou grupos (Aquário), desde que pudesse se sentir livre e independente. Qualquer planeta na casa 5 afeta o relacionamento com crianças, a originalidade, o amor, o romance e, claro, a criatividade e a habilidade artística. Mozart, com três planetas nessa casa, incluindo o vivificante Sol, foi profundamente envolvido com tudo o que foi mencionado acima, mas com Saturno, o professor ou capataz, sua maneira de demonstrar carinho, incluindo com os filhos ou os entes queridos, pode ter parecido distante ou até desinteressada. A forte interconexão entre as casas 5 e 7 (Saturno em Aquário na casa 5, regendo ela mesma, e o regente da 5, Urano, na 7) indica o amor (5) que ele tinha pela esposa (7), bem como a necessidade de expressar sua arte e criatividade (5) ao público (7). Por outro lado, Saturno em Aquário parece ter-lhe dotado de grandes poderes de concentração, permitindo-lhe criar uma composição requintada após a outra.

Para as conjunções Saturno/Sol e Saturno/Mercúrio de Mozart, bem como o quincunce de Saturno/Marte, por favor, procure nossas respostas no Apêndice, módulos 8, 10 e 12, respectivamente.

Módulo 15: Urano (página 375)

Como afirmamos algumas vezes, os planetas transcendentais foram descobertos apenas nas últimas centenas de anos; portanto, ao olhar a história, não devemos atribuir eventos passados aos planetas que ainda não estavam na consciência de massa. Eles estavam lá, mas pelo fato de as pessoas não saberem de sua existência foram incapazes de se sintonizar "em massa". Contudo, certos indivíduos, em especial aqueles nascidos com grande sensibilidade e intuição, sentiram que "havia algo lá", embora não tivesse ainda um nome. Desse modo, quando interpretar planetas transcendentais em horóscopos de pessoas nascidas antes de 1781, vá com cuidado e perceba que, em retrospectiva, você pode ver todos os tipos de características e traços que provavelmente poderiam ser atribuídos aos planetas Urano, Netuno e Plutão. Mas você nunca estará realmente certo; em vez disso, certifique-se de que outros fatores no mapa confirmam o que está lendo. No caso de Mozart, Urano foi descoberto em 1781, enquanto ele ainda estava vivo, e, portanto, teve algum significado reconhecível em sua vida.

Urano em Peixes na casa 7 regendo a casa 6: pelo fato de a casa 7 ser uma das casas angulares onde ocorre mais ação, ela é muito visível. É também a casa do "outro", uma vez que o Ascendente (e a casa 1) é "eu", e a casa 7 é "você", o parceiro ou cônjuge. Urano permanece em cada signo por aproximadamente sete anos. Milhões de pessoas têm Urano no mesmo signo do Zodíaco. Portanto, a posição por casa torna-se muito mais pessoal e crucial que o signo. A maioria das pessoas com Urano em Peixes é intuitiva, e assim era Mozart; todas as pessoas nascidas com Urano em Peixes refletiriam parte da mutabilidade de Peixes (ambas as autoras têm), e Mozart, com Ascendente, Meio do Céu, Lua e Urano mutáveis também manifestou essa característica.

Já estabelecemos as habilidades criativas e artísticas de Mozart. Urano em Peixes confirma outras tendências que observamos antes: Mozart era intuitivo, idealista e imaginativo. Com a quadratura com a Lua (veja a explicação completa do Módulo 15, Urano, página 375, e no Apêndice, no Módulo 9 – Lua, página 163), seu sistema nervoso estava quase sempre tenso como uma corda de violino, e ele precisava aprender a relaxar física e emocionalmente.

Na casa 7, o "desejo de liberdade" uraniano pode ser restringido por parceiros e demandas públicas. Urano indica a necessidade implícita de Mozart de uma parceira que o surpreendesse, oferecendo-lhe variedade, liberdade e, se possível, um casamento não rotineiro. Constanze era muito eficiente em surpreendê-lo, talvez dando-lhe liberdade demais e deixando-o sozinho enquanto dava suas escapadas. Com Urano regendo a casa 6, Mozart desejava fazer as coisas "do seu jeito" no trabalho, em vez de seguir uma rotina predefinida. Ele trabalhou e teve sucesso ditando o próprio ritmo.

O Urano de Mozart tem alguns aspectos bastante desafiadores. (Ver a interpretação da quadratura Urano/Lua e do quincunce de Urano/Júpiter no Módulo 9, página 163, e no Módulo 13, página 307, do Apêndice.) Não é um dos planetas mais fáceis de lidar, uma vez que não tem aspectos harmônicos ou fluidos para aliviar a quadratura ou o quincunce; portanto, era crucial que Mozart se mantivesse ocupado e trabalhasse duro, uma das formas mais construtivas de usar a casa 6 (Aquário na cúspide), regida por Urano.

Encerramos a leitura interpretativa do mapa astrológico de Mozart, uma vez que, como foi dito anteriormente, Netuno e Plutão foram descobertos anos depois de sua morte, razão pela qual não os incluímos nesta leitua.

Interpretação do Mapa Natal de Jane Fonda (página 368)

Urano em Touro na casa 3 regendo a casa 1 (Aquário interceptado): para entender melhor a necessidade uraniana de ser único ou de fazer algo incomum, vamos analisar se Jane Fonda foi capaz de sintonizar e utilizar os poderes liberários de Urano e quando.

Em Touro, Urano busca saídas práticas para colocar novos conceitos de forma acessíveis. Vênus, regente de Touro, está em Sagitário na casa 11, confirmando muito do que já descobrimos. Jane é uma idealista pragmática com enorme talento artístico. Com Urano na casa 3, o desejo de ser diferente de Jane resulta em algo fora do comum, e ela sabe como chocar as pessoas com suas palavras e ações juvenis. Pelo fato de Urano reger grande parte de sua casa 1, o que ela disser, e seja lá o que for, será puramente Jane Fonda, e ela vai reconhecer isso – de modo bom, ruim ou indiferente. Com a maturidade, Jane começou a usar sua mente brilhante e maravilhosa (Urano em trígono com Mercúrio), adaptando seus muitos outros atributos, como atuação, inclinações filantrópicas, visão de negócios e expressão de crenças políticas, mudando as leis em vez de se rebelar contra elas – todas as expressões de "despertar" o potencial uraniano.

Mercúrio em trígono com Urano: Mercúrio faz apenas aspectos positivos no mapa natal de Jane Fonda (trígono com Urano e Netuno), e ela tem pouca dificuldade para se expressar; na verdade, Jane é conhecida pela habilidade de "dizer as coisas como são". A mentalidade dela chega a brilhar com o trígono de Mercúrio/Urano, e esse aspecto denota expressão original e independente de talento. A colocação de Urano na casa 3, a da autoexpressão, fornece, com frequência, uma forma não convencional de comunicação, indicando um toque independente. Na realidade, Jane é conhecida pela capacidade de chocar, bem como pela necessidade ser ouvida por suas opiniões.

Módulo 16: Netuno (página 403)

Netuno em Virgem na casa 8 regendo a casa 2: como explicamos no Módulo 16, este é um planeta geracional. Todas as pessoas nascidas com Netuno em Virgem parecem ter alguns problemas de saúde com que lidar; esta também foi a primeira geração a aceitar a psiquiatria e a psicologia como parte da vida. Uma vez que o Netuno de Fonda tem tanto desafios (quadratura com Vênus) quanto aspectos fluidos (trígono com Mercúrio), sua tendência deve gravitar entre a razão e a emoção, as reações do cérebro esquerdo e do cérebro direito. Por ser atriz, essa interação netuniana com Vênus e Mercúrio contribui para a grande profundidade e compreensão de seus papéis. Como uma "Plain Jane" (algo como "mulher sem sal"), isso pode criar um cabo de guerra entre a vida diária e a utopia buscada por ela, confirmado pelo prático Mercúrio em Capricórnio regendo Netuno em Virgem, e Netuno regendo a prática casa 2. Em outras palavras, intuitivo, criativo, místico, ilusório, superidealista, Netuno não gosta de ser sensato, mas está envolvido com dois signos de terra realistas e a tangível casa 2.

Onde você encontra Netuno no mapa é onde você tende a enganar a si mesmo ou aos outros. É também onde você busca o ideal. Com esse planeta na casa 8, Jane exala *sex appeal* e carisma, ambos úteis para obter o apoio de terceiros, especialmente porque o trígono de Mercúrio com Netuno a ajuda a tecer imagens com palavras. Onde Netuno está no mapa você costuma ver com óculos cor-de-rosa; no caso de Jane, finanças conjuntas devem ser cuidadosamente examinadas, e acordos pré-nupciais podem ser bastante úteis com esse posicionamento.

Mercúrio em trígono com Netuno: este aspecto costuma ser a marca registrada da expressão criativa e artística, bem como do talento para a atuação. Carismática, Fonda tem a capacidade de encantar os outros. Ela não é isenta de *sex appeal*, mesmo com Mercúrio regendo Netuno em Virgem na casa 8. Netuno, aqui, muitas vezes, implica um carisma misterioso que ajuda a atrair o apoio dos outros.

Vênus em quadratura com Netuno: usado de forma negativa, esta quadratura pode indicar um escapista, mas, muitas vezes, é encontrada nos mapas dos atores. (Certamente atuar é uma forma de fuga.) No caso de Fonda, envolve a casa 8 (Netuno está lá) e a casa 11 (Vênus está lá), e mais do que provavelmente contribuiu para sua controversa posição política; também se relaciona com sua bulimia, um tipo de doença um tanto obsessiva (casa 8) envolvendo indulgência na comida (Vênus) e a necessidade de se livrar dela vomitando (um pouco da ilusão de Netuno).

Módulo 17: Plutão (página 425)

Aqui está nossa breve interpretação do **Plutão de Fonda em Câncer na casa 7 regendo a casa 10:** como Plutão foi descoberto (em 1930) quando estava em Câncer, houve um sentimento de confusão, já que Câncer gosta de segurança, de cuidar dos outros ou de ser cuidado, ao passo que a principal função de Plutão é transformar ou mudar. Não é exatamente a combinação ideal de energias.

A posição de Plutão na casa 7 de Jane não é a mais feliz. Onde você encontra Plutão no mapa encontra complexidade – é onde você tem que resolver problemas sozinho e sem ajuda. Mas a casa 7 representa parceiros, relacionamentos próximos e individuais, bem como o público. Como você resolve problemas sozinho na casa de "outra pessoa"? E como você equilibra a necessidade de Plutão de controlar quando é colocado na casa 7, que pode indicar a necessidade do parceiro de estar no comando? A Lua regente de Plutão em Câncer também está na casa 7, em Leão. Mas Plutão rege a casa 10, da carreira e do *status* – e para Jane a melhor solução parece ser a vida profissional, onde ela tem sucesso e está no controle.

Sol em quincunce com Plutão: este aspecto envolve a casa 11 (o Sol está lá), de metas, bem como do dinheiro recebido pela profissão

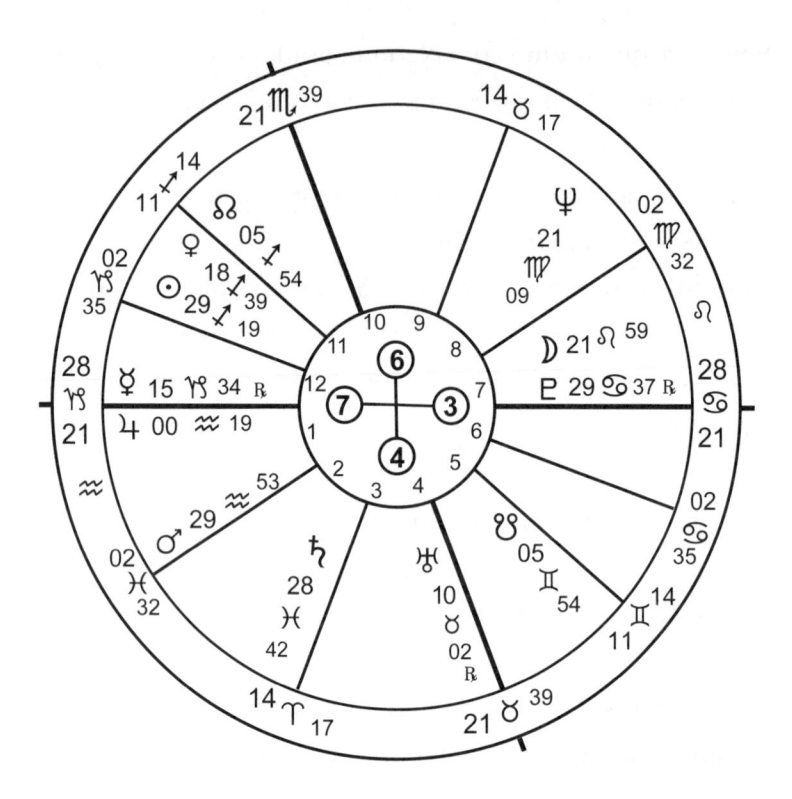

Figura 12: Mapa natal de Jane Fonda. Este é o mapa completo da página 368.

cardeal:	♇ ☿ A			
fixo:	♅ ☽ ♃ ♂ M			
mutável:	♂ ♅			
fogo:	☽ ♀ ☉			
terra:	♅ ♆ ☿ A			
ar:	♂ ♀ ☉ ☿			
água:	♇ ♄ M			
angular:	♃ ♂ ♇ ☽			
sucedente:	♄ ♆ ♀ ☉			
cadente:	♅ ☿			
dignidade:				
exaltação:				
detrimento:	☿ ♆			
queda:	♅			
V: 2	B: 1	R: 5	EC: 2	

longitude									
21 ♌ 59	☽								
15 ♑ 34		☿ ᴿ							
18 ♐ 39	△		♀						
29 ♐ 19				☉					
29 ♒ 53				✱	♂				
0 ♒ 19						♃			
28 ♓ 42				□		✱	♄		
10 ♉ 02	△							♅	
21 ♍ 09			□						♆
29 ♋ 37			⊼	⊼	☍	△			♇ ᴿ

(casa 10), a casa 7 (regida pelo Sol), das parcerias (Plutão na casa 7) e a casa 10, da carreira e posição pública (Escorpião na cúspide/regida por Plutão). Um quincunce sempre indica uma área de ajuste ou mudança de atitude. Plutão geralmente gosta de estar no controle ou de "assumir o comando" – na casa 7, isso pode destruir um relacionamento próximo, porque ela nem sempre tem certeza de quem deve estar no controle.

No caso de Fonda, ela era muito jovem e inexperiente quando conheceu Roger Vadim; parecia deixá-lo guiá-la e moldá-la à sua imagem. No entanto, quando amadureceu e quis "possuir", outra vez, seu Plutão, as coisas provavelmente ficaram confusas e, com o tempo, levaram ao divórcio. Durante seu casamento com Tom Hayden, ela parecia estar no comando do próprio Plutão, usando-o através da casa 10 em Escorpião (carreira) e da casa 11 (dinheiro da carreira dela) para financiar a maior parte de suas campanhas políticas.

Marte em quincunce com Plutão: se Jane permitir que outros façam muitas demandas de seu tempo e esforço em relação à sua carreira (Plutão regendo sua casa 10), tenderá a reagir sarcasticamente e a dizer coisas de que poderá se arrepender posteriormente (Marte regendo sua casa 3, Urano na casa). Esse pode ser um aspecto mais desafiador, que requer muitos ajustes em relação à autoexpressão (Marte na casa 1) e às reações de terceiros (Plutão na casa 7), que podem criticar a posição que ela ocupa, assim como suas opiniões fortes (Marte regendo a casa 3). Esse aspecto com o enérgico Marte na casa 1, de autoexpressão, enfatiza a forte necessidade de reconhecimento. Qualquer conexão Marte/Plutão geralmente indica natureza sexual forte, bem como o desejo de ser líder ou empresário. Ambos, é claro, se aplicam a Fonda.

Júpiter em oposição a Plutão: frequentemente discordando dos códigos aceitos, Jane tende a criar os próprios caminhos (Júpiter em

Aquário na casa 1) e é conhecida pela irreverência. Essa é a única oposição em seu mapa (oposição = alcance, equilíbrio, cooperação ou conflito); felizmente, cai no eixo 1/7, proporcionando oportunidades para ela interagir e cooperar com outras pessoas.

Com Plutão regendo seu Meio do Céu, bem como sua posição na casa 7, tudo o que Jane faz é visto pelo público (casas 7 e 10 = público). Qualquer oposição de Júpiter envolve aprender a equilibrar otimismo e realidade. A lição de Jane é aprender a equilibrar seu idealismo (Júpiter) com a necessidade de Plutão de se transformar. Júpiter em Aquário, sem dúvida, contribui para suas fortes convicções políticas, mas é a oposição a Plutão que desencadeou seu comportamento revolucionário. Júpiter gosta de fazer leis; Plutão tem prazer em quebrá-las!

Saturno em trígono com Plutão: este aspecto, especialmente com Plutão na casa 7 regendo a casa 10, quase garante o sucesso no campo escolhido. No caso de Fonda, com Saturno na casa 2, ela tem a capacidade de ganhar dinheiro não apenas por meio da atuação, mas pelos muitos outros empreendimentos, incluindo seu negócio de exercícios/*fitness*. Com Saturno em Peixes, sua percepção dos outros é bem desenvolvida, e, muitas vezes, ela se relaciona com eles no nível emocional. Com Saturno na casa 2, embora financeiramente bem-sucedida, suas lições de vida estão relacionadas a valores – o que é ou não importante.

Saturno como regente do Ascendente colabora, em parte, para a competência para os negócios. A posição de Plutão na casa 7 traz, com frequência, complexidade nos relacionamentos, e Jane resistiu a algumas experiências difíceis no primeiro casamento bastante curto com Roger Vadim. O segundo casamento com Tom Hayden durou mais, mas acabou após dezessete anos, período durante o qual ela financiara sua carreira política. Plutão certamente trouxe complexidade a seus relacionamentos. Usado positivamente, Plutão pode melhorar a persistência de Saturno por causa do intenso desejo de ter sucesso, de alcançar quaisquer objetivos. Os objetivos de Plutão são cada vez maiores. A fome de poder ou o controle de Plutão é mais bem-sucedido quando combinado com a capacidade de Saturno de obedecer à lei em vez de contorná-la, aprender com a paciência de Saturno em vez de voar alto e, assim, arriscar e perder tudo.

Leitura Recomendada

Outros livros de que você pode gostar neste nível de aprendizagem são: *Planets in Youth*, de Robert Hand, e *The Inner Sky*, de Steven Forrest.

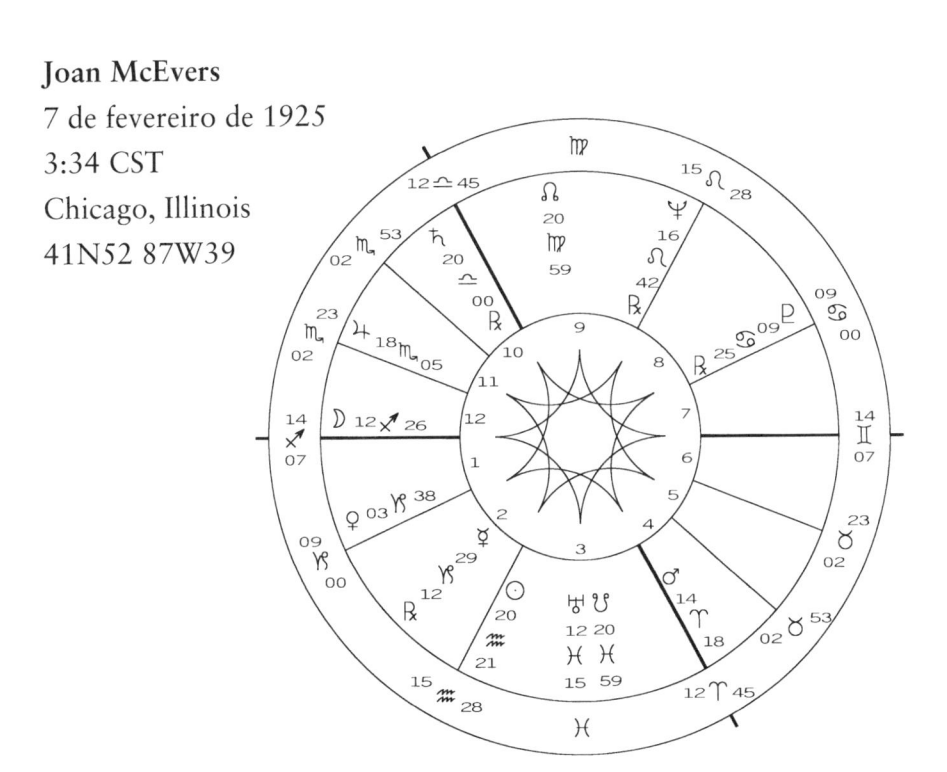

Joan McEvers
7 de fevereiro de 1925
3:34 CST
Chicago, Illinois
41N52 87W39

Marion D. March
10 de fevereiro de 1923
3:46 MET
Nuremberg, Alemanha
49N27 11E04

Também da ACS Publications ou Starcrafts Publishing

All About Astrology, série de livretos de vários autores.

The American Atlas, Expanded 5th Edition, Thomas G. Shanks.

The American Ephemeris 2001-2010, Neil F. Michelsen.

The American Ephemeris for the 21st Century [meio-dia ou meia-noite].

2000-2050, Rev. 2nd Ed., Neil F. Michelsen, revisões por Rique Pottenger.

The American Ephemeris for the 20th Century [meio-dia ou meia-noite].

1900-2000, Rev. 5th Ed., Neil F. Michelsen, revisões por Rique Pottenger.

The American Heliocentric Ephemeris 2001-2050, Neil F. Michelsen.

The American Sidereal Ephemeris 2001-2025, Neil F. Michelsen.

The Asteroid Ephemeris 1900-2050, Rique Pottenger com Neil F. Michelsen.

Astrology for the Light Side of the Brain, Kim Rogers-Gallagher.

Astrology for the Light Side of the Future, Kim Rogers-Gallagher.

Astrology: the Next Step, Maritha Pottenger.

Astrology and Weight Control, Beverly Flynn.

The Book of Jupiter, Marilyn Waram.

The Book of Neptune, Marilyn Waram.

The Book of Saturn, Zipporah Dobyns, Ph.D.

Dial Detective, Maria Kay Simms.

Easy Astrology Guide, Maritha Pottenger.

Easy Tarot Guide, Marcia Masino.

Future Signs, Maria Kay Simms.

The International Atlas, Revised 6th Edition, Thomas G. Shanks e Rique Pottenger.

The Michelsen Book of Tables, Neil F. Michelsen.

Moon Tides, Soul Passages, Maria Kay Simms.

The New American Ephemeris for the 20th Century, 1900-2000, Michelsen Memorial Edition, Rique Pottenger, baseado em Michelsen.

The New American Ephemeris for the 21st Century, 2000-2100. Michelsen Memorial Edition, Rique Pottenger, baseado em Michelsen.

The New American Ephemeris for the 21st Century, 2007-2020: Longitude, Declination, Latitude & Daily Aspectarian, Rique Pottenger, baseado em Michelsen.

The New American Midpoint Ephemeris 2007-2020.

The Only Way to... Learn Astrology, Vols. I-III (Marion D. March & Joan McEvers).

Volume II, 2nd Edition – Math & Interpretation Techniques.

Volume III – Horoscope Analysis.

Past Lives, Future Choices, Maritha Pottenger.

Pathways to Success, Gayle Geffner.

Planetary Heredity, Michel Gauquelin.

Planets on the Move, Maritha Pottenger e Zipporah Dobyns, Ph.D.

Psychology of the Planets, Francoise Gauquelin.

Spirit Guides: We Are Not Alone, Iris Belhayes.

Tables of Planetary Phenomena, Third Edition, Neil F. Michelsen.

Unveiling Your Future, Maritha Pottenger and Zipporah Dobyns, Ph.D.

Your Magical Child, Maria Kay Simms.

Your Starway to Love, Maritha Pottenger.

Impresso por :

gráfica e editora
Tel.:11 2769-9056